À FEU ET À SANG

DU MÊME AUTEUR
AUX ÉDITIONS BELFOND

BM Blues, 2012 (première édition, Denoël, 1993)
Serment d'automne, 2012
Dans les pas d'Ariane, 2011
Le Testament d'Ariane, 2011
Un soupçon d'interdit, 2010
D'espoir et de promesse, 2010
Mano a mano, 2009 (première édition, Denoël, 1991) ; Pocket, 2011
Sans regrets, 2009 ; Pocket, 2011
Dans le silence de l'aube, 2008
Une nouvelle vie, 2008 ; Pocket, 2010
Un cadeau inespéré, 2007 ; Pocket, 2008
Les Bois de Battandière, 2007 ; Pocket, 2009
L'Inconnue de Peyrolles, 2006 ; Pocket, 2008
Berill ou la Passion en héritage, 2006 ; Pocket, 2007
Une passion fauve, 2005 ; Pocket, 2007
Rendez-vous à Kerloc'h, 2004 ; Pocket, 2006
Le Choix d'une femme libre, 2004 ; Pocket, 2005
Objet de toutes les convoitises, 2004 ; Pocket, 2006
Un été de canicule, 2003 ; Pocket, 2004
Les Années passion, 2003 ; Pocket, 2005
Un mariage d'amour, 2002 ; Pocket, 2004
L'Héritage de Clara, 2001 ; Pocket, 2003
Le Secret de Clara, 2001 ; Pocket, 2003
La Maison des Aravis, 2000 ; Pocket, 2002
L'Homme de leur vie, 2000 ; Pocket, 2002
Les Vendanges de Juillet, 1999, rééd. 2005 ; Pocket, 2009
(volume incluant *Les Vendanges de Juillet*, 1994, et *Juillet en hiver*, 1995)
Nom de jeune fille, 1999, rééd. 2007
L'Héritier des Beaulieu, 1998, rééd. 2003, 2013
Comme un frère, 1997, rééd. 2011
Les Sirènes de Saint-Malo, 1997, rééd. 1999, 2006
La Camarguaise, 1996, rééd. 2002
D'eau et de feu, 2013

CHEZ D'AUTRES ÉDITEURS

Crinière au vent, éditions France Loisirs, 2000
Terre Indigo, TF1 éditions, 1996
Corrida. La fin des légendes, en collaboration avec Pierre Mialane, Denoël, 1992
Sang et or, La Table ronde, 1991
De vagues herbes jaunes, Julliard, 1974
Les Soleils mouillés, Julliard, 1972

Vous pouvez consulter le site de l'auteur à l'adresse suivante :
www.francoise-bourdin.com

FRANÇOISE BOURDIN

À FEU ET À SANG

roman

belfond

Belfond | un département **place des éditeurs**

place
des
éditeurs

1

Kate sortit à pas de loup de la chambre des enfants, qui s'étaient enfin endormis. Comme chaque soir, elle leur avait lu une histoire à la lueur de la veilleuse, assise sur le tapis entre les deux petits lits à barreaux. Le plus souvent, Hannah s'assoupissait la première, et Luke quelques minutes après.

Elle gagna la cuisine où Scott s'affairait devant le plan de travail. Il ne l'avait pas entendue arriver et coupait consciencieusement des rondelles de pommes de terre qu'il jetait dans la poêle. S'il rentrait assez tôt, il s'occupait volontiers du dîner, ou bien il donnait leur bain aux jumeaux.

— Veux-tu boire quelque chose ? proposa-t-elle.

Vivre avec Scott, être sa femme et la mère de ses enfants la remplissait toujours d'une joie un peu incrédule. Que cet homme-là, sur lequel elle avait tant fantasmé durant toute son adolescence et qui lui avait si longtemps paru hors d'atteinte, ait pu tomber éperdument amoureux d'elle puis la demander en mariage lui semblait aujourd'hui encore assez inouï.

Tourné vers elle, il acquiesça avec un sourire, et tandis qu'elle servait deux verres de chardonnay, il ajouta :

— J'ai préparé une salade, et il y a des cuisses de canard dans le four. Tu vois que je sais me débrouiller.

— Peut-être, mais je reste contrariée à l'idée de te laisser.

— Trois jours, Kate ! Nous survivrons, les enfants et moi.

Avec son regard bleu ardoise, ses traits réguliers et sa haute silhouette longiligne, il était vraiment séduisant. Semblable à ce jeune homme vu pour la première fois dix ans auparavant, alors qu'elle venait d'arriver en Écosse. Elle était instantanément tombée sous son charme, d'autant qu'il l'avait traitée avec beaucoup de gentillesse, elle, la gamine désemparée qu'on lui imposait soudain avec toute sa fratrie.

— Notre nounou est digne de confiance, chérie. Et je m'arrangerai pour être le plus présent possible.

Elle savait qu'il était très pris par la gestion des deux distilleries, avec un emploi du temps surchargé. Mais il allait faire l'effort de se libérer, elle n'en doutait pas. Il adorait les jumeaux, et puis il ne s'engageait jamais à la légère.

— Pars tranquille, Kate. Tu vas revoir la France !

Elle aurait dû s'en réjouir, pourtant elle n'y parvenait pas. Scott l'avait encouragée à faire ce voyage, persuadé qu'elle en avait envie, mais en réalité la France ne lui manquait pas. Ni son frère John, même si elle trouvait normal de répondre à son appel au secours.

— Pourquoi John ne s'est-il pas adressé à George ou à Philip ? redemanda-t-elle pour la énième fois. Il s'entendait mieux avec eux qu'avec moi.

— Sans doute a-t-il peur de leur jugement.

— Dis plutôt qu'il les prend pour des traîtres parce qu'ils sont restés en Écosse eux aussi !

— Tu es la plus gentille de toute la famille, il en a bien conscience. Il va chercher à t'attendrir, ne te laisse pas trop faire.

Le couvercle qu'il voulait poser sur la poêle lui échappa et heurta le carrelage à grand fracas. Ensemble, ils retinrent leur respiration. Quelques instants plus tard, des pleurs s'élevèrent dans la chambre des enfants.

— Oh, je suis désolé…, chuchota Scott.

— C'est l'occasion de te rappeler que nous sommes un peu à l'étroit, ici, répliqua-t-elle avec un sourire.

— Kate !

Réprimant un mouvement d'humeur, il la dévisagea, puis secoua la tête.

— Si c'est vraiment important pour toi, on peut en reparler, finit-il par lâcher. Mais je vais d'abord m'occuper des bébés.

La discussion au sujet de l'exiguïté de leur appartement revenait souvent entre eux. Scott avait proposé de le vendre et d'en trouver un plus grand, mais Kate avait une autre idée. Elle rêvait de retourner à Gillespie, cadre à ses yeux pour élever des enfants. Scott y était né, il adorait cet élégant manoir victorien situé entre mer et montagne, toutefois il refusait d'y cohabiter avec sa belle-mère. Le sujet était tabou, il se braquait dès que sa femme y faisait allusion. C'était leur premier désaccord, mais il était de taille. Aux yeux de Kate, se réinstaller là-bas ne présenterait que des avantages. L'océan à deux pas, la campagne à perte de vue, une très grande maison où chacun pouvait trouver son indépendance, et surtout la famille réunie avec le père de Scott, la mère de Kate, l'adorable tante Moïra, et l'irremplaçable cousin David. Ces parents, préférables à n'importe quelle nounou, formeraient un rempart autour des enfants, et alors Kate pourrait postuler pour sa première affectation de professeur. Malgré la naissance des jumeaux, elle avait poursuivi et bouclé ses études avec succès, Scott ayant tout fait pour lui faciliter les choses. Elle avait connu quelques moments pénibles mais s'était accrochée jusqu'à son diplôme, et à présent elle souhaitait exercer enfin. Scott était d'accord, d'ailleurs il lui donnait toujours raison, sauf pour un éventuel retour à Gillespie. C'était absurde car il souffrait sûrement de ne plus habiter *chez lui*. Cette expression, qu'il utilisait sans y penser pour désigner le manoir de ses ancêtres, trahissait son attachement. Hélas, ses différends avec Amélie, la mère de Kate, le faisaient s'obstiner dans un refus sans appel.

— Ils se sont rendormis, murmura-t-il en revenant.

Il ferma soigneusement la porte de la cuisine et esquissa un de ces sourires désarmants dont il avait le secret.

— Le moindre bruit les réveille, mais on ne peut pas marcher pieds nus et parler à voix basse toute l'année, fit-elle remarquer.

— C'est un appartement de célibataire, Kate, pourquoi ne veux-tu pas simplement le quitter pour un autre ? Graham pourrait nous trouver quelque chose de beaucoup plus grand et plus adapté à une vie de famille.

Il faisait référence à son meilleur ami, qui gérait des patrimoines et s'occupait d'immobilier. Grâce à lui, il avait acquis quelques années plus tôt cet agréable logement de trois pièces en plein cœur de Glasgow, mais dont la cuisine était minuscule. Le séjour, plus spacieux, se trouvait désormais encombré de jouets, d'un parc, d'une poussette double et de chaises de bébé. La plus grande des deux chambres avait été dévolue aux jumeaux dès leur naissance, et Kate, faute de pouvoir installer un bureau dans la sienne, avait souvent dû se réfugier à la bibliothèque de l'université pour travailler.

— Je n'ai plus très envie de vivre dans un appartement, plaida-t-elle. Un autre nous coûterait plus cher, et il faudrait continuer à payer la nounou…

Scott vint vers elle, la prit par les épaules et la serra contre lui.

— Ici, au moins, nous élevons nos enfants nous-mêmes. Je ne veux pas que ce soit ta mère qui s'en charge.

— Tu ne l'aimes pas, d'accord, et…

— Et c'est réciproque, non ? Elle m'a toujours traité en ennemi, elle s'imagine qu'elle m'a *obligé* à t'épouser, alors que je me serais damné pour que tu me dises oui ! Chaque fois que nous allons là-bas, j'ai droit à des réflexions acides concernant les jumeaux, d'après elle je fais tout de travers. Je sais que je ne trouverai jamais grâce à ses yeux, et mon père souffre de cette situation. Tu voudrais que je la lui impose au quotidien ? Oui, Gillespie est un endroit de rêve, je l'aime plus que quiconque et c'est *chez moi*, mais je tiens à mon indépendance. À la nôtre.

— Tu as mauvais caractère, soupira Kate.

Elle se sentait injuste en affirmant cela, car avec elle Scott ne se mettait jamais en colère. Mais, s'il avait toutes les indulgences pour elle, envers d'autres il pouvait se montrer plus ombrageux.

— Le canard va se dessécher, se contenta-t-il de déclarer en éteignant le four.

Sa veste de costume et sa cravate étaient accrochées à la poignée de la porte, faute d'un dossier de chaise puisqu'il n'y avait que deux tabourets sous le guéridon qui tenait lieu de table. Et il avait beau être très attirant avec son col de chemise ouvert, très attendrissant tandis qu'il disposait les pommes de terre dans leurs assiettes, Kate décida de ne pas céder.

— Scott ? Tu me l'as demandé tout à l'heure et je vais te répondre sincèrement : oui, c'est très important pour moi. Ma mère a ses défauts, je le reconnais volontiers, mais elle ne doit pas être un obstacle. Au contraire. Elle aime les enfants, elle nous a élevés tous les quatre et…

— Avec une grosse préférence pour tes frères ! Si on lui confiait les nôtres, elle privilégierait Luke au détriment d'Hannah.

— Elle n'est pas seule à Gillespie. Avec ton père et Moïra, les jumeaux seront couvés de la même manière. Tu as adoré ta jeunesse là-bas, pourquoi veux-tu les en priver ? Ici, on étouffe ! Pas seulement dans cet appartement mais dans Glasgow, qui est archipolluée. Imagine la joie qu'ils éprouveraient s'ils pouvaient courir partout !

Sentant qu'elle s'emballait, elle reprit, plus posément :

— Même toi, mon amour, tu aurais moins de route à faire. Que ce soit pour aller à Greenock ou à Inverkip.

— Et toi ? Si tu obtiens un poste à Glasgow, tu seras esclave de ta voiture.

— Je n'aurai pas cours tous les jours, et il y a beaucoup de vacances.

Navrée de lui tenir tête, elle esquissa un sourire conciliant.

— Au moins, peux-tu y réfléchir au lieu de te braquer ?

— Promis.

Il avait répondu trop vite pour la convaincre.

— En fait, je crois que je ne postulerai pas pour la rentrée prochaine, finit-elle par déclarer. Je ne me suis pas assez occupée des jumeaux à cause de ce fichu diplôme, et je voudrais passer du temps avec eux. Si c'est possible, financièrement, je m'accorderais bien quelques mois de répit.

Scott cessa de manger pour la dévisager.

— Kate… Je t'ai répété que tu pouvais choisir d'exercer ton métier ou pas. Une année sabbatique te ferait le plus grand bien, et nous ne sommes pas dans la misère, que je sache. D'ailleurs, mes comptes bancaires n'ont rien de secret, tu devrais savoir où nous en sommes sans avoir à me le demander.

Il avait donné à Kate une procuration dont elle pouvait user à sa guise, mais elle était encore un peu mal à l'aise avec l'argent. Elle ne voulait pas être comparée à sa mère, qui n'avait jamais gagné sa vie et que son mari entretenait.

— Je suis partagée entre le désir de travailler et celui de me consacrer aux enfants.

— Vraiment ? Tu n'es pas plutôt en train d'exercer une sorte de… pression ?

— Sur toi ? Non, tu es trop têtu, ça ne servirait à rien.

— Sois franche avec moi.

— Je le suis toujours, Scott ! Mais chaque fois qu'on parle de Gillespie, tu mets ton veto. Or ce serait pour moi la solution idéale. J'ai peur que les enfants finissent par appeler leur nounou « maman ». En les confiant à la famille, je me sentirais plus sereine et plus libre.

— Et moi plus contraint.

— Alors, nous sommes dans une impasse.

Cela lui paraissait une évidence, mais elle vit Scott se figer.

— Je ne veux aucun nuage entre nous, articula-t-il. Je vais vraiment penser à tout ça pendant que tu seras à Paris.

Était-il agacé par son insistance, inquiet de leur désaccord ? Jusqu'ici, ils avaient été en parfaite harmonie, amoureux fous l'un de l'autre et comblés par la naissance des jumeaux. Parce qu'il avait neuf ans de plus qu'elle, Scott préservait Kate. Il l'épaulait, l'estimait, prévenait ses désirs, et depuis leur première nuit passée ensemble il semblait n'avoir cherché qu'à la rendre heureuse. N'était-ce pas assez pour qu'elle fasse une croix sur cette idée d'installation à Gillespie ?

— J'ai confirmé ta réservation, dit-il pour changer de sujet. L'hôtel Odéon est en plein cœur de ton ancien quartier, tu vas t'y plaire.

Revoir Saint-Germain-des-Prés et le jardin du Luxembourg lui rappellerait son enfance, mais aujourd'hui ces lointains souvenirs la touchaient peu. À douze ans, elle s'était crue heureuse à Paris, puis ses parents avaient divorcé et sa mère s'était très vite remariée avec Angus Gillespie, un Écossais de passage en France. Trois mois plus tard, Kate et ses trois frères s'étaient retrouvés dans un avion à destination de Glasgow. Un changement de vie terrifiant, au milieu duquel seul Scott lui avait semblé amical. En secret, elle en avait fait son dieu et avait pris l'habitude de s'endormir en pensant à lui. Il avait beau la traiter en petite fille – affectueux et protecteur, mais jamais ambigu –, elle en était tombée éperdument amoureuse et ce sentiment violent ne l'avait plus quittée. À travers lui, elle s'était mise à apprécier l'Écosse, le trop grand manoir cerné par les vents, et jusqu'à son beau-père Angus. Plus tard, le cœur en miettes, elle avait vu Scott sur le point d'épouser la belle Mary. Elle-même avait failli se fiancer avec un charmant garçon, mais au bout du compte le rêve était devenu réalité quand Scott l'avait enfin regardée avec les yeux de l'amour.

— Je ne pars pas en pèlerinage, déclara-t-elle gaiement. Ma vie est ici, ton pays est devenu le mien. J'espère seulement que John n'a pas de trop gros ennuis, il a l'art de se mettre dans des situations impossibles.

— Sa femme devrait pourtant l'en avoir préservé.

Après avoir traîné de mauvaise grâce dans les distilleries Gillespie sans jamais s'y intéresser, John avait séduit la comptable, Betty, et s'était enfui avec elle en France. Depuis, ils étaient mariés et ne donnaient quasiment pas de nouvelles, hormis cet appel à l'aide lancé à Kate huit jours plus tôt. Un SMS laconique mais inquiétant.

Scott se leva, passa derrière Kate et posa les mains sur ses épaules.

— Au moindre souci, tu m'appelles.

— Je le ferai de toute façon.

Tandis qu'il se penchait pour l'embrasser dans le cou, elle murmura :

— Tu dois en avoir assez de ma famille, non ? On t'a apporté pas mal de soucis…

— Mais aussi le plus grand des bonheurs.

Elle tourna la tête pour lui offrir ses lèvres. Avec lui, elle se sentait toujours protégée, apaisée, pourtant ce soir une angoisse diffuse la troublait. Une menace, impossible à identifier, s'était mise à planer sur eux. Elle chassa cette idée quand Scott referma ses bras sur elle.

*

Un vent d'ouest venu de la mer faisait voler les premières feuilles mortes à travers le parc. Amélie et Angus, assis sur le banc de pierre, profitaient d'une des dernières belles journées du mois d'octobre en s'attardant dehors. Dans la bouteille Thermos posée entre eux, le thé avait fini par refroidir et Amélie jeta ce qui restait sur les cailloux de l'allée.

— Nous devrions rentrer, suggéra-t-elle.

— Tu as froid ? s'inquiéta Angus.

— Pas encore, mais j'aimerais marcher un peu.

Au fil du temps, une certaine complicité était née entre eux. Leur famille recomposée avait connu bon nombre de tempêtes pendant les premières années, mais une paix fragile s'était établie depuis la naissance des jumeaux. Amélie n'aimait toujours pas Scott, et sans doute ne l'aimerait-elle jamais ; de son côté Angus n'avait pas réussi à s'attacher aux trois fils d'Amélie qui ne lui avaient créé que des problèmes. Néanmoins, grâce à Kate et à son improbable mariage avec Scott, ils se retrouvaient grand-mère et grand-père des mêmes petits-enfants. Un bouleversement qui les avait rapprochés en les mettant sur un pied d'égalité. Certes, chacun continuait à défendre les siens, mais devant Luke et Hannah ils fondaient l'un et l'autre.

— Tu ne m'ôteras pas de l'idée que les jumeaux seraient mieux ici qu'à Glasgow, déclara-t-elle en se levant.

— C'est à leurs parents d'en décider.

— L'intérêt des enfants devrait passer avant toute autre considération. Je sais que Kate serait ravie, mais voilà, Scott ne veut pas ! Et pourquoi ? Il répète qu'il *adore* Gillespie, qu'il y est *chez lui*, donc il devrait être le premier à se réjouir d'un retour. Leur appartement est trop petit, avec cette cuisine ridicule où on se marche sur les pieds, alors que nous avons tellement de place inutile ! Toutes ces chambres vides...

Sans doute regrettait-elle l'animation qui avait régné à Gillespie lorsqu'elle y était arrivée avec ses trois fils et sa fille. Cinq personnes supplémentaires peuplaient alors l'ambiance silencieuse du manoir d'un joyeux chahut. Mais, aujourd'hui, John était en France, George venait d'achever ses études à Édimbourg, Philip était parti vivre avec son amant, Malcolm, et Kate avait épousé Scott. Les « vieux » se retrouvaient entre eux.

— J'aime bien Moïra et David, ajouta-t-elle, mais ils ne sont pas très gais ! Imagine un peu les jumeaux ici, ton fils et ma fille, peut-être une jeune fille au pair pour donner un coup de main, bref de grandes tablées et beaucoup de joie.

— Une vision un peu égoïste, non ?

— *Égoïste ?* Pas moi ! Bien au contraire, chéri. Le rôle des grands-parents est d'aider un jeune couple, or je suis disposée à le faire. Kate pourrait exercer son métier en toute quiétude, et Scott serait déchargé de certaines obligations familiales qui l'empêchent de se consacrer pleinement aux distilleries. Je sais qu'il aide Kate, il le fait assez remarquer pour...

— Lui ? Il ne se plaint de rien !

— Il joue à l'homme parfait, mais ne me dis pas qu'il adore changer des couches, je n'y croirais pas.

— Tu lui as toujours trouvé tous les défauts.

— En tout cas, si je n'avais pas exigé qu'il épouse Kate après l'avoir séduite, il...

— Amélie, tu racontes n'importe quoi. Il était fou d'elle, il *voulait* se marier avec elle.

Elle leva les yeux au ciel, refusant de se laisser convaincre. Elle tenait absolument à avoir été l'instrument de ce mariage. Envisager qu'elle ait pu aller au-devant des désirs de Scott lui était intolérable, elle préférait sa propre version et n'en démordrait pas.

— Ne peux-tu vraiment rien faire pour arranger la situation ? insista-t-elle en lui prenant gentiment le bras.

Angus réprima un sourire. Chaque fois qu'Amélie voulait obtenir quelque chose de lui, elle se faisait câline. Mais ils en riaient, entre eux c'était devenu un jeu.

— Toi, il t'écouterait. Tu es le chef du clan, Angus !

En le lui rappelant, elle le prenait par son point faible. N'ayant eu qu'un fils, il s'était obstiné à élargir le cercle de sa famille. Il avait gardé chez lui sa sœur Moïra, recueilli son cousin David, s'était remarié après le décès de sa première femme et avait pris en charge les quatre enfants d'Amélie. Il aimait se sentir le patriarche, être entouré de tous les siens. Bien sûr qu'il désirait le retour de Scott et Kate avec les petits ! Mais il ne voulait pas influencer son fils, leurs rapports étant délicats. Trop souvent ils s'étaient heurtés au sujet d'Amélie, et parfois querellés sur la manière de gérer les distilleries. Scott prenait des risques, il avait décidé d'ajouter une catégorie de quinze ans d'âge à Inverkip, changé de fournisseur pour ses tonneaux, redessiné les étiquettes des bouteilles, et il parlait tout le temps de « marketing ». Mais les affaires marchaient bien, ce qui finissait par faire taire Angus. Pour fêter la naissance des jumeaux, il avait même consenti à donner des actions supplémentaires à Scott. « Tu me pousses dans la tombe ! » avait-il plaisanté en signant les papiers des cessions de parts, ce qui avait fait rire son fils aux éclats. Scott n'était pas dupe, il savait qu'Angus ne voulait plus s'occuper du whisky. Amélie, le golf et la chasse suffisaient à son bonheur de retraité. Néanmoins, il lui arrivait d'éprouver une pointe de jalousie devant l'assurance de son fils unique, qui réussissait tout ce qu'il entreprenait. Partagé entre fierté et agacement, il évitait de le prendre de front.

— Les jeunes gens aiment leur indépendance, maugréa-t-il. J'accueillerai Scott à bras ouverts, mais le jour où il en aura envie.

Amélie se rembrunit, Angus la connaissait cependant assez pour savoir qu'elle reviendrait à la charge d'une façon ou d'une autre.

*

George contemplait la pièce qui allait devenir son bureau avec un sentiment d'impatience et de crainte mêlées.

— J'espère ne pas te décevoir, dit-il à Scott avec le plus grand sérieux.

— Quel progrès ! Il y a quelques années, ton seul but était plutôt de me contrarier.

George esquissa un sourire contrit, mais Scott paraissait s'amuser.

— Ne fais pas cette tête de coupable, je plaisantais. Je suis sûr que tu vas très bien t'en sortir. L'actuel directeur ne prend sa retraite que dans quelques semaines, il aura tout le temps de te mettre au courant. Et ainsi, tu sauras si le job te plaît ou pas.

Après avoir été un adolescent désagréable puis un élève médiocre, George s'était soudain réveillé. Admis à la prestigieuse Business School de l'université d'Édimbourg, il avait étudié la gestion et le marketing, comme Scott l'avait fait en son temps, et qu'il veuille suivre son exemple avait créé la surprise dans la famille.

— Le fonctionnement d'une filature est un peu compliqué à comprendre, mais tu apprendras vite. Je n'ai pas pu m'en occuper autant que je l'aurais voulu parce que les distilleries m'accaparent, néanmoins les comptes sont à l'équilibre. Je crois qu'il faut injecter du sang neuf dans cette affaire. Les machines ne sont pas en mauvais état mais ce sont les idées modernes qui manquent. À toi d'en avoir ! Quand Donald, le directeur, aura fait ses adieux, tu devras être prêt à foncer.

— Et je dépendrai de qui à ce moment-là ?

— De moi, c'est tout.

Scott fit signe à George de s'asseoir derrière le bureau et lui-même prit place dans l'un des deux sièges réservés aux visiteurs.

— La filature a été achetée pour ma mère. Elle avait envie d'une activité, je crois qu'elle s'ennuyait. Nous avions déjà pas mal de moutons à l'époque, et mon père a pensé que c'était un bon moyen de les exploiter. Malheureusement, la vogue des tartans était en chute libre, et ensuite la Chine s'est mise à nous inonder de produits textiles. Mais ma mère était tenace, elle essayait toutes sortes de choses pour surnager. Ensuite… Eh bien, elle a eu cet accident de voiture.

La voix soudain altérée, Scott marqua une pause. Sa mère était morte alors qu'il n'était qu'un petit garçon.

— Après, mon père s'est désintéressé de la filature, sans pourtant suggérer de la vendre, peut-être en mémoire de sa femme. Et quand il en a eu assez, c'est moi qui ai pris le relais en protestant dès qu'il parlait de s'en débarrasser. Finalement, nous l'avons gardée, et je suis venu faire mon premier stage ici avant de partir pour mon tour d'Europe. Au fond, tu suis le même parcours !

— Apparemment, ce n'était pas le plus mauvais.

— Sauf que je ne pouvais pas tout mener de front. Aujourd'hui, impossible de diriger une entreprise en dilettante, comme le faisait mon père. Mais je ne t'apprends rien, tes études t'ont formé au marché actuel.

— En théorie.

— Tu vas vite découvrir la pratique.

George remit en place ses lunettes, qui glissaient toujours sur son nez. Après une brève hésitation, il posa la question qui lui tenait à cœur.

— Pourquoi m'offres-tu ce que tu as refusé à John ?

— Je ne lui ai rien refusé du tout. Il n'avait aucun diplôme et n'acceptait pas non plus d'être formé, il ne voulait pas davantage s'impliquer, il préférait s'ennuyer ferme et le faire savoir !

— Il racontait que tu lui menais la vie dure et que tu lui faisais balayer les planchers de maltage.

— Pas seulement. Je l'ai aussi envoyé voir l'embouteillage à Édimbourg, ensuite je lui ai proposé de s'intéresser au secteur de la vente, à l'administration…

— Et il a séduit ta comptable.

— J'imagine que c'était le moins fatigant à faire, pour lui.

— Angus n'aurait pas dû te l'imposer.

— Il a cédé à la pression de ta mère. Avec le recul, je comprends qu'elle ait pu s'inquiéter pour John, il y avait de quoi, mais le contraindre n'était pas la solution.

— À ton avis, quel genre de problème a-t-il pour avoir appelé Kate au secours ?

— Aucune idée.

Scott baissa les yeux vers sa montre.

— Elle ne va pas tarder à le savoir, fit-il remarquer. Son avion est en train d'atterrir à Roissy.

Lorsqu'il parlait de sa femme, Scott avait toujours un sourire particulier qui émouvait George.

— Vous formez un très beau couple, dit-il spontanément.

— C'est gentil, ça ! À propos, comment va ta copine ?

Discret quant à sa vie sentimentale, George sortait depuis un an avec la même fille, qu'il n'avait présentée à personne.

— Susan se réjouit beaucoup pour moi. Trouver du travail sans le chercher est une aubaine !

— Est-ce qu'elle va venir vivre ici ?

Un logement était disponible dans l'un des bâtiments de la filature, et Scott l'avait proposé à George pour lui permettre de s'installer rapidement et sans frais.

— Je ne sais pas. Je suis assez... indépendant.

— Décidément, nous avons des points communs ! Avant Kate, j'étais comme toi, mais elle a tout bouleversé. L'avoir près de moi m'est indispensable. Je suppose que c'est à ça qu'on reconnaît la femme de sa vie.

Après un nouveau coup d'œil à sa montre, Scott se leva.

— Bien, je vais te laisser prendre possession de ce bureau. Ton directeur t'attend dans le sien à midi. Il t'emmènera déjeuner et vous pourrez discuter de votre organisation. Bonne chance pour ta première journée !

Après le départ de Scott, George se rassit dans son fauteuil tournant. Il n'en revenait pas de la facilité avec laquelle tout s'était enchaîné. Son diplôme de fin d'études, la proposition de Scott qui lui offrait un emploi de cadre assorti d'un logement de fonction, sans oublier des perspectives d'avenir plutôt alléchantes. Comment ses deux frères avaient-ils pu être assez stupides pour passer à côté de telles chances ? Philip s'était découvert assez tard une passion pour l'art en général et le dessin en particulier. Il n'en avait pas parlé tout de suite, et pas davantage de la tournure amoureuse que prenait son amitié pour Malcolm. Discret, il s'était mis à passer ses week-ends sur l'île d'Arran, où les parents de Malcolm possédaient une jolie maison. Ils étaient également propriétaires d'un charmant appartement à Édimbourg, dont pouvait disposer leur fils chéri. Ainsi, Malcolm et Philip, tous deux élèves à l'Edinburgh College of Art, vivaient ensemble depuis trois ans. Philip semblait avoir trouvé son équilibre et n'aurait sans doute jamais pu s'intéresser aux affaires des Gillespie. Mais John, que rien n'attirait, qui ne possédait aucun don et s'était montré réfractaire aux études, aurait mieux fait de saisir sa chance. Après tout, il n'était pas si difficile de s'entendre avec Scott. À l'image de ses frères, au début George n'avait pas apprécié le fils unique d'Angus. Ils étaient adolescents, rebelles, et Scott représentait pour eux le modèle exaspérant du jeune homme accompli et bien sous tous rapports. En débarquant à Gillespie, ils avaient bruyamment envahi son territoire, qu'il avait fini par quitter pour aller vivre à Glasgow. Mais, avec le temps, George et Philip avaient compris que Scott n'était pas leur ennemi, tandis que John campait sur sa position d'adversaire farouche. Ses affrontements avec Scott avaient parfois tourné à la bagarre, ce qui mettait Amélie hors d'elle et pourrissait l'ambiance. Aujourd'hui, George comprenait mieux ce qu'avait dû ressentir Scott. Pourquoi aurait-il accepté de gaieté de cœur une belle-mère alors que les fils d'Amélie boudaient ostensiblement son père Angus ? Scott avait été obligé d'avaler des couleuvres, il avait même failli se brouiller avec son père, et au bout du compte il était tombé fou amoureux de Kate. Quelle ironie du sort !

George ouvrit l'ordinateur portable flambant neuf qui se trouvait devant lui, puis il leva les yeux sur le grand planning punaisé au mur. Il avait apporté un agenda gainé de cuir acheté la veille, ainsi que quelques stylos qu'il déposa sur le bureau. Hormis deux stages obligatoires au cours de ses études, il n'avait jamais travaillé et il était impatient de s'y mettre. Il espéra sympathiser rapidement avec Donald, ce qui faciliterait son intégration dans la société. Et, bien sûr, il faudrait qu'il aille remercier Angus, qui avait donné son accord pour l'embaucher : Scott lui soumettait ses décisions en la matière.

Un instant, il songea aux allusions de Scott quant à la similitude de leurs parcours. Oui, il marchait sur ses traces et ce n'était pas un hasard. Il souhaitait lui ressembler, réussir aussi bien que lui… et peut-être un jour le dépasser ? À son admiration se mêlait une pointe d'envie qui pourrait vite tourner à la jalousie, il en prit conscience avec inquiétude. Mais Scott avait eu toutes les cartes en main dès sa naissance. Angus était un père formidable, sévère mais aimant, alors que celui de George avait lâchement abandonné femme et enfants sans se soucier de leur sort. Si Scott avait perdu tôt sa mère, il avait bénéficié de toute la tendresse de sa tante Moïra. Il avait toujours su qu'il hériterait d'affaires prospères, il venait d'une famille aisée et considérée. Quoi d'étonnant à ce qu'il soit si à l'aise ?

George regarda son agenda et ses stylos, les jugeant soudain ridicules. Pourquoi pas une gomme ou des trombones ! Il n'était plus un étudiant et il devait apprendre à se comporter en dirigeant. Il décida qu'avec son premier salaire il achèterait un Smartphone muni de toutes les applications imaginables. Et aussi deux ou trois cravates élégantes. Tant qu'il y serait, il ferait resserrer ses lunettes par l'opticien, ou changerait de monture.

Satisfait de ces résolutions, il quitta son bureau pour aller frapper chez Donald.

*

— Je ne suis pas venue pour parler de Scott ! s'énerva Kate.

— D'accord, mais que tu aies pu épouser ce mec, ça me dépassera toujours, ronchonna John.

Il haussa les épaules puis jeta un regard agacé vers sa femme.

— Toi non plus tu ne veux pas critiquer le sacro-saint Scott, hein ?

Betty soupira sans répondre et adressa un sourire navré à Kate. Puis elle ramassa son sac et se leva en annonçant qu'elle devait aller travailler.

— Je vous retrouverai tous les deux directement à La Coupole. À ce soir !

Dès qu'elle fut sortie, John murmura :

— C'est gentil à toi de nous inviter au restaurant, on ne roule pas sur l'or.

— Betty n'a pas un bon salaire ?

— Tout juste correct. Et vivre à Paris coûte très cher. On arrive à joindre les deux bouts, sans plus.

— Tu n'as pas trouvé de travail ?

— Si tu crois qu'on attend après moi ! Je suis inscrit au chômage, mais on ne m'a jamais rien proposé.

— Alors, que fais-tu de tes journées ?

Il la dévisagea puis secoua la tête.

— Tu ne vas pas me faire la morale ? Mon problème, comme tu le sais, est de n'avoir ni diplôme ni expérience. Il m'arrive de regretter tout ce temps perdu en Écosse. J'aurais dû rentrer ici le jour de ma majorité et suivre une formation. Je n'en serais pas là.

— Est-ce qu'il est trop tard ?

— Oh, ne dis pas de bêtises !

Il s'extirpa du canapé en grimaçant.

— Bon sang, j'ai des douleurs partout... Tu veux du thé ?

— Volontiers.

Elle l'accompagna jusqu'à la cuisine, observant discrètement l'appartement, petit et vétuste mais propre et bien rangé.

— Betty est une femme formidable, dit John, qui avait suivi son regard.

Il mit de l'eau à bouillir, sortit deux tasses, du sucre et du lait, puis posa une bouteille de whisky sur la table. Kate considéra l'étiquette avec stupeur.

— Du Gillespie ? On en trouve à Paris ?

— Je l'ignore et je m'en fous. Mais ton mari en a envoyé un carton à Betty en guise de cadeau de mariage. Quel humour, hein ?

— Ne recommence pas.

— D'accord, admit-il en écartant les bras en un geste de conciliation.

Tandis qu'il apportait la théière, Kate remarqua qu'il avait maigri. Déjà, elle l'avait trouvé changé, vieilli prématurément, et sous la lumière peu flatteuse du néon elle pensa qu'il avait mauvaise mine.

— Si tu me disais pourquoi je suis là, John ?

— Oui, j'y viens…

Soudain, elle se souvint de la phrase qu'il avait prononcée en se levant du canapé.

— Au fait, pourquoi as-tu mal partout ?

— Les choses sont liées. Bon, écoute, ce que je vais te confier, Betty l'ignore.

— C'est si grave ?

— Pense au pire.

— Tu es malade ?

— Pas encore.

— Je ne comprends pas.

— Ça ne m'étonne pas, tu es d'une telle innocence ! Je suis séropositif, ma jolie.

— John…, souffla-t-elle, atterrée.

— Oui, je sais ce que tu penses. On aurait pu s'attendre à ça avec Philip, mais pas avec moi.

— Pourquoi ? Philip est fidèle à Malcolm, il l'aime ! Mais qu'as-tu fait pour…

— Un petit coup de canif dans le contrat. Rien de méchant, rien qui mérite cette punition.

— Tu trompes Betty ?

— Elle n'est pas là du matin au soir. Alors, comme je m'ennuie, je vais traîner et je finis par faire des rencontres. Mais si tu savais à quel point je m'en mords les doigts maintenant ! En plus, je l'aime.

— Jolie preuve d'amour !

— Tu ne comprends rien aux hommes.

— Ils ne se ressemblent pas tous.

John baissa la tête, n'arrivant plus à soutenir le regard de Kate. Tout ce qu'elle venait d'entendre la mettait si mal à l'aise qu'elle resta silencieuse un long moment. John avait toujours été une tête brûlée. Enfant, puis adolescent, il n'avait montré aucune considération pour sa petite sœur. Quand il s'apercevait de sa présence, il en profitait pour lui faire une mauvaise blague, et elle n'avait aucun souvenir de moments affectueux avec lui. De plus, il entraînait George et Philip dans son sillage, et à eux trois ils pouvaient être détestables. Avec Scott, dès le premier jour, il avait cherché la querelle, et il en était venu à le haïr. Kate n'avait rien à attendre de lui, mais, manifestement, lui comptait sur son aide.

— Il faut que tu parles à Betty, et il faut aussi que tu la… protèges, finit-elle par lâcher.

— Ça, j'y ai pensé tout seul ! Dès que j'ai eu le résultat du labo, j'ai acheté des préservatifs. Je lui ai raconté qu'elle devait arrêter de prendre la pilule parce qu'elle fume et que c'est dangereux. Elle a trouvé que j'étais gentil de m'en soucier ! Quel paradoxe…

Pour une fois, il semblait vraiment désolé. Vis-à-vis de sa femme ou par pur égoïsme ?

— Je ne sais pas comment lui demander de faire un test de dépistage, ajouta-t-il, piteux.

— Dis-lui la vérité.

— Tu es folle ?

— Il faudra bien qu'elle sache.

— Non, pas question. Elle est la seule personne qui m'ait jamais témoigné de l'amour, de l'estime, et elle a confiance en moi. Si je perds ça, je perds tout.

— Ne joue pas à la victime avec moi. Maman avait fait de toi son dieu, tu as longtemps été aimé et préservé.

— Je parlais de ma vie d'homme. Les femmes me traitent de haut parce que je n'ai pas de situation, pas d'argent. Betty, ça lui est égal.

— Raison de plus pour ne pas lui mentir. Grandis un peu !

— Je t'ai déjà dit de garder tes leçons pour toi.

Ils se défièrent du regard, puis John se radoucit.

— Je dois me faire soigner. Il faut attaquer les traitements le plus vite possible et j'ai déjà commencé. Mais tout ne sera pas pris en charge, donc ça va coûter cher. Je ne peux pas demander d'aide à maman, pas après l'avoir laissée si longtemps sans nouvelles.

— Tu ne l'as même pas invitée à ton mariage.

— Elle ne serait pas venue, pas sans son cher Angus, or papa était là. C'est bien sa seule marque de sympathie, d'ailleurs, parce que je ne peux pas compter sur lui non plus. Sa femme est un cerbère, elle nous appelle les « anciens enfants », les frangins et toi. Tu imagines ?

Kate esquissa une grimace. Elle avait chassé son père de sa tête et de son cœur, après avoir trop longtemps souffert de son indifférence.

— Quand maman affirmait qu'il nous avait *oubliés*, je la trouvais cruelle, mais elle avait raison, murmura-t-elle.

Relevant les yeux sur son frère, elle le considéra avec compassion.

— John, je vais t'aider, évidemment, mais il faut parler à Betty.

— Non. Tu peux bien me donner un peu de fric sans mettre la pagaille dans mon couple !

— Ça viendra de toute façon. Tu ne parviendras pas à lui cacher ta maladie bien longtemps. Tu as une mine de déterré, elle le voit forcément.

— Les médicaments me filent la nausée, je n'ai plus d'appétit.

— Betty t'aidera à supporter les choses. Tu l'as dit toi-même, c'est une femme formidable. Si tu n'arrives pas à lui parler, je peux m'en charger, peut-être ?

Elle le vit hésiter, pesant le pour et le contre. Il n'avait jamais été très courageux, Kate s'en souvint amèrement. Pourquoi leur mère avait-elle si longtemps minimisé ou ignoré ses défauts ? Au lieu de l'encourager à détester Angus, puis Scott, elle aurait dû le remettre sur la bonne voie.

— J'irai toute seule retrouver Betty à La Coupole, ce soir, décida Kate. Toi, tu restes ici et tu te reposes, tu attends sagement notre retour. Ensuite, si tout se passe bien, je vous laisserai tranquilles et je rentrerai à mon hôtel.

— Elle va m'accabler de reproches…

— Et sans doute aura-t-elle de la peine, mais il faut en passer par là. Tu ne peux pas continuer comme ça.

À l'évidence, il était soulagé, et il en profita pour tendre la main vers le whisky.

— Est-ce que ça fait bon ménage avec tes médicaments ? demanda-t-elle en éloignant la bouteille.

Mais elle était sans illusion, dès qu'elle aurait le dos tourné il se servirait un verre. Et peut-être plusieurs pour se donner le courage d'affronter sa femme.

— Kate, comment réagirais-tu si Scott t'annonçait ce genre de nouvelle ?

La question la prit au dépourvu. Elle essaya d'y apporter une réponse honnête, pourtant c'était inconcevable. Scott n'était pas un menteur, il faisait toujours face à ses responsabilités.

— Je suis sûre que Scott m'aime, dit-elle prudemment.

— Et alors ? Moi aussi, j'aime ma femme ! Ça n'empêche pas les pulsions, il faut être aussi naïve que toi pour le croire.

— Eh bien, tant pis, j'ai confiance en lui. Je crois que s'il allait… voir ailleurs, il aurait la décence de se protéger.

— Vas-y, accable-moi.

— Non, je n'ai pas à te juger. Au moins, es-tu bien soigné, par des gens compétents ?

— Tout à fait.

— En quoi consiste le traitement ?

— Des trucs à prendre à heure fixe. Les effets secondaires sont moins lourds qu'avant, paraît-il. Mais je n'ai pas développé la maladie pour l'instant, je suis seulement porteur du virus et je n'ai pas de symptômes. Ma fatigue est due aux médicaments.

Kate tendit sa main par-dessus la table pour prendre celle de John, qu'elle pressa avec douceur.

— Je suis très triste pour toi, très inquiète, et je me sens solidaire. Je ferai ce qui est en mon pouvoir, je te le promets. Maintenant, dis-moi pourquoi tu t'es adressé à moi. Je n'étais pas ta préférée dans la famille, si ma mémoire est bonne.

— Malgré tes côtés agaçants, tu es la plus gentille, tout le monde sait ça ! Et puis Philip aurait eu la trouille, c'est une chochotte, George est devenu trop sérieux pour moi, et je ne veux pas de maman dans ma vie. Encore moins, je te préviens, d'intervention de ton mari. Alors vers qui pouvais-je me tourner, hein ?

Kate hocha la tête puis dut cligner des yeux pour refouler ses larmes. Depuis le début de la discussion, elle avait essayé de rester détachée mais elle n'y parvenait plus. John n'avait certes pas été un très bon frère, et sa haine pour Scott les avait éloignés davantage, néanmoins il était à plaindre, ce qui lui arrivait était terrifiant.

— Veux-tu que nous allions nous balader un peu ? suggéra-t-elle. Je n'ai pas vu Paris depuis si longtemps !

Il acquiesça avec indifférence. Rentré en France depuis des années, il ne regardait plus autour de lui, alors que Kate était impatiente de découvrir ce qu'était devenu le quartier de Saint-Germain, où elle avait passé les douze premières années de sa vie.

— Je vais d'abord me rafraîchir un peu, annonça-t-elle. La salle de bains est par là ?

Elle voulait surtout envoyer un message à Scott, qui devait s'inquiéter. Ce soir, dans sa chambre d'hôtel, elle l'appellerait pour tout lui expliquer, et avec lui elle aurait le droit de pleurer.

2

— Je ne sais pas ce que j'aurais fait sans toi, affirma Scott.

Kate ayant prolongé son séjour à Paris, il devait s'occuper des jumeaux et n'avait pas l'aide de la nounou pendant le week-end. En conséquence, il avait préféré les emmener à Gillespie, où Moïra les avait accueillis avec joie. L'automne était bien installé à présent, et la pluie s'obstinait à tomber depuis la veille, accélérant la chute des feuilles qui formaient un tapis luisant dans les allées du parc.

— Rester enfermés dans ton petit appartement les aurait rendus fous, répliqua Moïra. Ici, ils ont toute la place pour jouer.

Ils en avaient même trop, il fallait leur courir après pour les empêcher de grimper dans les escaliers ou de disparaître au bout d'une galerie. Prudente, Moïra avait fermé à clef l'accès au belvédère, d'où Kate avait passé tellement de temps, adolescente, à guetter la voiture de Scott.

— Ce sont vraiment de beaux enfants, ajouta-t-elle. Ils ont tes yeux, ceux de ta mère…

Un regard bleu pailleté de noir, assez remarquable. À trois ans, les jumeaux étaient très éveillés et babillaient à longueur de journée, en anglais comme en français. Dès leur naissance, Kate s'était adressée à eux dans les deux langues, et Scott avait suivi son exemple.

— Nous allons nous relayer, avec Amélie et Angus, pour les occuper. Même David compte s'y mettre, il leur a acheté deux petits râteaux en plastique ! Si tu veux te reposer un peu, n'hésite pas.

— J'irais bien faire une grande marche, il y a longtemps que je n'ai pas arpenté Gillespie.

— Vas-y, ça te donnera l'occasion de bavarder avec les bergers. Et, à propos, comment George s'en sort-il à la filature ?

— Attends un peu, il n'a pris son poste qu'en début de semaine !

— Et quelles sont les nouvelles de l'infernal John ?

Scott eut une hésitation puis se borna à répondre :

— Pas fameuses.

Moïra le scruta mais n'insista pas. Pour l'avoir en partie élevé après le décès de sa mère, elle le connaissait par cœur. S'il n'avait pas envie de se confier, inutile d'insister.

— Je ne te demande rien à propos de Philip parce qu'il est venu nous rendre visite cette semaine.

— Avec Malcolm ?

— Oui ! Les voir en couple provoque toujours une grimace d'Amélie, mais elle ne se permet pas de commentaire. En fait, ces garçons voulaient une leçon de cuisine. Je leur ai appris à préparer la soupe de mouton à l'orge et aux légumes. Philip se souvenait de la mienne mais n'arrivait pas à la reproduire. Quant à Malcolm, il cherchait les proportions exactes du homard au whisky.

— Eh bien, c'est réjouissant, je vais me faire inviter chez eux !

Scott s'approcha d'une fenêtre pour jeter un coup d'œil au-dehors. Amélie, vêtue d'un long ciré et d'un chapeau de pluie, surveillait les jumeaux lancés dans une course de tricycles sur la pelouse.

— Je crois que je peux m'en aller, estima-t-il. Penses-tu qu'une promenade tenterait papa ?

— Évidemment. Mais ménage-le, marche à son rythme.

Moïra se souciait toujours des autres, pleine de sollicitude. En regardant ses cheveux blancs et son visage ridé qu'elle ne maquillait pas, Scott se sentit ému. Elle demeurait sa référence maternelle, les souvenirs de sa mère étant trop flous. Il se rappelait l'enterrement, son père lui tenant fermement la main pendant toute la messe, mais c'était dans les bras de Moïra qu'il avait pu se laisser aller à son immense chagrin de petit garçon. Elle l'avait soutenu, choyé, fait rire et gavé. Elle croyait aux vertus de la nourriture pour apaiser les peines, alors elle lui avait préparé des gâteaux chaque jour. Le soir, elle lui laissait une veilleuse sans le dire à Angus. Peut-être l'avait-elle trop gâté jusqu'à son départ en pension, néanmoins il lui en était reconnaissant. Sans elle, il se serait renfermé, et par la suite n'aurait pas su dominer son caractère coléreux.

Il traversa tout le rez-de-chaussée pour gagner le bureau de son père, qui désormais servait surtout de fumoir. Angus avait lâché une à une ses affaires pour s'en remettre entièrement à son fils. Il restait actionnaire des sociétés Gillespie mais ne s'intéressait plus à leur gestion. Les changements apportés par Scott l'avaient surpris, mais ils étaient parfaits.

Enthousiaste, il accepta la promenade, les occasions de se retrouver en tête à tête avec Scott se faisant trop rares. Ensemble, père et fils allèrent s'équiper de bottes de caoutchouc, de casquettes et de vestes de chasse avant de sortir. Comme tous les Écossais, ils ne craignaient pas la pluie, à condition d'avoir une tenue adaptée.

— Passons par-derrière, suggéra Angus. Si tes enfants t'aperçoivent, ils vont vouloir te suivre, et Amélie ne pourra pas les retenir.

Pour le genre de marche que Scott comptait faire, des bambins de trois ans seraient épuisés au bout de cinq minutes. La pluie s'était arrêtée, remplacée par une bruine persistante et glacée.

— Amélie adore s'occuper d'eux, ajouta Angus.

Sans doute espérait-il un compliment, ou au moins un mot aimable à l'égard d'Amélie, mais son fils se contenta d'un petit hochement de tête tout en proposant :

— On va jusqu'à la mer ? Si c'est trop loin pour toi, on s'arrêtera à…

— Je ne suis pas si vieux que ça, Scott ! Sur mes parcours de golf, je fais encore des kilomètres. Sans parler de la chasse.

Angus tenait à se maintenir en forme, à la fois pour Amélie, qui avait presque vingt ans de moins que lui, et pour ses petits-enfants, dont il était fou.

— Tout va bien à Greenock ? voulut-il savoir.

Pour lui, c'était la plus intéressante des deux distilleries, alors que Scott fondait beaucoup d'espoir sur celle d'Inverkip, plus modeste, mais où il se sentait libre de réaliser des changements plus radicaux.

— Pas de souci particulier. À t'entendre, je me demande si tu lis mes comptes rendus mensuels !

— J'y jette un coup d'œil distrait, avoua Angus en riant. Juste pour savoir si mes revenus vont rester stables.

Ils n'avaient parcouru que deux ou trois cents mètres, mais Angus se retourna pour regarder la forme imposante de Gillespie, plus haut sur la colline.

— Quelle beauté, hein ? J'espère qu'un jour Hannah et Luke vivront ici avec leurs enfants. Pour que tout continue après nous… Voilà mon souhait le plus cher.

Scott considéra le manoir en silence avant de se détourner. Il savait ce que son père voulait entendre et, depuis la veille, il y pensait davantage. La voix de Kate, au téléphone, lui avait paru si désemparée ! Que son frère soit porteur d'une maladie aussi terrible l'avait profondément bouleversée, et Scott avait eu envie de prendre un avion sur-le-champ pour aller la réconforter. Il ne supportait pas ses larmes, il était prêt à tout pour lui rendre son habituelle joie de vivre. Concernant John, il ne pouvait rien faire, mais pourquoi ne pas donner à Kate ce dont elle rêvait ?

Ils se remirent en marche et Scott murmura :

— Je sais que c'est important pour toi.

— Oui, j'aime me projeter dans l'avenir, même si je ne dois pas être là pour le voir. Tu m'as fait deux petits Gillespie, j'en suis très heureux.

— Et tu aimerais qu'ils investissent la maison pour de bon, n'est-ce pas ?

— Mes préférences ne doivent pas t'empêcher de vivre comme tu l'entends.

— Kate a très envie de revenir habiter ici.

— Je m'en réjouis, mais toi ?

Scott enfouit ses mains dans les poches de sa veste de chasse, s'efforçant de ne pas marcher trop vite. Son regard errait sur la lande couverte de bruyère et de chardons. Au loin, il aperçut les premiers moutons.

— Tu ne m'as pas répondu, fit remarquer Angus.

— Amélie ne fera rien pour me faciliter les choses. Je pense que tu le sais.

— Tu exagères.

— Il y a quelques années, elle m'a traité en intrus sous mon propre toit.

— C'est du passé, Scott. Elle voit les choses différemment depuis votre mariage, et surtout depuis qu'elle est devenue grand-mère. Tu la prends pour une femme méchante mais tu as tort.

— Peut-être. Et peut-être que tu n'es pas impartial.

— Toi non plus.

— Mais enfin, papa, souviens-toi ! À cause d'elle, nous avons failli nous fâcher.

— Tu as très mauvais caractère.

— Je tiens ça de toi.

Angus se mit à rire et envoya une bourrade affectueuse dans l'épaule de son fils. Ils marchèrent un long moment en silence puis attaquèrent la dernière vallée qui descendait en pente douce jusqu'à la mer.

— Tu as fait réparer les clôtures, observa Scott.

— Les bergers se plaignaient de retrouver des bêtes sur la route, et parfois sur la plage ! D'ailleurs, je n'ai plus que ça à faire, m'occuper de ces terres.

— Et tu détestes qu'on te fasse des remarques sur l'entretien de ton domaine.

— Exactement. Tu me connais bien, mais n'oublie pas que c'est réciproque.

Scott désigna une souche et proposa de s'arrêter un peu. Tandis que son père s'asseyait lourdement, il resta debout devant lui.

— Je veux faire plaisir à Kate, dit-il, hésitant. Je l'ai épousée pour la rendre heureuse et…

— Et elle ne l'est pas ?

— Si ! Enfin, je suppose. En tout cas, elle le prétend. Mais je sais qu'elle est très attachée à Gillespie, que…

— Pas toi ?

— Arrête de m'interrompre !

— Bien sûr. Pardon. J'imagine qu'il n'est pas facile d'avouer qu'on s'entête comme un idiot.

Scott esquissa un sourire et Angus en profita pour enchaîner :

— Reviens donc à la maison. Fais au moins l'essai, tu pourras toujours repartir si ça ne va pas.

Scott hocha la tête sans rien ajouter. Kate valait tous les sacrifices, y compris celui d'abandonner l'indépendance. Une vie de famille, avec trois générations réunies dans le cadre merveilleux de Gillespie, ne pourrait que la rassurer. À condition qu'Amélie ne rende pas la cohabitation impossible pour Scott.

— Entendu, soupira-t-il, je vais tenter l'aventure.

Quels que soient ses doutes et ses réserves, il y avait quelque chose d'excitant dans la perspective de rentrer à la maison. Il s'en était défendu jusque-là, mais au fond il en avait envie aussi. Son père se leva, plus souplement qu'il ne s'était assis, tout ragaillardi par la bonne nouvelle.

— Allez, ne traînons pas ! lança-t-il en se remettant en marche. On passe à la bergerie de Roy voir s'il est là, ensuite on essaiera de trouver le troupeau des *black faces*.

La laine de ces moutons à tête noire était prisée pour les manteaux ou les tapis, et ils ne faisaient jamais aucune difficulté lors des tontes. Des bêtes non seulement rentables mais aussi emblématiques de l'Écosse, et qu'Angus était fier de posséder.

— J'espère que Kate nous racontera en détail sa visite à Paris ! Amélie brûle d'impatience de savoir ce que devient John car il lui téléphone très rarement. Je le trouve ingrat, pas toi ? Enfin, s'il a trouvé son bonheur en France…

Scott hésita et choisit de se taire. Kate dirait ce qu'elle jugerait nécessaire, ce n'était pas à lui d'en parler. Pour Amélie, évidemment, apprendre que son fils était séropositif allait être un drame. Comme toujours, elle ferait subir à Angus le poids de son angoisse et, dans ces conditions, se retrouver tous ensemble et resserrer les rangs de la famille serait bénéfique.

— Puisque ma décision est prise, dit-il à Angus, je pense que nous ne tarderons pas.

*

En amis fidèles, Graham et son épouse, Pat, s'étaient proposés pour aider au déménagement. Eux-mêmes avaient eu des jumeaux avant le mariage de Scott et Kate, et cette coïncidence rapprochait les deux couples. En outre, Scott était le parrain de leur fils aîné, Tom, un rôle dont il s'acquittait scrupuleusement.

Amis inséparables depuis la pension, Graham et Scott veillaient en quelque sorte l'un sur l'autre. À chaque décision importante de leur vie, ils s'étaient consultés, et ils avaient partagé les bons comme les mauvais moments. Graham, moins brillant élève que Scott au temps de leurs études, était son aîné de deux ans. Il gérait des patrimoines au sein d'une banque, tandis que Pat se consacrait à leurs trois enfants. Pour eux, impossible de quitter Glasgow, toutefois ils approuvaient la décision de Scott car ils adoraient Gillespie eux aussi.

— Nous vous envahirons les week-ends ! prophétisa Pat.

Elle rangeait dans des valises les vêtements que Kate posait en pile sur le lit.

— Vous serez toujours les bienvenus, affirma Kate, et les enfants joueront tous ensemble. Ce qui est vite insupportable dans un appartement devient très agréable à la campagne. Il y a tellement de place là-bas ! J'adore cet endroit.

— Tu n'étais pas de cet avis quand tu y es arrivée, d'après ce que tu m'as raconté.

— J'étais perdue, et très impressionnée. Angus me faisait peur, il m'a fallu du temps pour apprendre à le connaître. Mais dès que j'ai rencontré Scott, c'est devenu pour moi un endroit enchanté.

Elle éclata de rire en se rappelant sa timidité et ses maladresses.

— Vous n'emportez rien d'autre que vos affaires personnelles ? s'enquit Pat.

— Non. Ton mari a conseillé à Scott de louer notre appartement meublé. Ce sera plus rentable, et surtout plus facile si jamais nous voulions rentrer. Sauf que nous ne reviendrons pas, j'en suis sûre.

Pat ferma la valise et saisit un sac de voyage vide, qu'elle se mit à remplir.

— À condition que la cohabitation se passe bien, dit-elle avec douceur. Trois générations sous le même toit, ce n'est pas forcément évident.

— J'espère que maman fera bonne figure. C'est elle, l'obstacle.

— Toujours agressive envers Scott ?

— Elle ne peut pas s'en empêcher.

— Pourquoi ?

— Dès le début, elle l'a pris en grippe. À côté de lui, mes frères souffraient de la comparaison, ils avaient l'air de cancres mal élevés. Sa fierté de mère ne l'a pas supporté ! Quant à lui, trouver sous son toit une belle-mère et quatre ados tombés du ciel... Toutes les conditions étaient réunies pour que ça se passe mal.

Évoquer ses frères ramena les pensées de Kate vers John. Betty avait supporté la vérité avec courage et dignité. Elle n'avait pas cherché à culpabiliser John, qui pourtant l'avait trompée et lui avait fait courir des risques. Avec l'art de la décision qui semblait la caractériser, elle avait pris les choses en main. La veille du départ de Kate, elle lui avait confié que, d'après les renseignements fournis par l'assurance maladie, *tous* les frais médicaux seraient pris en charge. Les arguments de John pour obtenir de l'argent de sa sœur n'étaient donc pas justifiés. Mais comment lui en vouloir ? Il vivait désormais avec une épée de Damoclès au-dessus de la tête, et sans doute désirait-il profiter des plaisirs de l'existence. Betty, trop raisonnable, gérait leurs dépenses de façon scrupuleuse. Le spectre de la maladie allait la rendre encore plus prudente, et John aspirait probablement à un peu d'indépendance financière.

— Pourquoi as-tu l'air triste ? s'étonna Pat. Je te croyais ravie de rentrer ! Pardon si je t'ai fait peur en parlant de ta mère, mais tu verras, elle sera si heureuse de ton arrivée et de celle des enfants qu'elle laissera Scott tranquille. D'ailleurs, il est de taille à lui tenir tête, et il l'a prouvé.

— Je sais bien. Je sais aussi qu'il fera l'impossible pour que notre vie soit agréable. Tu n'imagines pas à quel point il est gentil avec moi.

— Il t'aime, c'est tout. Graham affirme que tu l'as transformé. Quand ils étaient en pension, il paraît que Scott était turbulent, bagarreur, et parfois un peu trop sûr de lui.

— D'après Scott, Graham ne supportait pas la contradiction !

Elles se mirent à rire en achevant de vider la penderie, puis décidèrent de s'accorder une pause. Dans la cuisine, Kate mit de l'eau à bouillir pour le thé et sortit un paquet de biscuits.

— À Gillespie, je vais enfin pouvoir les faire moi-même. Ici, la cuisine me semblait trop exiguë pour me lancer dans la pâtisserie. Là-bas, je m'en donnerai à cœur joie. Certains soirs, quand je rentrais de l'école et que Moïra était en train de sortir ses gâteaux du four, il y avait des odeurs merveilleuses ! Hannah et Luke connaîtront ça.

— Tu vas en profiter pour travailler, alors ?

— Oh oui ! J'ai hésité, j'avais aussi envie de rester davantage avec les enfants, mais finalement hier matin j'ai envoyé ma lettre de motivation au rectorat. Peut-être n'aurai-je que des remplacements cette année, mais dès qu'un poste se libérera, je postulerai.

— Tu as raison. Pour ma part, je regrette de m'être arrêtée si longtemps. J'ai beaucoup profité des enfants, mais je n'ai plus de vie. Quand nous sortons, je n'ai rien à raconter. Mes journées se ressemblent, je ne me sens pas vraiment moi-même, et je sais que ce sera dur pour moi de retrouver un emploi épanouissant.

— Tu en as envie ?

— Très ! Mais il y a un trou de plusieurs années dans mon C.V, et les patrons n'aiment pas particulièrement les mères de famille qui doivent s'absenter lorsque leurs enfants sont malades ou parce que la nounou leur fait faux bond.

— Qu'en pense Graham ?

— Il n'est pas très enthousiaste à l'idée de me voir déserter la maison, mais il s'inclinera.

— En ce qui me concerne, Scott me laisse totalement libre de mes choix.

— La différence, ma chérie, c'est que Graham m'aime et que Scott te vénère ! Votre départ pour Gillespie le prouve, non ? Accepter de vivre avec sa belle-mère est une concession de taille. Avant que Graham accepte ça...

Kate discerna un reproche dans la voix de Pat et se sentit obligée de réagir.

— Sauf que Scott est né à Gillespie, qu'il y est chez lui. Abandonner le terrain à ma mère ne l'a pas réjoui, il va se lancer à la reconquête de son territoire.

Kate grignota distraitement un sablé et but une gorgée de son thé qui était presque froid. Bavarder avec Pat, sans les enfants pour faire du bruit autour d'elles, aurait été un moment agréable si elle n'avait pas été préoccupée à la fois par son frère et par ce déménagement qui allait tout bouleverser. Avait-elle eu raison d'insister autant ? N'était-ce pas un caprice égoïste ? Scott risquait de croire qu'il ne lui suffisait pas, qu'il ne la rendait pas assez heureuse, alors qu'elle aurait habité une cahute n'importe où avec lui.

— On s'y remet ? proposa Pat. On a presque fini et je dois partir à cinq heures.

Des valises s'empilaient un peu partout dans le séjour et il ne restait presque plus rien à emballer. Après un coup d'œil circulaire, Kate eut une soudaine bouffée de nostalgie. Entre ces murs, elle avait vécu la plus belle période de sa courte existence, depuis la première nuit passée avec Scott jusqu'à la naissance des jumeaux. Le mariage, le diplôme de fin d'études, les premiers pas de Luke suivi d'une Hannah chancelante... Le souvenir de tous ces moments merveilleux qu'elle allait laisser derrière elle la rendait mélancolique.

— Tu peux t'en aller, dit-elle à Pat, il n'y a plus grand-chose à faire. Merci d'avoir pris le temps de m'aider, j'aurais eu du mal à m'en sortir seule.

Elle la raccompagna jusqu'à l'ascenseur en s'efforçant de sourire, mais le cœur n'y était pas. La nounou ne reviendrait du parc que vers six heures, avec les jumeaux tout sales pour s'être roulés dans les bacs à sable. Avant de les baigner et de leur préparer le dernier dîner qu'ils prendraient dans l'appartement, il faudrait dire définitivement au revoir à cette nourrice qui était formidable depuis deux ans.

Kate soupira, referma la porte et s'y adossa. Elle était trop sensible, elle devait se raisonner. Elle regagna la cuisine, brancha la radio et chercha une station musicale. Même s'il n'y avait presque plus rien dans le réfrigérateur, elle décida de faire une surprise à Scott. Elle pouvait faire livrer des sushis et mettre au frais un excellent champagne qu'elle avait rapporté de Paris. Elle pensait l'ouvrir pour une grande occasion, eh bien, c'était le soir idéal pour la boire !

*

Scott jouait nerveusement avec son stylo, consterné d'entendre pleurer Betty. Les larmes des femmes le touchaient, lui donnaient envie de voler à leur secours. De sa voix la plus chaleureuse, il reprit :

— Vous avez été une excellente collaboratrice, tout le monde vous a regrettée quand vous avez quitté la distillerie. À titre personnel, j'ai beaucoup d'estime et d'affection pour vous, je trouve normal de vous offrir mon aide. D'ailleurs, nous sommes de la même famille puisque vous êtes la femme de mon beau-frère ! Kate est complètement retournée par ce qui arrive à John, et je voulais vous dire que vous pouvez compter sur nous.

— Vous n'appréciez pas John, je le sais…

— Peu importe. Devant la maladie, on doit oublier nos querelles.

Il entendit Betty renifler encore une fois, puis lâcher, plus apaisée :

— Vous parler me fait du bien, Scott. En France, je me sens isolée et l'Écosse me manque. Mais John ne voudra jamais y retourner, j'en ai peur. Savoir que je peux vous joindre en cas de pépin est un vrai soulagement.

— N'hésitez surtout pas à le faire. Est-ce que votre travail vous plaît ?

— Oui, j'ai trouvé une place intéressante, avec un salaire correct. De ce côté-là, je ne me plains pas.

— Et d'un autre côté ?

— Disons que… Je savais qu'en quittant tout pour suivre John, qui est plus jeune que moi, je prenais un risque. Mais nous nous sommes vite mariés, c'est lui qui l'a voulu, alors j'ai cru que tout irait bien. J'étais folle de lui, et peut-être le suis-je encore, mais j'ai déchanté, c'est sûr. Même s'il n'est pas le méchant garçon que vous imaginez, il est faible. Je le porte à bout de bras et il clame sans cesse qu'il n'est fait ni pour travailler ni pour respecter les règles. J'aurais aimé avoir des enfants, je pensais que ça le responsabiliserait, hélas il n'en est plus question maintenant.

Elle marqua un temps d'arrêt puis ajouta, avec un petit rire amer :

— Mes confidences doivent vous assommer !

— Non, pas du tout.

— Vous êtes le genre d'homme à qui on a envie de se confier parce que vous savez écouter. Est-ce que toutes les filles sont toujours folles de vous à la distillerie ?

— Quoi ?

— Ne faites pas l'innocent, Scott. De mon temps, elles se pâmaient sans exception dès que vous sortiez de votre bureau. Ça a changé depuis que vous êtes marié ?

— Il faut croire que je suis idiot, mais je n'ai pas remarqué.

— Alors, vous êtes aveugle ! Ou trop amoureux de votre femme. En tout cas, merci à vous deux. Kate a été formidable, sans elle je ne connaîtrais pas la vérité car

John n'aurait jamais eu le courage de me l'apprendre. Et votre coup de téléphone de ce soir me remonte vraiment le moral.

— Tant mieux. Prenez soin de vous, Betty, et donnez des nouvelles. D'accord ?

— Je le ferai, promis.

Songeur, Scott coupa la communication. Betty était une femme bien, mais elle avait fait un mauvais choix en liant sa vie à celle de John. Qu'est-ce qui avait pu la séduire chez lui ? Sa jeunesse, son petit air arrogant, son accent français ? Avait-elle rêvé de Paris, d'un amour follement romantique ? Elle se retrouvait seule pour faire bouillir la marmite, avec un mari malade qui n'avait pas hésité à la tromper.

Le regard de Scott tomba sur la pendule ancienne qui ornait son bureau, et il sursauta. Il était très tard, il avait travaillé longtemps en fin d'après-midi afin de libérer sa journée du lendemain pour déménager, et son appel à Betty s'était prolongé. Kate devait s'impatienter, ou bien elle finissait seule les derniers cartons. Il éteignit l'ordinateur, sortit dans le couloir silencieux. Du matin au soir, il régnait là une activité de ruche entre les départements de la comptabilité, du marketing, de la vente et des expéditions. Deux ans plus tôt, Scott avait rénové les locaux administratifs désormais ultramodernes, et seul son propre bureau avait échappé au changement. Les boiseries, les gravures et les appliques de cuivre y étaient les mêmes que du temps d'Angus et des générations précédentes. Il considérait cet endroit comme une sorte de sanctuaire, imaginant volontiers qu'un jour son fils ou sa fille s'assiérait à sa place pour continuer à faire prospérer le whisky des Gillespie.

Parvenu au rez-de-chaussée, il salua le vigile qui assurait la sécurité nocturne de la distillerie avec deux chiens.

— J'attendais votre départ pour leur enlever les muselières ! lança l'homme en désignant les molosses.

Scott lui adressa un salut et monta dans son Range Rover. Il s'était séparé à regret de sa vieille Jeep Patriot à la naissance des jumeaux et avait acheté pour Kate une petite voiture japonaise qui se faufilait partout. Elle avait ainsi pu affronter les encombrements de Glasgow ou d'Édimbourg, mais déménager signifiait qu'il lui faudrait maintenant emprunter d'étroites routes enneigées l'hiver.

Il franchit les grilles en jetant un coup d'œil dans son rétroviseur. Les chiens, libérés des laisses et des muselières, commençaient à gambader dans la cour. Les installations devaient être protégées en raison de la valeur des stocks dans les cuves et des alambics de cuivre. Remplacer l'un d'eux était impensable, la plupart des distillateurs préférant les réparer indéfiniment.

Scott prit la direction de Glasgow avec un pincement au cœur. Dès la semaine prochaine, ce serait à Gillespie qu'il rentrerait. Le chemin de la maison, de *sa* maison, tant de fois parcouru avant qu'il ne renonce à habiter le manoir, sous prétexte de prendre son indépendance et en réalité pour échapper à Amélie.

— Tout ira bien ! s'encouragea-t-il à voix haute. Kate sera contente. Au fond, moi aussi. Je serai plus proche de Greenock, et surtout d'Inverkip. Je pourrai aussi passer voir George plus souvent. Ce retour est une *très* bonne idée.

Il n'en était pas vraiment convaincu, mais il décida de ne plus y penser.

*

Rayonnante, Moïra passa un dernier coup de chiffon sur la commode avant de regarder autour d'elle. Tout était en ordre, impeccable et accueillant, jusqu'au bouquet de roses – les dernières de l'automne – qui ornait l'appui de la fenêtre.

— Voilà, j'ai fini, déclara David en entrant.

Il avait installé une barrière en haut de l'escalier tandis que Moïra préparait les chambres.

— Kate a eu raison de choisir cette partie de la maison, ajouta-t-il. Là-haut, elle aurait passé sa vie à grimper les étages !

La chambre de jeune homme de Scott se trouvait au second, comme celle de Moïra et celle de David, tandis qu'Angus et Amélie avaient la leur au premier, dans l'aile droite. L'aile gauche, en revanche, était inhabitée depuis le départ de John, George et Philip, aussi Kate avait-elle estimé judicieux de s'y installer avec les jumeaux.

— Ils auront une bonne surprise en arrivant, reprit Moïra. On s'est donné du mal, toi et moi, mais ça valait la peine !

Depuis que Scott avait annoncé son retour à Gillespie, Moïra s'activait. Pour que le jeune couple se sente à l'aise, elle avait demandé à David de descendre certains meubles et d'en remonter d'autres. Scott retrouverait ainsi son secrétaire en bois de rose, et Kate sa coiffeuse. Pour les jumeaux, la pièce choisie avait été repeinte en jaune pâle puis équipée de nouveaux rideaux, d'un grand tapis moelleux et d'un radiateur électrique d'appoint. Au bout du couloir, la vaste chambre d'angle qui avait été celle de John servirait de salle de jeux. Enfin, dans la salle de bains, l'antique baignoire avait été remplacée. Angus avait tout payé sans discuter, trop heureux de voir arriver ses petits-enfants.

— Quand ils venaient passer un week-end, c'était vraiment du camping, soupira Moïra. Maintenant, ils seront bien installés. Ta barrière est-elle solide ?

— Assez pour des petits de cet âge-là.

— Je ne veux pas qu'il y ait le moindre problème, et que Scott puisse regretter sa décision.

— De toute façon, s'il ne se sent pas bien à la maison, il ne restera pas.

— Je suis sûre qu'Amélie fera un effort.

— Espérons-le.

— Elle n'est plus en guerre contre lui. Qu'aurait-elle à y gagner ?

— Je l'ignore. Je ne l'ai jamais comprise.

— Ses fils ne sont plus là pour semer la zizanie comme ils ont pu le faire à l'époque.

— Encore heureux ! Mais tu ne m'ôteras pas de l'idée que Scott reste sa bête noire. S'il n'existait pas, elle serait l'héritière d'Angus.

— Ne dis pas des choses pareilles.

— Elle y pense forcément. C'est une femme de tête.

Il parlait de façon posée, sans s'émouvoir, en homme habitué à observer les autres et à en tirer ses conclusions. Sa place dans la famille n'était pas définie clairement. Cousin d'Angus, plus ou moins intendant du domaine, il n'était pas un employé ; pourtant Angus le rémunérait en espèces, une sorte de parent pauvre à qui on donnait de l'argent de poche. Il ne revendiquait aucun statut, lui qui avait fini par se rendre indispensable. Plutôt silencieux, très indépendant, il éprouvait de la reconnaissance envers Angus pour l'avoir recueilli bien des années auparavant, alors qu'il prenait le chemin de l'alcoolisme et de la clochardisation. Avec Moïra, il se montrait complice, serviable et amical, et il vouait une affection sans bornes à Scott, qu'il avait connu enfant. Pour cette raison, il avait considéré Amélie avec méfiance lorsqu'elle avait débarqué à Gillespie, traînant quatre adolescents derrière elle. Par la suite, il avait remarqué de quelle façon cette Française tombée du ciel cherchait à prendre les commandes de la maison, quitte à mettre Moïra sur la touche. Il avait vu les trois fils mal élevés semer la pagaille et la discorde, tandis qu'Angus faisait semblant de ne s'apercevoir de rien, prêt à tout pour satisfaire sa jeune épouse. Le jour où celle-ci avait annoncé qu'elle était enceinte, David avait eu peur pour Scott, qu'il imaginait déjà écarté. Mais Amélie avait fait une fausse couche et Scott était resté fils unique. En revanche, il avait quitté le manoir pour s'éloigner de son exaspérante belle-mère.

— Elle a changé, affirma Moïra. Depuis qu'elle est grand-mère, elle s'est adoucie.

— Résignée ?

— Si tu veux. Scott est son gendre, elle ne le voit sûrement plus comme un ennemi.

— Dieu t'entende.

Ils échangèrent un long regard, puis David se détourna et ramassa sa boîte à outils. Avant de descendre, il vérifia sa barrière une dernière fois. Lorsqu'on lui confiait une véritable responsabilité – et pas seulement ratisser des feuilles mortes ou fendre des bûches –, il s'acquittait scrupuleusement de sa tâche. On pouvait compter sur lui, même si personne ne le faisait jamais vraiment.

*

— Et voilà ! triompha Philip en fermant le coffre du Range Rover. Il suffisait de mieux ranger, tout tient.

Les valises et les sacs de voyage avaient été chargés dans la voiture de Philip, tandis que dans celle de Scott s'entassaient les meubles et les jouets des enfants. Kate était partie la première, avec les jumeaux sanglés dans leurs sièges auto qui prenaient toute la banquette arrière.

— J'espère que vous ne changerez pas d'avis pour revenir dans quinze jours, parce que c'est crevant ! plaisanta Philip.

Accompagné de Malcolm, il avait spontanément proposé son aide pour le déménagement. Les deux garçons, inséparables, semblaient vivre un bonheur sans nuage depuis quatre ans. Réunis par une même passion pour le dessin et la peinture, durant toutes leurs études ils avaient couru les expositions, les musées, les galeries. À présent, Philip essayait de se lancer dans l'illustration, et Malcolm achevait ses premières toiles.

— J'ai prévenu Moïra que vous dîneriez avec nous, déclara Scott.

— Belle-maman va prendre son air pincé ! prédit Malcolm.

Amélie avait beau le considérer avec mépris, Malcolm s'en amusait sans s'offusquer. Ses parents lui avaient toujours manifesté beaucoup de tendresse, quels que soient ses choix de vie, et il entretenait avec eux d'excellents rapports. Enfant unique très aimé, très gâté, il était assez bien dans sa peau pour se moquer du regard des autres et de leur éventuelle réprobation.

— Tu l'appelles vraiment ainsi ? demanda Scott en éclatant de rire.

— Uniquement quand elle est désagréable avec Philip. C'est ma vengeance. Et toi, comment l'appelles-tu ?

— Par son prénom. On se retrouve à Gillespie ?

— Eh bien, j'imagine que tu ne vas pas décharger ce bazar tout seul. D'ailleurs, c'est nous qui charrions toute la garde-robe, alors si tu veux une chemise propre demain matin pour aller travailler…

Selon leur habitude, Philip et Malcolm tirèrent à pile ou face pour savoir lequel conduirait, puis ils s'engouffrèrent dans leur voiture comme s'ils voulaient faire la course avec Scott, qui les regarda partir, le sourire aux lèvres. Leur gaieté était communicative, avec eux on était presque sûr de passer une bonne soirée.

Scott démarra plus posément, tout en se demandant s'il avait eu raison de prévenir Moïra plutôt qu'Amélie. Le rôle de maîtresse de maison, qu'elles se disputaient sournoisement, revenait en principe à Amélie. Néanmoins, s'agissant d'un dîner à préparer, Moïra était davantage concernée. Quelle place allait bien pouvoir trouver Kate entre ces deux femmes ? Les détails pratiques n'avaient pas été évoqués, mais qui allait se charger des courses, des menus, et qui paierait quoi ? Scott refusait de se retrouver à la charge de son père. Ils allaient devoir en discuter tous les deux afin que tout soit clair.

S'engageant sur la M8, il éprouva une vague appréhension, mais n'eut pas le temps de s'attarder sur cette impression car l'écran de son ordinateur de bord venait d'afficher un court message. « Bien arrivée, et heureuse d'y être ! Je t'aime. *K.* » Il eut aussitôt un sourire attendri et se sentit mieux. Faire le bonheur de Kate serait sa récompense, même si quelques problèmes devaient surgir. Était-elle en train de grimper l'escalier du belvédère pour le guetter comme elle l'avait si souvent fait quand elle avait quinze ans ? Avait-elle foncé à la cuisine pour voir ce que Moïra préparait ? Gillespie semblait être son véritable foyer, chaque week-end qu'ils y avaient passé depuis trois ans avait confirmé son attachement au domaine. Toutes les longues promenades solitaires effectuées durant son adolescence, sur la lande ou dans la forêt, lui procuraient une parfaite connaissance des terres. Elle discutait avec les bergers et se souvenait des noms de leurs chiens. Les sentiers n'avaient pas de secret pour elle, dans l'obscurité elle aurait pu retrouver aisément le chemin de la maison. Avec elle pour guide, Hannah et Luke allaient devenir de vrais petits hobereaux ! Comme Scott l'avait été lui-même lorsqu'il était enfant. Réjoui par cette idée, il se mit à siffloter gaiement.

3

À la fin du mois de novembre, les premiers affrontements commencèrent. Il avait fallu trois semaines à Amélie pour comprendre que l'arrivée de Kate modifiait de fond en comble l'organisation de la maison. Sa fille n'était plus une adolescente docile et effacée, en devenant mère à son tour elle avait acquis de l'assurance, n'hésitant pas à s'opposer lorsqu'elle n'était pas d'accord. Envers ses enfants, elle se montrait plus exigeante qu'Amélie ne l'avait été en son temps, surtout avec ses trois fils. Kate insistait sur la politesse, le respect des horaires du coucher et des repas, en revanche elle les laissait libres de s'ébattre dehors autant qu'ils le voulaient, à condition que ce soit sous la surveillance d'un adulte. David se consacrait volontiers à cette tâche, toujours disponible pour montrer aux jumeaux les secrets de la nature.

De son côté, Angus s'apercevait un peu tard qu'il n'avait jamais été très patient avec les petits, et que les avoir de temps en temps n'était pas comparable à les avoir *tout le temps*. Il se souvenait que Scott avait été épuisant au même âge, et que plus tard il avait fini par l'envoyer en pension.

Moïra, en revanche, était aux anges. Elle approuvait sans réserve l'éducation que Kate donnait à Luke et Hannah, et lorsque ceux-ci étaient turbulents ou capricieux elle restait toujours flegmatique, affectueuse, dévouée. En la voyant faire, Scott retrouvait les bons moments de son enfance, et mille petits souvenirs qu'il croyait avoir oubliés lui revenaient en mémoire.

Kate avait envoyé son dossier au rectorat, décidée à entamer sa carrière de professeur de français. Un remplacement lui fut proposé presque aussitôt, l'une des enseignantes partant en congé de maternité. La Hutchesons' Grammar School de Glasgow était un établissement d'excellent niveau, qui regroupait en primaire et secondaire des élèves de tous milieux décidés à travailler dur. Ravie, Kate s'empressa d'accepter cette offre inespérée. Elle avait hâte de mettre en pratique tout ce qu'elle avait appris au cours de ses études, et de tester ses dons pédagogiques. La perspective de travailler enfin la réjouissait beaucoup, surtout lorsqu'elle songeait à la conversation qu'elle avait eue avec Pat. Attendre le retour de Scott le soir et n'avoir rien d'autre à lui raconter que les menus faits et gestes des jumeaux n'était plus envisageable pour elle. Après avoir tant lutté pour obtenir son diplôme, elle comptait bien s'en servir, mais le plus important à ses yeux était de continuer à séduire son mari. Le surprendre, l'intriguer, provoquer son admiration ou son désir, demeurer pour lui la femme unique dont il était si amoureux.

*

— Tu devrais pratiquer plus souvent, affirma Angus en rangeant les sacs de golf dans le coffre de sa voiture. Tu es douée, et ça m'a fait rudement plaisir que tu viennes avec moi !

— Tu m'as tout appris, répondit Kate avec un gentil sourire.

— Mais il faut entretenir sa forme.

— J'essaierai de faire au moins un parcours par mois, promis.

— Ce sera plus facile maintenant que vous êtes à Gillespie. Tu conduis ?

Il lui tendit ses clefs de voiture et s'installa d'office sur le siège passager. Kate lui trouvait l'air fatigué, toutefois elle s'abstint de le dire. Angus était facilement susceptible et détestait parler de sa santé.

— Moïra doit bouillir autant que ses marmites, dépêchons-nous, grommela-t-il.

— Scott lui a extorqué la promesse d'un *haggis*, elle s'est mise en cuisine dès ce matin.

— Pourquoi n'est-il pas venu jouer au golf avec nous ?

— Il voulait travailler un peu ; d'ailleurs, il a investi ton bureau.

Angus leva les yeux au ciel avant de répondre, amusé :

— Il se plaindra de l'odeur du tabac froid et il aura ouvert les fenêtres. Moralité, je vais me geler quand j'irai fumer mon cigare. Pourquoi ne s'installe-t-il pas un bureau bien à lui ? Ce n'est pas la place qui manque !

— Je crois qu'il ne voulait pas te vexer en ayant l'air de t'exclure des affaires.

— Vraiment ? J'en suis tout à fait détaché, je le lui ai dit. Il s'en sort très bien seul, je crois même qu'il ne supporterait plus mes interventions. Dans un bateau, il ne faut qu'un capitaine.

— Pourtant, il aime bien avoir ton avis.

— À condition que j'aille dans son sens !

— Pas seulement. Il a un grand respect de la tradition, il t'écouterait si tu n'étais pas d'accord.

Angus se mit à rire, puis il tapota le bras de Kate d'un geste paternel.

— Je sais que tu lui trouves toutes les qualités du monde. Et tu as raison, il *m'écouterait* poliment avant de n'en faire qu'à sa tête.

Elle ne put réprimer un sourire avant de lâcher :

— Tel père, tel fils, non ?

— Sans doute. En tout cas je vais lui suggérer d'installer ses dossiers et son ordinateur dans une autre pièce que mon fumoir. C'est le seul endroit où je puisse être tranquille, même ta mère ne vient pas m'y déranger.

— Tu le lui as interdit ?

— Je m'en garderais bien ! En fait, elle est pareille que Scott, elle n'aime pas l'odeur du cigare. Voilà leur unique point commun…

Cette fois, ils rirent ensemble, ravis de se comprendre et de retrouver une sorte de complicité.

— J'irai à la messe demain matin, enchaîna-t-il. Veux-tu m'accompagner ?

Adolescente, elle le faisait parfois, ce qui avait provoqué entre eux de longues discussions théologiques.

— D'accord. Et on emmènera les enfants.

— Excellente idée. Il n'est jamais trop tôt pour commencer.

— Mais, tu le sais, je les laisserai libres de choisir leur religion quand ils seront en âge de décider.

Angus eut un hochement de tête approbateur, puis il se tut, regardant défiler le paysage.

— C'est la pleine saison de chasse, murmura-t-il. Pour les grouses, il faut se dépêcher, nous avons jusqu'au 10 décembre. Ensuite, il n'y aura plus que les biches et les lièvres.

— Tu y vas souvent ?

— Moins qu'avant. La marche me fatigue, le froid aussi. Je n'ai plus vingt ans, ma jolie !

Après un petit ricanement amer, il s'empressa de changer de sujet.

— As-tu remarqué que Luke ressemble de plus en plus à Scott ?

— J'espère que maman ne le remarquera pas ! répondit-elle en se remettant à rire.

— Elle n'a pas connu Scott enfant. Moi, je m'en souviens parfaitement, il avait la même bouille. J'aimerais voir grandir ce petit, et la petiote aussi. Est-ce que vous comptez en avoir d'autres ?

— Pas pour le moment. Je veux enseigner d'abord.

— Tu feras un bon professeur, j'en suis sûr. Mais quand je pense que tu es arrivée ici avec des nattes et des socquettes, je n'en reviens pas ! La vie file à toute allure, tu verras.

Elle venait de s'engager lentement dans le chemin conduisant au manoir et elle en profita pour jeter un coup d'œil intrigué à Angus.

— Est-ce que tout va bien ? Je te trouve un peu sombre, ce matin.

— Désolé. Je vieillis, l'hiver arrive… Je n'ai jamais beaucoup apprécié les fêtes de fin d'année. C'est un soir de décembre que Mary, la mère de Scott, a eu son accident de voiture. Tu imagines le Noël que nous avons passé ! Depuis, quand cette période arrive, je me sens triste.

— Tu l'aimais beaucoup ?

— Oui. Même si elle n'était pas facile à vivre. Amélie non plus, remarque ! Il faut croire que je les choisis ainsi. Enfin, non, je ne choisis rien du tout. Je n'ai jamais été très séduisant, alors quand une femme avait l'air de me trouver à son goût, j'en devenais fou amoureux sur-le-champ.

— C'est ce qui s'est passé avec maman ?

— Exactement. Et ça continue, je la trouve toujours aussi belle, et plutôt plus gentille. Être grands-parents nous a rapprochés. Qui aurait pu croire que nous aurions les mêmes petits-enfants, hein ? Soyez bénis pour ça, Scott et toi.

Il semblait avoir oublié sa mélancolie, d'autant plus qu'Amélie venait de sortir sur le perron pour les accueillir.

Kate observa sa mère tandis qu'elle descendait les marches. Indéniablement, la cinquantaine lui allait bien, elle semblait épanouie, et le sourire qu'elle adressait à Angus n'avait rien d'artificiel. Une nouvelle fois, Kate se demanda si elle devait lui apprendre la maladie de John. Jusque-là, elle s'était tue, respectant le vœu de discrétion de son frère, néanmoins elle n'était pas sûre d'elle. John avait toujours été le préféré de leur mère, et sans doute l'était-il encore malgré tout, alors peut-être avait-elle le droit de savoir quel danger le menaçait.

Perdue dans ses pensées, elle descendit de voiture, alla ouvrir le coffre.

— Besoin d'aide, jeune dame ?

Scott avait surgi derrière elle sans qu'elle l'entende arriver, et déjà il l'enlaçait d'une main, saisissant un sac de golf de l'autre. Elle se laissa aller contre lui, sentit qu'il l'embrassait dans la nuque.

— Tu n'as pas eu trop froid ?

— Nous avons beaucoup marché, on s'est réchauffés.

— Et le parcours ?

— D'après ton père, mon niveau n'est pas mauvais.

— Venant de lui, c'est un vrai compliment !

Il la lâcha pour prendre l'autre sac et la suivit jusqu'à la maison.

— Les enfants sont avec Moïra ? demanda Kate.

— Non, ils étaient avec ta mère. Elle a décidé que la cuisine était trop pleine de dangers, alors ils regardent un dessin animé. Quand j'ai essayé de lui dire qu'il y avait autre chose à faire que se planter devant la télévision, elle m'a envoyé sur les roses.

Ce genre d'affrontement se produisait presque quotidiennement. Amélie épargnait à sa fille des réflexions, qu'elle gardait pour Scott. Il en plaisantait sans se plaindre, mais combien de temps le supporterait-il ? Kate était prête à tous les efforts, ou même les compromis, pour que la cohabitation se passe sans heurt, néanmoins en cas de querelle elle donnerait raison à son mari.

— Je les emmènerai en promenade après leur sieste, promit-elle.

— David s'est déjà proposé. Toi, tu feras la sieste avec moi !

Il semblait détendu, heureux d'être en week-end, pourtant il avait dû passer la matinée à travailler, et sans doute en ferait-il autant le lendemain. Dimanche ou pas, il pensait toujours à ses distilleries.

— Tu pourras te tenir deux heures loin de ton ordinateur ? persifla-t-elle.

— Toute la vie si tu me le demandes, mais dans ce cas il nous faudra vivre d'amour et d'eau fraîche.

Il avait prononcé les trois derniers mots en français, presque sans accent. Même s'il le parlait couramment avant de rencontrer Kate, depuis la naissance des jumeaux il faisait un effort de prononciation.

— Tu progresses, chéri ! lui lança-t-elle en souriant.

Leur bonheur ne pâlissait pas, ils étaient aussi amoureux que le jour où ils avaient enfin osé se l'avouer. Si Kate n'avait aucune expérience, Scott ayant été son seul amant, en revanche elle était très consciente de sa chance. Autour d'elle, les couples connaissaient des hauts et des bas, des désaccords, parfois des ruptures. Avec une certaine naïveté, elle s'était juré que ça ne lui arriverait jamais.

— Ton père suggère que tu t'installes un bureau bien à toi. Pourquoi pas dans ton ancienne chambre au second ? Tu serais tranquille, ma mère n'y monte jamais, et les enfants non plus.

— C'est son idée ?

— J'imagine qu'il se sent envahi.

— Et moi toléré.

— Il ne veut plus entendre parler des affaires, il veut fumer ses cigares en paix.

— Pourquoi ne me l'a-t-il pas dit ?

— Pour ne pas te froisser.

— Papa deviendrait diplomate ? Non, je crois plutôt qu'il vieillit, et ça m'attriste.

Kate n'eut pas le temps de répondre, interrompue par le bruit d'une galopade effrénée qui annonçait l'arrivée des jumeaux.

*

George avait beau écouter les conseils de son directeur, il ne s'en sortait pas. La perspective d'être bientôt seul à la tête de la filature le terrorisait. Il en trouvait le fonctionnement plus complexe que prévu, et il ne lui fallait pas gérer uniquement des chiffres mais aussi des gens. Mémoriser les prénoms et l'histoire familiale de chacun afin d'être un patron humain, chaleureux, proche de ses employés. Donald répétait que là se trouvait la clef pour bien diriger une société. La mère de Scott, à son époque, avait su établir un climat de confiance qui avait dynamisé l'entreprise, et Scott lui-même, bien qu'assez peu présent sur le site, restait très apprécié par l'ensemble des ouvrières. Pour George, la principale difficulté était de se faire à la fois aimer et respecter. Son désir secret de ressembler à Scott pour l'égaler puis le surpasser commençait à lui sembler inaccessible. Ses études, théoriques, ne l'avaient pas préparé à prendre des décisions rapides, ni à se sentir à l'aise dans le rôle de l'unique responsable. Il estimait que Scott avait eu la chance, dès son plus jeune âge, de savoir qu'un jour il prendrait la tête des affaires de son père, et qu'en conséquence il avait eu tout le temps de s'y préparer.

Chaque jour, George rassemblait son courage pour parcourir les différents bâtiments, s'obligeant à afficher un sourire qu'il espérait sympathique. Il essayait de maîtriser les différentes étapes par lesquelles passaient les tonnes de laine traitées ici chaque année : cardage, filature, tissage, tricotage, confection. Certaines machines mystérieuses pour lui – la pelotonneuse, par exemple – retenaient son attention, il observait les bains de teinture, assistait jusqu'au bout au montage et au remaillage d'un cardigan. Scott ne lui avait-il pas fait un cadeau empoisonné en lui confiant cette énorme responsabilité ? Était-ce pour le tester ? Voire le ridiculiser ? Prouver à Angus que, décidément, les fils d'Amélie ne pouvaient s'occuper de rien ? La petite pointe de jalousie déjà éprouvée se faisait plus présente.

Pourtant, lorsqu'il avait ce genre de pensée, il tentait de s'en défendre. Partagé entre une sympathie certaine pour Scott, même si elle n'était venue que tardivement, et une rivalité naissante, il ne savait plus où il en était. D'autant moins que, vis-à-vis de Susan, sa petite amie, il jouait au jeune directeur assumant sans problème ses nouvelles fonctions. Afin de ne pas se dévaloriser, il ne se confiait pas à elle et se débattait seul avec ses angoisses. Il aurait pu parler à son frère Philip, mais il redoutait son humour grinçant. D'ailleurs, Philip et Malcolm, indissociables, s'étaient pris d'affection pour Scott, qui les avait acceptés dès le début comme n'importe quel couple, et jamais ils ne le critiquaient.

À tous ses soucis professionnels s'ajoutait l'insistance de Susan pour venir habiter avec lui dans son logement de fonction. S'il acceptait, elle constaterait certainement qu'il ne réussissait pas encore à se glisser dans la peau du dirigeant qu'il prétendait être devenu. S'il refusait, Susan menaçait de rompre, et comment retrouverait-il une fille aussi charmante alors qu'il serait enfermé ici du matin au soir et du soir au matin ?

Pour comble de désagrément, les visites de Scott ne faisaient qu'aggraver son malaise. Les questions de routine de son beau-frère lui semblaient insidieuses, et quand il le voyait disparaître dans le bureau de Donald il était persuadé que les deux hommes se moquaient de lui.

Ce matin-là, l'arrivée du Range Rover dans la cour lui procura l'habituelle sensation de culpabilité et d'agacement.

— Encore..., soupira-t-il entre ses dents.

Depuis que Scott avait réintégré Gillespie, il passait plus souvent à la filature, qui était sur sa route lorsqu'il se rendait à Inverkip. George aurait très bien pu rester dans son bureau, mais il se crut obligé de descendre pour aller accueillir Scott.

— Hello, George ! Quel froid ce matin, hein ? Je ne suis là que cinq minutes, j'ai du boulot par-dessus la tête. Aucun problème particulier ?

— Non, tout va bien.

— Parfait. Je monte voir Donald, ensuite je file.

Au lieu de lui emboîter le pas, George resta à tourner en rond dans la cour, frissonnant sous le vent glacial. N'aurait-il pas dû évoquer avec Scott le souci des stocks de laine ? La tonte n'ayant lieu qu'une fois par an au printemps, et très exceptionnellement une deuxième fois trois ou quatre mois plus tard, il était impossible d'en trouver fin novembre dans la région. Donald lui avait fait part de son inquiétude à ce sujet, ajoutant que c'était la rançon du succès car les commandes affluaient. Mais il n'avait pas indiqué de solution et George se demandait s'il lui incombait de la trouver. Sauf qu'il ne pouvait pas tout apprendre en quelques semaines ! Donald allait partir trop tôt, et pour George l'idée d'être seul aux commandes dès le 2 janvier paraissait inimaginable. En serait-il réduit à appeler Scott au secours dès qu'une question se poserait ?

Il s'appuya au capot encore tiède du Range Rover et prit une grande inspiration pour se calmer. Il devait absolument garder une attitude sereine, ni angoissée ni désinvolte.

— Tu ferais mieux de rentrer, tu vas attraper la crève ! lui lança Scott en revenant. Je te retiens pour un déjeuner avec Donald après-demain. Je passerai vous prendre. Bonne journée, vieux.

Démarrant sur les chapeaux de roues, il laissa George tout à fait frustré. Un déjeuner pour quoi faire ? Pour recadrer le mauvais élève qu'il était ? Et s'il avait eu d'autres projets ? Brièvement, il songea à son frère John qui n'avait pas supporté de travailler à la distillerie, quelques années plus tôt. Son aversion pour Scott s'était alors muée en haine pure. Mais à ce moment-là John n'avait eu que des tâches subalternes à effectuer. Sans aucun diplôme, il s'était vu condamné à débuter au bas de l'échelle, alors que George se retrouvait propulsé d'un coup à un poste important. Au lieu de s'en plaindre, il lui fallait se montrer à la hauteur. Et conserver d'excellents rapports avec Scott plutôt que le considérer en ennemi. C'était une mauvaise stratégie.

Il retraversa la cour au pas de course, prenant la résolution d'aller dîner à Gillespie de temps en temps. Autour de la table familiale, l'ambiance serait plus détendue, et s'il avait besoin de conseils il les obtiendrait à ce moment-là de manière informelle. De retour dans son bureau, il alla se réfugier près du radiateur et sortit son portable de sa poche. Autant appeler sa mère maintenant et s'inviter pour le soir même.

*

John restait persuadé que sa sœur n'aurait pas hésité à lui donner de l'argent si elle n'avait pas été sous l'influence de Scott. Même si cet argent ne servait pas à des soins médicaux – puisque Betty avait fait la preuve que tout serait intégralement pris en charge par l'assurance maladie –, John en avait besoin. En bonne comptable, Betty gérait trop bien leur budget, rien ne lui échappait, et John se sentait infantilisé. Certes, sa femme l'adorait, le protégeait, mais ce comportement finissait par lui rappeler la manière dont Amélie l'avait choyé, or il ne voulait pas d'une seconde mère. Ce qui l'avait séduit chez Betty était son aisance, son esprit de décision, et surtout la façon qu'elle avait de le dévorer des yeux. Sous son regard, il s'était senti beau alors que, jusque-là, la plupart des femmes l'avaient ignoré. Elle avait sept ans de plus que lui, et jamais il n'aurait cru pouvoir la séduire. Pourtant, elle lui était tombée si facilement dans les bras que ce succès l'avait aveuglé. Sans trop réfléchir, il s'était proclamé amoureux, ensuite il avait évoqué la France qu'il appelait sa patrie et dont il se languissait. À la question de savoir si Betty le suivrait à Paris, il avait ajouté qu'ils pourraient s'y marier, alors elle avait fait ses valises immédiatement.

Quitter enfin l'Écosse avait été une telle bouffée d'oxygène pour lui ! Avec les économies de Betty, ils avaient d'abord loué un studio meublé. Rapidement, la jeune femme avait amélioré son français puis trouvé un emploi. Des projets plein la tête, ils s'étaient mariés, mais peu à peu la réalité avait rattrapé John : il n'avait aucune envie de travailler. Il aurait fallu qu'il suive une formation quelconque à propos de laquelle il n'était pas fixé, qu'il se lève tôt, ce dont il avait horreur, bref qu'il prenne sa vie en main, or il n'en avait pas le courage. L'inaction lui procurait l'impression d'être libre, il pouvait se promener le nez au vent dans les quartiers qu'il aimait et où il recherchait l'insouciance de son adolescence. Les tentations s'offraient à lui et il ne savait pas les repousser. Pendant que Betty travaillait pour subvenir à leurs besoins, il s'amusait. Parfois, dans un sursaut, il échafaudait un plan farfelu qui devait le conduire à la réussite mais demeurait à l'état de velléité. N'ayant aucune passion motivante, ni même un intérêt particulier, il continuait à végéter, et pour oublier une vague sensation de culpabilité il fumait de temps à autre un joint qui le faisait planer. Les jours de pluie, quand il ne quittait pas l'appartement, l'une de ses principales distractions était les jeux de cartes en ligne. Des heures durant, il disputait des parties de poker, rivé à l'écran de son ordinateur. Hélas, ses gains et ses pertes s'annulaient, il devinait qu'il ne s'enrichirait pas de cette manière.

S'il avait trompé Betty, c'était davantage par désœuvrement que par envie, et le châtiment lui semblait très violent. Pouvait-il réellement se trouver en danger de mort pour quelques cinq à sept peu exaltants ? Comme toujours, il déplorait amèrement les conséquences de ses actes mais n'envisageait pas de s'attaquer aux causes.

En s'adressant à Kate, il savait qu'il avait frappé à la bonne porte, du moins la seule qui ait une chance de s'ouvrir. Après l'inévitable leçon de morale, sa sœur ne garderait pas les bras croisés, il en avait la certitude. Kate était une jeune femme têtue, capable d'ignorer le veto de son mari si elle se sentait dans son bon droit. La peine et la compassion qu'elle éprouvait pour son frère l'inciteraient à faire un geste, sans doute suffisait-il de la harceler un peu pour qu'elle cède. Depuis sa visite à Paris, John n'hésitait plus à lui téléphoner, usant d'un ton plaintif et résigné qui la touchait. Il suggérait l'envoi d'une somme modique destinée à le soulager de ses angoisses sans bouleverser le budget strict de Betty. Il présentait sa requête tel un petit secret entre frère et sœur, au nom de la solidarité familiale. Kate soupirait, n'opposait pas un refus catégorique, et John devinait qu'il aurait bientôt gain de cause. Avec un certain cynisme, il se disait qu'il s'agissait de l'argent de Scott, un paradoxe qui l'amusait. Son beau-frère détesté allait donc subventionner sans le savoir des parties de poker ou des tournées de bière ! Cette idée faisait rire John, mais il ne riait jamais longtemps, vite rattrapé par le spectre de la maladie. À quel moment aurait-il les premiers symptômes ? Lors d'une prochaine grippe ? Dans deux ans ? Jamais ? Quand ces questions l'assaillaient, il écumait tous les sites et forums traitant du sida, avide de réponses qui le laissaient insatisfait. Ces jours-là, dès que Betty rentrait du travail, il se jetait dans ses bras et s'accrochait à elle comme un noyé. Elle le rassurait, le cajolait, alors ils faisaient l'amour avec tendresse, une boîte de préservatifs à portée de main. Près d'elle, John reprenait confiance, il l'écoutait parler de leur avenir, des progrès de la médecine, et il essayait d'y croire. Néanmoins, il n'était pas heureux, et Betty ne l'était sans doute pas non plus.

*

— Vous êtes aussi rigide qu'un militaire, Scott ! Si les petits se couchent un peu plus tard que d'habitude, ce n'est pas bien grave.

Ignorant l'air pincé d'Amélie et les cris de protestation des jumeaux, Scott éteignit la télévision.

— Il ne restait que vingt minutes, ajouta sa belle-mère. Vous leur faites rater toute la fin de l'histoire.

— C'est l'heure d'aller se coucher, répondit Scott en s'adressant à ses enfants.

Luke se mit à trépigner tandis qu'Hannah éclatait en sanglots.

— Et voilà, maugréa Amélie, un drame pour rien !

Scott prit chaque jumeau par une main et s'accroupit entre eux.

— Ne faites pas de caprice, il est temps d'aller au lit. Dites bonsoir à votre grand-mère, ensuite on monte gentiment et je vous lirai une histoire.

Le calme apparent qu'il conservait avait le don d'exaspérer Amélie.

— Après tout, lâcha-t-elle encore, faites ce que vous voulez.

— Vous l'avez dit…

Elle se laissa embrasser, prolongeant les câlins tandis que Scott attendait. Entre eux, l'ambiance s'était tendue de façon significative à l'approche des fêtes de Noël. Amélie souhaitait un réveillon à la française le soir du 24, et qu'on aille chercher les petits après minuit pour leur annoncer que le père Noël était passé. Scott préférait les coutumes écossaises, il voulait qu'on laisse dormir les enfants une fois qu'ils auraient accroché des chaussettes géantes au pied de leur lit. Le lendemain matin, ils pourraient ainsi découvrir leurs cadeaux. Et le vrai « dîner » de Noël, avec l'inévitable dinde aux marrons, se ferait ce jour-là en fin d'après-midi. Après discussion, Scott avait imposé sa volonté, soutenu par Kate, mais Amélie avait obtenu son réveillon du 24. Aussitôt, Moïra s'était mise en colère, contrainte de préparer coup sur coup deux repas d'exception. Pour apaiser les esprits, Kate avait promis qu'elle s'occuperait d'un des menus et Moïra de l'autre. Heureux de voir sa femme se ranger à son côté, Scott avait conclu qu'ainsi les traditions des deux pays seraient à l'honneur, ce qui contenterait tout le monde.

Amélie le regarda quitter la pièce, encadré des deux petits qui avaient cessé de protester et le suivaient docilement. Que cet homme pouvait donc l'agacer, la pousser à bout ! Onze ans plus tôt, au premier regard échangé entre eux, il s'était montré froid, distant, presque méprisant, on aurait dit qu'il la prenait pour une aventurière. Par la suite, leurs rapports étaient restés hostiles, et malgré le mariage avec Kate, malgré la naissance des jumeaux, ils continuaient à se détester. Comment Amélie avait-elle pu croire que ce serait agréable de le voir revenir à Gillespie ? Sottement, elle avait imaginé qu'elle retrouverait son emprise sur Kate, mais celle-ci n'était plus une jeune fille timide, son amour pour Scott l'avait émancipée et elle échappait à toute influence. La cohabitation se révélait plus compliquée que prévu. Certes, les enfants s'attachaient à Amélie, qui les gâtait beaucoup et leur laissait faire les bêtises de leur âge. Dans ces cas-là, Scott devait endosser le mauvais rôle de censeur, opposant sa sévérité paternelle à l'indulgence de la grand-mère.

— Maman ?

Kate venait d'entrer d'un pas décidé, et Amélie préféra prévenir toute réflexion désagréable en lançant :

— Pourquoi ton mari est-il d'une telle intransigeance ? Il a fait pleurer les petits en interrompant d'un coup le dessin animé qu'ils regardaient sagement !

— Ah bon ? Eh bien, je suppose qu'il était temps pour eux d'aller au lit.

— Aurais-tu aimé qu'on t'arrache un livre des mains quand tu étais en train de dévorer les dernières pages ?

— Ça n'a rien à voir. Ils n'ont que trois ans, ils suivent à peine l'histoire. Et tu devrais arrêter de contredire Scott en permanence.

— Ma chérie, pendant que vous travaillez, c'est moi qui m'occupe des jumeaux. Je pense que vous n'avez pas à vous en plaindre, mais je peux aussi avoir mon mot à dire. Je ne suis pas une employée que vous payez à la fin du mois, contrairement à votre nounou !

— Comment peux-tu dire des choses pareilles ? protesta Kate sur un ton furieux. Je ne travaille que trois jours par semaine, le reste du temps je suis là. Et il y a Moïra, Angus, David, tu n'es pas seule avec les enfants, que je sache. D'ailleurs, je te rappelle que tu as insisté pour les avoir à demeure !

Devant la colère de sa fille, Amélie battit en retraite.

— Je les adore, tu le sais, et je suis ravie qu'ils soient là. Mais tu ne m'empêcheras pas de donner mon avis de temps en temps, même si ça contrarie Scott. Le conflit des générations a toujours existé, nous sommes une famille ordinaire.

— Crois-tu ? Tu m'avais promis de faire un effort vis-à-vis de Scott...

— Je le fais ! En tout cas, davantage que lui.

Kate eut une moue dubitative qui fit rire Amélie.

— Allons dîner, chérie. Je te promets d'être aimable avec mon gendre et beau-fils.

Chaque fois qu'elle y pensait, elle s'amusait d'être doublement la belle-mère de Scott, et elle n'hésitait pas à claironner qu'en conséquence il lui devait deux fois plus de respect.

— Pour moi, ajouta-t-elle en prenant sa fille par l'épaule, vos enfants sont une bénédiction. Tu sais à quel point j'ai été déçue et peinée de perdre le bébé que j'attendais. Avoir un enfant d'Angus m'aurait vraiment comblée ! C'était une grossesse tardive et inespérée que je voulais à tout prix mener à terme. Hélas, je n'ai pas eu ce bonheur. Mais les jumeaux m'ont en quelque sorte consolée puisque dans leurs veines coulent mon sang et celui d'Angus. Tu comprends ? Pour moi, c'est une compensation.

Kate semblait incrédule, ce qui fit soupirer Amélie.

— J'aime beaucoup Angus, ma chérie. Ou plutôt j'ai appris à l'aimer. Je reconnais que, au début, il représentait surtout une chance pour moi, que j'ai saisie sans hésiter. Il a assumé votre éducation à tous les quatre, tes frères et toi, alors que votre père s'était honteusement défilé. Il l'a fait sans se plaindre et sans rien imposer. Au moment de la perte de notre bébé, il s'est efforcé de me redonner le sourire. Depuis le jour de notre mariage, il n'a pas cessé de me gâter. C'est quelqu'un de bien et, petit à petit, je me suis attachée à lui. À présent, mes sentiments sont plus solides, plus profonds, plus authentiques. Ce n'est pas de l'amour tel qu'on l'entend à ton âge, il n'y a rien de passionnel, du moins de mon côté, mais c'est une belle association. Un enfant de notre union nous aurait soudés encore plus, même s'il était un peu tard. Évidemment, s'il était né, beaucoup de choses auraient changé, en particulier pour la succession d'Angus. Sais-tu qu'il était prêt à modifier son testament ?

Amélie avait baissé la voix sur les derniers mots, comme s'il s'agissait d'un secret ou d'un sujet tabou.

— Après lui, ajouta-t-elle encore plus bas, je ne sais pas ce que je deviendrai. Et je n'ai aucune envie de me retrouver à la merci de ton mari !

— Tout ce discours pour en venir là, maman ?

Kate lui fit face, le visage fermé.

— J'ai presque vingt ans de moins qu'Angus, se défendit Amélie. Selon toute probabilité, il partira le premier et je n'aurai pas grand-chose.

— Si tu ne prenais pas Scott pour un monstre, tu t'inquiéterais moins. Maintenant, qu'est-ce qui t'empêche d'en parler avec Angus ?

— Évoquer sa mort ne le met pas de bonne humeur, figure-toi ! D'ailleurs, je connais ses arguments, il tient à ce que son fils hérite de Gillespie et de toutes les affaires familiales. Je dis bien : *toutes*.

— Ça le regarde. Quoi qu'il en soit, nous sommes là, Scott et moi, pour te…

— Quelle fraîcheur, ma chérie ! Es-tu assez aveugle pour croire que les mariages durent jusqu'au bout ? Il y a des milliers de gens qui divorcent, moi la première, et rien ne te garantit que vous n'aurez pas un jour des problèmes de couple. Si ça arrivait, je serais à la rue, et toi aussi, bécasse !

Kate se redressa pour toiser sa mère.

— *Bécasse* ? Merci ! J'aime Scott de toute mon âme et il me le rend bien. J'ai confiance en lui et en notre avenir, ce qui ne fait pas de moi une idiote. Et si par malheur le destin devait nous séparer, je serais en mesure de gagner ma vie car j'ai un métier. En attendant, je ne me sens pas à sa *merci*, et je ne chercherai jamais à m'approprier une partie de ses *biens*.

— On voit que tu n'as jamais manqué de rien, que tu n'as jamais eu peur du lendemain ! Tu juges du haut de tes vingt-quatre ans, mais tu n'as connu qu'un seul homme et tu manques d'expérience.

Voyant que leur discussion tournait à la querelle, Amélie coupa court en reprenant sa fille par l'épaule et en lui déposant un baiser sur la joue.

— Ne nous disputons pas, Kate. J'ai le caractère vif, tu sais bien… Moïra doit nous attendre et elle fera la grimace si nous tardons trop !

Son petit rire gai n'eut aucun écho, mais Kate la suivit.

*

Dans la distillerie d'Inverkip, Scott se félicitait une fois encore auprès de Graham d'avoir pris la décision, quelques années plus tôt, d'augmenter l'âge de son whisky. Un choix ambitieux et risqué car il avait dû accumuler des stocks pour passer de douze à quinze ans d'âge. En prenant ce parti, il allait à l'encontre d'autres distillateurs qui préféraient insister sur le goût au détriment de l'âge. Il avait opté pour des alambics hauts et étroits, provoquant un reflux de la condensation, ce qui permettait une distillation plus complète et un alcool plus subtil. À Greenock, en revanche, il conservait ses alambics ventrus pour ne modifier en rien le goût de son whisky plus crémeux et plus riche.

Succéder à son père avait été assez exaltant pour lui. Du temps d'Angus, rien ne bougeait, toutes les traditions étaient respectées jusqu'à la plus insignifiante. Ainsi, la qualité artisanale avait été préservée, mais sans aucune curiosité envers des méthodes plus modernes ou des tentatives audacieuses. Pour sa part, Scott avait mis à profit le tour d'Europe entrepris à la fin de ses études pour s'imprégner d'une vision plus large et plus innovante. S'il respectait le savoir-faire des anciens, il estimait pouvoir améliorer les choses en ne négligeant pas les avancées techniques. Conscient de l'importance d'un marketing adapté à son époque, il profitait du regain d'intérêt pour le whisky, qui tournait même à l'engouement. Partout dans le monde, cet alcool était en train de détrôner les autres apéritifs et digestifs.

— Je le trouve vraiment très bien, affirma-t-il. Il a le goût que j'espérais ! Dans ces fûts de chêne qui proviennent d'Espagne, il a atteint une maturation idéale.

Graham l'écoutait en souriant, toujours réjoui quand Scott parlait de son métier.

— Pour ne prendre aucun risque superflu, je n'ai pas changé d'entrepôt. À un moment, j'ai eu la tentation d'en construire un plus moderne, avec un sol bétonné et beaucoup de rayonnages, mais finalement j'ai préféré garder ma vieille installation avec son sol de terre battue, qui apporte de l'humidité, et seulement trois niveaux pour les fûts.

— En somme, tu as fait un pari tout en conservant des garanties ?

— Un peu, oui… Mais ce seront les premières bouteilles que je pourrai considérer comme les miennes ! Jusqu'à maintenant, le whisky que je vendais était encore celui de mon père. Même s'il se contentait de gérer les distilleries de manière parfois désinvolte, en s'appuyant beaucoup sur ses fidèles employés, il était seul à décider. Quand j'ai repris les rênes, les stocks étaient son œuvre, à la fois pour ce qui était déjà sur le marché et pour ce qui attendait dans les fûts. Aujourd'hui, je *m'approprie* la production. Et dans l'avenir, tout portera mon empreinte. Donc je n'ai pas droit à l'erreur.

Il rendit son sourire à Graham et poussa le verre devant lui.

— Vas-y, et sois franc !

Graham regarda le liquide ambré, se pencha pour le humer longuement, puis il avala une première gorgée et laissa les flaveurs se développer sur son palais.

— Je le trouve épicé, finit-il par dire, et plus complexe qu'avant. Le nez est assez riche, le corps moelleux, en bouche il offre un goût de cuir et de girofle, et après coup les épices s'attardent. Il est vraiment réussi, vieux !

— Ah, je suis content qu'il te plaise ! s'enflamma Scott avec un enthousiasme de gamin. Et voilà le plus beau, la surprise du chef…

Il exhiba triomphalement la bouteille qu'il avait jusque-là laissée par terre à ses pieds.

— L'étiquette est reconnaissable, elle conserve l'esprit du Gillespie d'Inverkip, mais pour le quinze ans d'âge elle a été revue par un maquettiste de talent.

— Elle est très séduisante, approuva Graham, et elle se remarquera parmi les autres.

Scott regarda pour la énième fois le dessin bleu et or, familier et pourtant légèrement différent.

— Le grand changement est dans la partie soufflée du verre, un écusson en relief. Élégant, non ?

Il jaillit hors de son fauteuil et se mit à arpenter le bureau.

— Séduire de nouveaux acheteurs sans décevoir nos clients fidèles, voilà mon but. Je ne l'atteindrai que si les ventes augmentent, et pour le savoir je vais devoir attendre un peu…

Graham le suivit des yeux un instant puis le saisit au passage par le poignet.

— Arrête, tu me donnes le tournis ! Ça va marcher, vieux, je ne m'inquiète pas pour toi ni pour ce remarquable quinze ans d'âge.

— J'avais la certitude qu'il lui manquait du vieillissement, mais patienter trois ans pour en avoir la preuve a été très long.

— Penses-tu ! Entre-temps, tu t'es marié et tu as eu les jumeaux, ta vie a toujours été bien remplie. D'une certaine manière, je suis un peu jaloux.

— Pourquoi ?

— Parce que tu es passionné.

Scott retourna s'asseoir face à Graham pour le dévisager.

— Tu n'aimes plus ton métier ? Tu as des soucis avec Pat ?

— Non... Mais je n'ai pas le feu sacré pour la gestion de patrimoines. C'est un bon job, que je fais sérieusement, et voilà tout. Quant à ma petite famille, nous sommes heureux, mais avec les trois enfants Pat a arrêté de travailler, et ça la déprime un peu d'être devenue femme au foyer. Nous n'avons plus vraiment de conversations intéressantes parce qu'elle vit entre quatre murs, quasiment sans contact avec le monde extérieur. Le soir, elle est claquée, et je comprends qu'elle n'ait pas envie de me faire un strip-tease. Je me raisonne, tous les couples connaissent des périodes de fléchissement.

— Oh, pas vous ! Ne laisse pas l'usure du quotidien vous entamer.

— Et comment faire ? Kate et toi, vous avez une famille pour vous soutenir ou vous soulager, pas nous. Mes parents sont en Afrique du Sud, et Pat a perdu les siens.

— Eh bien, confiez-nous Tom et les jumeaux pour les prochaines vacances scolaires. À Gillespie, avec Luke et Hannah, ils s'amuseront bien et nous en prendrons soin. Pendant ce temps, offrez-vous un voyage en amoureux au soleil. Réserve vos billets d'avion et votre hôtel dès maintenant, ce sera une formidable surprise pour Pat. Tiens, faites ça juste après Noël, je suis persuadé que tu peux obtenir des jours de congé sans problème.

Graham parut interloqué, puis il se mit à sourire.

— Toi, si tu n'étais pas mon meilleur ami, tu le deviendrais !

Ragaillardi par l'offre spontanée de Scott, il désigna la bouteille.

— Quand sera-t-il sur le marché ?

— Il y est. Je commence les livraisons dans nos points de vente habituels.

— Je croise les doigts pour toi !

— Emporte celle-ci et fais-le goûter à Pat.

— Volontiers. Angus l'a-t-il déjà testé ?

— Non. Ce sera pour ce soir. J'espère qu'il ne va pas le descendre en flammes…

— Il lui arrive d'être de mauvaise foi, mais pour un whisky commercialisé sous son nom, ça m'étonnerait beaucoup. En tout cas, moi, je ne t'ai pas menti.

Après un clin d'œil appuyé, Graham quitta son fauteuil et prit la bouteille. Sur le point de sortir, il se retourna pour ajouter :

— Est-ce que je t'ai dit merci ?

— Inutile.

— Merci, alors. Pour ton pur malt et pour mes vacances !

Scott lui adressa un geste amical tout en se demandant s'il avait eu raison de proposer d'accueillir les trois enfants sans consulter Kate. Sans doute comptait-elle profiter des vacances scolaires pour se reposer, or il y aurait forcément beaucoup de chahut à la maison. Néanmoins, il connaissait sa gentillesse et son sens de l'amitié, à coup sûr elle comprendrait la situation.

Penser à Kate le fit sourire, comme chaque fois. Leur couple n'avait pas connu la plus petite ombre jusqu'ici, et il restait très attentif au bonheur de sa femme. Kate possédait un caractère entier, sensible, déterminé. Elle l'aimait de façon absolue, ce qui le faisait fondre tout en l'inquiétant. Au-delà du désir intact qu'il éprouvait pour elle, il avait envie de la protéger, de la préserver. L'usure du quotidien que semblaient vivre Graham et Pat n'était pas inéluctable, à condition qu'il se montre vigilant. Et donc qu'il ne laisse pas le travail prendre toute la place ! Résolument, il éteignit son ordinateur alors qu'il aurait voulu s'attarder encore au moins une heure. Rentrer de plus en plus tard à Gillespie finirait par créer des problèmes là où il n'y en avait pas. Bien sûr, gérer deux distilleries situées à dix kilomètres l'une de l'autre ne lui facilitait pas la tâche, et il ne passait pas aussi souvent qu'il le souhaitait à la filature. Il jeta un coup d'œil à sa montre ; décidément il lui était impossible d'aller voir George ce soir. Quant au lendemain, son planning était trop chargé pour y songer. Toutefois, il ne devait pas perdre de vue son beau-frère, qui peinait toujours à endosser son rôle de directeur. Avait-il eu raison de le lui offrir ? Pour satisfaire Amélie, pour qu'elle cesse de harceler Angus, Scott avait cédé. Les études de George étaient concluantes et lui conféraient les capacités requises pour occuper le poste, pourtant quelque chose n'allait pas.

Tout en se dirigeant vers sa voiture, Scott décida d'appeler Donald pour essayer de le convaincre de rester quelques mois de plus. George ne pouvait pas être livré à lui-même pour l'instant, il allait falloir le lui expliquer.

*

Angus s'était bien amusé avec les jumeaux, et surtout il était fier d'avoir été le premier à leur montrer le formidable travail des chiens autour des moutons. Le berger, compréhensif, avait lancé ses border collies dans un exercice de déplacement du troupeau sous les yeux émerveillés des enfants, les « petits héritiers Gillespie », comme il les avait appelés. Les joues rouges d'excitation et de froid, Hannah et Luke trépignaient devant le spectacle. Sur le chemin du retour, Angus avait dû les porter à tour de rôle tant ils étaient fatigués par l'expédition. Lui-même se sentait épuisé en arrivant à la maison et transi par le vent glacial qui avait pénétré sa grosse veste de chasse.

— Mes fusils pèsent moins lourd que tes gamins ! lança-t-il en avisant Scott qui l'attendait dans son bureau. Je suis vanné, mais ça en valait la peine…

Il fut secoué d'un frisson et, au lieu d'aller s'asseoir, s'approcha du poêle à bois pour y réchauffer ses mains.

— Qu'est-ce que c'est ? demanda-t-il, l'air intrigué.

Un sac en papier kraft était posé sur un coin du bureau, et Scott affichait une mine de conspirateur.

— Un cadeau pour moi ? On fête quelque chose ?

— Peut-être. Ce sera à toi de me le dire.

Oubliant qu'il avait froid, Angus alla ouvrir le sac et demeura stupéfait face à la bouteille qu'il en sortit. Après deux secondes de silence, il murmura :

— Ah oui, ton quinze ans d'âge…

Les yeux d'abord rivés sur l'étiquette, il passa ensuite un doigt sur l'écusson en relief.

— Le packaging a dû te coûter cher ! J'espère pour toi que les clients vont s'y retrouver.

— Évidemment. Notre nom n'a pas changé, ni notre blason ni nos couleurs fétiches. On nous reconnaît de loin dans les boutiques.

— Et le goût ?

— Je te laisse juge. De toute façon, le douze ans existe toujours.

— Encore heureux, marmonna Angus.

Scott alla chercher un verre tulipe sur une petite table roulante où étaient posées plusieurs bouteilles de whiskies divers.

— Prends ton temps et donne-moi un verdict honnête, suggéra-t-il à son père.

— Tu sous-entends que je pourrais être partial ?

— Ce ne serait pas tout à fait impossible.

— Faux ! J'ai gardé un bon palais et je ne le ferai pas mentir.

Il regarda son fils ouvrir la bouteille, verser quelques centilitres dans le fond du verre.

— Jolie couleur… Son éclat doré prouve sa maturité.

Après avoir observé l'alcool à la lumière, il le fit tourner lentement, examinant les traces laissées sur les parois du verre. Puis il le huma, une narine après l'autre, enfin le goûta, prenant une petite gorgée qu'il fit circuler sur sa langue pendant quelques secondes. Lorsqu'il leva les yeux vers Scott, son visage n'exprimait rien.

— Ajoute une goutte d'eau, il va s'ouvrir et libérer d'autres arômes.

Quand Scott se fut exécuté, Angus reprit une gorgée plus importante.

— Riche, épicé, finit-il par lâcher. Il s'est épanoui, il est long en bouche. J'aime beaucoup.

— Waouh ! De tels compliments…

Radieux, Scott alla se chercher un verre pour trinquer.

— À nous, à nos whiskies !

— Mon avis t'importait donc tellement ?

— Comment peux-tu en douter ? Tu m'as confié deux très bonnes distilleries, mon ambition est de les rendre excellentes. Ton jugement sera toujours primordial pour moi. Et en effet, malgré tes cigares, tu as encore un fin palais !

Gagné par l'émotion, Angus considéra son fils avec tendresse.

— Je ne te les ai pas seulement « confiées », Scott. Ce sont tes entreprises maintenant, plus les miennes. D'ailleurs, à ce propos, j'ai eu une petite… discussion avec Amélie. Tu la connais, elle s'inquiète toujours pour quelque chose, et en ce moment c'est l'avenir. Enfin, le sien, une fois que je ne serai plus de ce monde. Elle voudrait pouvoir se sentir sereine au cas où…

— On parle de ta mort, là ?

— Il faut bien y songer. Mais ce qu'elle souhaite est précisément ce que je ne peux pas lui donner.

— À savoir ?

— Ce qui était de toute éternité pour toi, pour mes petits-enfants, bref, destiné à ma lignée. Elle ignore nos arrangements, dont je n'ai pas envie de lui parler pour éviter des scènes. Mais, le moment venu, j'espère qu'elle comprendra.

— Tu ne lui as rien dit du tout ?

— Non. Pourtant elle sait bien que je n'aurais jamais pu concevoir un morcellement de Gillespie. Quant aux distilleries, n'y pensons pas, elles te feront vivre après moi et te permettront d'entretenir le domaine, éventuellement de continuer à l'agrandir, comme mon père l'a fait avant moi. Quand j'ai essayé d'évoquer notre manière de transmettre dans la famille, Amélie m'a rétorqué que si j'avais eu plusieurs fils il aurait bien fallu que je partage. Évidemment, je ne suis pas d'accord. On ne bâtit pas un patrimoine pour le découper en petits bouts ! Alors voilà, je ne sais pas comment la mettre « à l'abri », c'est son expression. Je n'en ai pas les moyens, en fait, et tu sais pourquoi.

Les sourcils froncés, Scott l'écoutait attentivement, mais il finit par esquisser un sourire.

— Papa, qu'attends-tu de moi ?

— Rien. Mais Amélie a une espérance de vie d'au moins trente ou quarante ans ! Tu imagines ce que ça représenterait de la préserver jusqu'à la fin de ses jours ? Elle me reproche sans cesse ma mentalité d'Écossais, c'est-à-dire d'avare, parce qu'elle ne se rend pas compte !

Angus s'énervait, il en bafouillait. Toujours gelé, il frotta ses mains l'une contre l'autre.

— Donne-moi encore un peu de ce whisky, je n'arrive pas à me réchauffer. Bon, écoute, je n'ai pas de solution de rechange, il va falloir que tu me jures sur l'honneur que tu ne la laisseras jamais tomber. C'est ta belle-mère, la grand-mère de tes enfants, je veux avoir la certitude que tu prendras soin d'elle. Tu as beau ne pas l'aimer, tu vas me faire ce serment en me regardant droit dans les yeux.

— Je m'y engage, dit Scott en détachant chaque mot. Cela dit, tu ne la satisferas pas avec des promesses, surtout venant de moi.

— Je sais bien.

— Pourquoi ne trouverions-nous pas un arrangement concernant la filature ? Je pourrais lui donner des parts ou… Au moins, elle aurait un œil sur George.

— La *filature* ? C'était l'œuvre de ta mère, Scott ! Est-ce qu'il n'y aurait pas quelque chose d'amoral à donner à ta belle-mère ce qu'a réalisé ta mère ? Et pourquoi me parles-tu de George ?

— Il n'est pas à la hauteur pour le moment. Mais il est jeune, il apprendra.

Angus vida son verre, puis posa ses coudes sur le bureau et se frotta les tempes.

— Bon sang, ces conversations d'argent sont insupportables !

— On peut remettre à plus tard, tu ne vas pas mourir demain, s'amusa Scott.

— Non, non, finissons-en. La plupart des gens se croient immortels et ne règlent pas leurs affaires en temps voulu. Moi, je veux partir tranquille. Et je te préviens, Scott, si tu ne respectes pas ton serment, je viendrai hanter Gillespie et te tirer par les pieds.

— Un manoir hanté ? Dans ce cas, je le ferai visiter, ça attirera les touristes !

Angus finit par lui sourire et sortit sa tête de ses mains.

— Je suis obligé de te faire confiance, soupira-t-il, pourtant je sais que tu n'aimes pas Amélie.

— Peu importe, j'ai le sens du devoir et de la parole donnée.

— Quoi qu'il arrive ?

— Oui.

— Même si tu te disputais avec Kate ou...

— Me disputer avec Kate est un scénario de cauchemar que je ne veux pas envisager. Néanmoins, ça ne changerait rien. Amélie est ta femme. Si tu pars avant elle, elle sera ta veuve et demeurera sacrée pour moi.

— Vraiment ? Tu sais, je l'aime énormément. J'ai toujours essayé de ne pas trop le montrer afin de ne pas paraître gâteux, mais elle embellit mon existence.

— Tant mieux pour toi. Profites-en et oublie le reste, je m'en chargerai.

Pour dissimuler son émotion, Angus se racla la gorge, ce qui déclencha une quinte de toux.

— J'ai attrapé la crève avec tes garnements ! ronchonna-t-il.

— Personne ne t'avait demandé de les promener pendant des heures. Peut-être seront-ils malades aussi ?

Scott souriait en le disant, et Angus leva les yeux au ciel. Le moment qu'il venait de partager avec son fils avait apaisé ses inquiétudes. Certes, Amélie ne se contenterait pas d'un engagement oral de la part de Scott, mais pour Angus les choses étaient réglées. Chez les Gillespie, nul n'avait jamais rompu un serment. De gaieté de cœur ou de mauvaise grâce, Scott honorerait le sien.

*

Kate avait pris sa décision et, sans consulter Scott afin d'éviter une discussion supplémentaire, elle avait effectué un virement bancaire. Aider John lui paraissait normal, même si c'était juste pour qu'il se sente mieux durant quelques jours. Concernant sa maladie, elle ne pouvait rien, en revanche elle était en mesure de lui apporter une petite consolation, peut-être un moment d'oubli, et elle ne comptait pas y renoncer. Scott soutenait que, quitte à envoyer de l'argent, mieux valait le faire parvenir directement à Betty, qui saurait l'utiliser au mieux ; tel n'était pas le point de vue de Kate. Betty prenait en compte les besoins du couple, sans considérer les fantaisies de John. Aux yeux de Kate, si son frère devait développer le sida et dépérir brusquement, autant lui accorder un peu de plaisir. En bonne santé, il avait toujours été égoïste, paresseux et futile ; être porteur d'une maladie mortelle n'améliorerait sûrement pas son caractère, alors autant ignorer ses défauts et le réconforter sans contrepartie.

Elle éteignit la veilleuse qui aidait les jumeaux à trouver le sommeil. Même s'ils raffolaient du manoir tous les deux et s'y amusaient à longueur de journée, quand la nuit tombait tout leur semblait soudain trop grand. Les recoins où ils jouaient à cache-cache devenaient inquiétants, les couloirs paraissaient s'allonger, et leurs parents se trouvaient hors de portée de voix. Pour les rassurer, leur mère leur laissait donc une petite lumière jusqu'à ce qu'ils s'endorment.

Elle s'éclipsa sans bruit et rejoignit Scott dans leur chambre. Chaque fois qu'elle y entrait, elle éprouvait le même plaisir. Les vastes dimensions de la pièce, sa hauteur de plafond, la cheminée entourée de boiseries et les deux fenêtres flanquées de volets intérieurs la ravissaient.

— Tu es plus belle que jamais, constata Scott en la regardant approcher.

— Et heureuse comme jamais !

— Vraiment ?

— Tu me combles, chéri. J'ai un mari de rêve, des enfants de rêve, un cadre de vie de rêve ! En plus, mon métier me passionne, j'adore enseigner. J'ai presque hâte que les vacances se terminent.

— Elles viennent juste de commencer pour toi.

— Mais l'école va vite me manquer. Ce remplacement est une chance inouïe. Mes collègues sont vraiment gentils, ils ont tout fait pour me mettre à l'aise, en particulier Craig, l'autre professeur de littérature dont je t'ai parlé et qui…

— Tu m'en as *beaucoup* parlé. À quoi ressemble-t-il, cet homme ?

— Il a une trentaine d'années et il est agrégé.

— Tu parles d'une description ! s'esclaffa Scott. Tu ferais un très mauvais témoin en justice.

— Eh bien, il est assez séduisant, blond aux yeux verts, et c'est la coqueluche de l'école. Satisfait ?

— Plutôt inquiet.

— Tu es jaloux ?

— Bien entendu.

Kate éclata de rire et enleva sa robe de chambre avant de se glisser sous la couette.

— La nuisette aussi, ma chérie, murmura Scott en la prenant dans ses bras.

Il la lui ôta avec des gestes délicats puis la jeta au jugé vers un fauteuil, qu'il manqua.

— Raté, s'amusa Kate. Écoute, tu ne dois pas être jaloux, il n'y a que toi qui comptes dans mon cœur.

— Tu as prononcé le prénom de ce type vingt fois au moins, ces derniers temps.

— Et alors ? Il m'est sympathique, d'accord, et il m'a bien facilité les choses quand j'ai débarqué à l'école, complètement novice. Tu voudrais que personne ne m'aide, que personne ne me regarde ?

— Impossible, tu es trop jolie.

— De toute façon, je ne te mentirai jamais. S'il me plaisait, je te l'aurais avoué. D'ailleurs, à propos d'aveux, j'ai fini par faire un virement à John.

— Il a besoin d'argent ? J'avais dit à Betty de ne pas hésiter à m'appeler.

— *Elle* n'en a pas besoin, c'est lui.

— Pour en faire quoi ?

— Je ne sais pas. N'importe quoi qui puisse lui rendre la vie plus agréable.

Devant l'expression dubitative de Scott, Kate se sentit obligée de défendre son frère.

— Tu imagines dans quel état de terreur il vit ? Si la maladie se déclare, combien de temps lui restera-t-il, et dans quel état ? Lui apporter quelques moments d'oubli est un devoir pour moi.

— Tu as raison, et tu n'as pas à me demander la permission. Mais pourquoi me le dire après coup ? Nous pouvions en discuter et je...

— Il t'exaspère, Scott. Je pense que tu ne le tiens pas en très haute estime et qu'il ne t'inspire pas beaucoup de compassion.

— À cause de toi, si. Et tu peux lui apporter toute l'aide que tu souhaites, je suis d'accord. En revanche, même si ce n'est pas charitable, je n'arrive pas à le plaindre. Ses ennuis successifs ne naissent pas du hasard, il a toujours fait les mauvais choix. Tromper Betty par désœuvrement, sans se protéger, est une attitude irresponsable. Et sans toi, il lui aurait caché la vérité parce qu'il est aussi lâche qu'égoïste. Comment veux-tu qu'il me touche ?

Elle secoua la tête, sentant les larmes qui commençaient à piquer ses yeux. Si les propos de Scott n'étaient pas tout à fait injustes, elle se sentait blessée.

— Kate..., dit-il tout bas. Je suis désolé, je ne voulais pas te faire de la peine.

— Mes frères ont toujours été une plaie pour toi !

— Oui, avant. Quand mon père me les a imposés pour pouvoir mettre une femme dans son lit. À l'époque, j'ai trouvé ça d'autant plus révoltant qu'ils étaient odieux tous les trois. Jusqu'à notre mariage, je ne les considérais pas comme des membres de ma famille. Lorsque je t'ai épousée, ils le sont devenus. Tout ce qui est lié à toi m'importe et tes soucis sont les miens. John pose un problème de fond, George un problème ponctuel, heureusement Philip s'en sort bien !

Kate perçut un peu d'agacement dans la voix de Scott, toutefois il la regardait avec une telle tendresse qu'elle n'en tint pas compte.

— Qu'est-ce qui se passe avec George ?

— Rien de grave. Il manque de confiance en lui. Il s'en rend compte, il en souffre et multiplie les erreurs. Je vais être obligé de le surveiller de près.

— Pourquoi ne m'en as-tu pas parlé ?

— Je pensais que ça s'arrangerait vite. En principe, il possède les qualités requises mais… quand je le vois venir dîner ici de plus en plus souvent, d'un côté pour quémander des conseils, de l'autre pour se faire plaindre par Amélie, ça me met hors de moi !

— Pourtant, c'est bien s'il te demande comment s'y prendre, non ?

— Je passe régulièrement à la filature, nous pouvons discuter là-bas, sur le terrain. Et il a Donald sous la main à longueur de journée, il n'a qu'à s'adresser à lui. Je trouve qu'il se comporte de façon immature en venant pleurnicher à la maison.

— Tu n'es pas très bienveillant, Scott.

— Je lui ai tout offert sur un plateau !

— Peut-être que c'est trop pour lui.

Scott se redressa, le visage fermé. Apparemment, Kate avait mal choisi son moment pour évoquer ses frères. Dans le lit, à côté d'elle, son mari semblait exaspéré. Elle se le reprocha aussitôt.

— Scott, ne t'éloigne pas, lui dit-elle en tendant la main vers lui. Tout le monde t'en demande beaucoup, je sais…

— Pas toi. Ma chérie, tu peux me demander la lune, j'essaierai de te la décrocher.

Il se pencha de nouveau sur elle, la scruta de son regard d'ardoise.

— Je t'aime éperdument, murmura-t-il.

Écartant la couette, il l'embrassa entre les seins. Elle sentit son souffle, ses cheveux qui la frôlaient. En un instant, elle fut submergée de désir pour lui. Il incarnait toujours son rêve d'enfant, mais il était bien réel et il la tenait dans ses bras. Elle pouvait toucher sa peau, respirer son odeur, se perdre dans ses yeux et s'abandonner. Elle se cambra pour venir à sa rencontre, oubliant tout ce qui n'était pas lui.

4

Noël permit à la famille de faire une pause dans les querelles. Amélie elle-même se montra agréable envers chacun, allant jusqu'à convier Philip et Malcolm à séjourner au manoir pour les festivités. En vue de son réveillon du 24 *à la française*, elle s'était mise en cuisine avec Kate – qui en réalité avait presque tout fait –, préparant un saumon farci aux noix de Saint-Jacques ainsi qu'un saint-honoré. En entrée, le foie gras de canard commandé en France et arrivé deux jours plus tôt avait fait l'unanimité. Tout le monde s'était couché très tard, après de longues embrassades. Monté le dernier, David avait pensé à vider le verre de lait destiné au père Noël, ainsi que le plat de carottes prévu pour les rennes. Deux offrandes déposées par les enfants au pied du sapin, selon la coutume écossaise.

Le matin du 25, les cadeaux débordant des chaussettes firent hurler de joie les jumeaux, qui passèrent une bonne partie de la journée dans leur chambre parmi leurs nouveaux jouets. Il faisait un froid glacial et, au rez-de-chaussée, David allait d'une cheminée à l'autre pour ajouter des bûches. Angus avait délaissé son bureau afin de se réchauffer à la cuisine, où Moïra préparait sa dinde aux marrons et son *black pudding*.

— Et le *Christmas cake* ? s'inquiéta Angus. Je ne le vois pas…

— Il est prêt depuis bien longtemps, heureusement ! répliqua-t-elle, offusquée.

— Avec un beau glaçage ?

— Au moins un centimètre d'épaisseur, comme tu l'aimes.

— Tu y as mis quel whisky ?

— Le tien, évidemment ! Cela dit, si j'en avais pris un autre, tu ne sentirais pas la différence, ne me fais pas rire.

— Et tu as pensé à la sauce ?

— La *brandy butter*, oui. Elle sera servie à part.

Se tournant vers lui, elle lui adressa un sourire affectueux.

— C'est rare de te voir dans ma cuisine. En général, tu n'es pas si envahissant.

— J'ai froid partout ailleurs.

Il alla observer le thermomètre fixé à l'extérieur de la fenêtre et siffla entre ses dents.

— Moins neuf, et la nuit tombe, ça baissera encore.

— Depuis des heures, David entretient un feu d'enfer dans la salle à manger, nous aurons chaud.

— Est-ce que je peux fumer un cigare ici ?

— Quelle horreur ! Tu n'y penses pas ? C'est *ma* cuisine, et elle sent bon.

Avec un soupir résigné, Angus s'assit dans l'un des fauteuils de cuir usé qui flanquaient le poêle.

— Que fait donc Amélie ? voulut savoir Moïra. Hier, elle a occupé mes fourneaux toute la journée avec Kate, et aujourd'hui je ne l'ai même pas aperçue.

De la rivalité qui avait opposé Moïra et Amélie pour régner sur la cuisine il ne restait rien. Après avoir exigé que sa propre table de cuisson en vitrocéramique trône le long du mur opposé à l'antique cuisinière à bois dont Moïra refusait de se séparer, Amélie s'était lassée du jeu. Elle connaissait seulement quelques recettes et les réalisait médiocrement. Elle avait bien essayé d'imposer des habitudes françaises, telles que le pain blanc ou le hachis Parmentier, mais en riposte Moïra s'était accrochée à ses *tatties scones*, de petites crêpes triangulaires toujours servies avec le fromage, et à son fameux *haggis*, la panse de brebis farcie que tous les Gillespie adoraient.

— Elle s'amuse avec les jumeaux, assise en tailleur sur leur tapis. Noël lui fait retrouver une âme d'enfant !

L'expression attendrie d'Angus en disait long sur les sentiments qui le liaient toujours à Amélie. Avec le temps, Moïra avait fini par accepter la situation, elle éprouvait même une sorte de sympathie envers sa belle-sœur, sauf lorsque celle-ci s'en prenait à Scott.

— Tant mieux pour elle car nous aurons les petits de Graham et Pat dès demain.

— Ah, c'est vrai…

Ce joyeux chahut en perspective semblait épuiser Angus par avance.

— Je ne te trouve pas très en forme, fit remarquer Moïra.

— Les fêtes ne me réussissent pas, tu sais bien.

Il s'agita un peu dans son fauteuil, puis finit par appuyer sa tête sur le dossier et ferma les yeux. Moïra s'abstint de dire que, malgré le froid, elle était allée déposer des fleurs sur la tombe de Mary quelques jours plus tôt. Elle le faisait chaque année depuis le décès, mais n'en parlait à personne. Trois ans auparavant, elle était tombée sur Scott qui sortait du cimetière et avait paru gêné. Sans doute était-il venu confier à sa mère qu'il était devenu père à son tour et que le sang de Mary coulait dans les veines d'une nouvelle génération.

— Où sont donc passés Scott et Kate ? marmonna Angus. La maison paraît trop calme pour un jour de Noël.

— Je crois qu'ils font la sieste. Ils profitent des vacances pour se reposer.

— Vraiment ? Moi, je crois plutôt qu'ils s'offrent une nouvelle lune de miel.

— Angus !

— Ne fais pas ta mijaurée, Moïra. Ils sont jeunes, très amoureux, et s'ils nous fabriquent un autre petit Gillespie, je ne m'en plaindrai pas. Après tout, il y a encore des chambres à occuper, la famille peut s'agrandir.

Moïra éclata d'un rire gai, puis elle entrouvrit la porte du four pour jeter un coup d'œil à sa dinde.

— On passera à table vers six heures, décida-t-elle.

— Pas avant ? s'exclama Philip qui venait d'entrer, suivi de Malcolm.

Ils se débarrassèrent de leurs vestes fourrées, qu'ils allèrent accrocher dans l'office avant de revenir se planter devant la cuisinière.

— Nous avons écourté la promenade car tout est gelé dehors. Il fait un froid polaire, et s'il se met à neiger ce sera la banquise ! Moïra, ta dinde embaume, attendre six heures pour la dévorer me semble impossible.

— Il le faudra bien, protesta Moïra en poussant Philip sur le côté.

Malcolm furetait partout, inspectant la cuisine, et il finit par s'asseoir face à Angus, à qui il adressa un grand sourire.

— Avec trois fois rien on pourrait transformer cette pièce en palais, annonça-t-il sur un ton enthousiaste.

— Jeune homme, je me contente parfaitement d'un manoir, maugréa Angus. Tout le monde veut toujours tout changer ici ! Eh bien, que ceux à qui l'endroit ne convient pas…

— Au contraire ! Gillespie est un lieu magique, vous le savez très bien.

— N'exagérez pas.

— Si, si. Et croyez-moi, au cours de mes études j'ai vu bien des choses en matière d'architecture ou de décoration, de l'abominable au sublime.

— Il n'est pas question de toucher à quoi que ce soit dans *ma* cuisine ! lança Moïra.

— Uniquement quelques détails, insista Malcolm. Le porte-revues et la suspension, par exemple.

Angus regarda la pile de journaux débordant du panier d'osier et ébaucha une grimace.

— S'il n'y a que ça…

— C'est vrai, l'éclairage laisse à désirer, insista Philip. Vu le temps que la famille passe ici, vous pourriez rendre l'atmosphère plus conviviale.

— Justement, il y a trop de monde, et je n'aime pas qu'on me tourne autour, répliqua Moïra.

— Au lieu de protester, avoue que tu te crèves les yeux quand tu épluches les légumes.

— De jolies lampes sur l'appui des fenêtres, ce serait très chaleureux, suggéra Malcolm. Avec une rampe de spots au-dessus des fourneaux.

— Une *rampe* ? ricana Angus. On voit que ce n'est pas vous qui payez l'électricité.

— Basse tension, ça ne consomme rien.

Angus le dévisagea, hocha la tête, puis soudain il se tourna vers Philip.

— Alors, jeune homme, quand vas-tu nous ramener une jolie fille ? Elles ne doivent pas manquer à Édimbourg !

Pinçant les lèvres, Philip chercha une repartie cinglante, mais Malcolm le devança.

— Voyons, Angus, vous savez bien qu'il n'aime pas les filles.

Sans lui prêter attention, Angus poursuivit :

— Est-ce qu'au moins tu as essayé ?

— Dieu m'en préserve ! finit par lâcher Philip sur un ton rageur.

— Ne mêle pas l'Église à ça ! tonna Angus en se levant. Elle est contre ces histoires aberrantes de mariage homosexuel et juge même l'expérience dangereuse.

— L'Église catholique, oui, mais pas les Écossais. Je te rappelle que la consultation publique a donné soixante-cinq pour cent de « oui ».

— Moi, j'ai voté pour, déclara David, que personne n'avait entendu arriver.

— Toi, bien sûr, pesta Angus, tu te crois toujours obligé de te comporter en vieux rebelle.

Il ne s'étendit pas davantage sur le sujet, prévoyant que la discussion tournerait à l'orage. Au fond, il s'en moquait. Malcolm ne lui était pas antipathique, il avait eu l'occasion de voir sa première exposition de peinture où Scott avait réussi à le traîner, et il lui reconnaissait un certain talent. De plus, c'était un garçon bien élevé, issu d'une famille respectable, et avec lui Philip semblait avoir trouvé son équilibre. De là à les imaginer mariés… Amélie n'accepterait jamais ça ! Elle ne supportait pas les contrariétés, or ses enfants lui en avaient apporté un certain nombre. Sans compter Scott, sa bête noire. Au moins, dans le cas de Philip, Angus n'y était pour rien et ne pouvait rien faire. La petite pique lancée un peu plus tôt à son beau-fils était superflue et exprimait seulement sa mauvaise humeur. Oui, Noël le rendait morose, chaque année il se sentait plus vieux, plus frileux, plus anxieux. Heureusement, Scott habitait de nouveau Gillespie. Quand la dernière heure d'Angus sonnerait, Scott prendrait tout naturellement le rôle de chef de clan et ne laisserait personne transformer la maison en champ de bataille. À lui de gérer sa belle-mère, ses beaux-frères, et de faire prospérer la famille sans la laisser se déchirer.

Il alla se rasseoir face à Malcolm, en s'efforçant de sourire.

— Est-ce que vos parents n'auraient pas aimé vous avoir avec eux pour les fêtes ?

— Ils sont partis passer l'hiver en Espagne. Ma mère ne veut pas être sur l'île d'Arran quand il fait froid, et notre maison de Brodick est fermée. Mais on s'appelle tous les jours !

— Ce sont des gens adorables, ajouta Philip. Ils me reçoivent avec une extraordinaire gentillesse.

Angus comprit que la réflexion les visait directement, lui et Amélie. Si Philip était mieux considéré à Brodick qu'à Gillespie, on le verrait de moins en moins souvent. Après avoir perdu à peu près tout contact avec John et malgré ses réserves quant au choix de vie de Philip, Amélie ne souhaitait sans doute pas que ce dernier la délaisse à son tour.

Kate entra à cet instant, suivie de George et de Scott qui discutaient âprement à mi-voix.

— Où sont les enfants ? s'étonna Moïra.

— Maman vient de les mettre dans la baignoire, elle a eu beaucoup de mal à les arracher à leurs nouveaux jouets.

— Amélie va se fatiguer, bougonna Angus.

— David est monté lui donner un coup de main, il en a fini avec la corvée de bois. Inutile de s'entasser tous dans la cuisine, il fait bon ailleurs.

— Oh, merci, ma chérie, débarrasse-moi de tout ce monde !

Kate sourit à Moïra et lui glissa à l'oreille qu'elle s'était occupée de dresser la table.

— Nous avons utilisé le Limoges hier soir, alors pour changer j'ai pris le service Wedgwood que tu ne sors jamais.

— Avec les motifs bleu nuit ? Le cornucopia ?

— Oui. Ça t'embête ?

— Au contraire, il est magnifique, chuchota-t-elle. C'était la liste de mariage d'Angus et Mary, mais ta mère l'ignore, alors on peut le mettre à l'honneur. On fera attention de ne rien casser.

— Promis ! J'ai également sorti les chandeliers en cristal. Au milieu de la table, ils ne risqueront rien, les enfants ne pourront pas les toucher.

— Et la nappe ?

— Celle du Christmas Day, bien sûr ! Scott a aussi accroché du gui au-dessus de toutes les portes, et il a installé des jeux de société dans le salon. Nous allons passer une bonne soirée, typiquement écossaise !

Elle semblait avoir oublié ses origines françaises, alors qu'Amélie les revendiquait. En tombant amoureuse de Scott, ainsi que de Gillespie, Kate était vraiment devenue une Écossaise.

— D'accord, admit George à l'adresse de Scott. J'ai fait une erreur d'appréciation, ce n'est pas la fin du monde !

— Moi, laisser les métiers à tisser immobilisés pendant huit jours faute de laine, j'appelle ça une très mauvaise gestion. Tu dois *prévoir*, George. Anticiper. Te faire prendre au dépourvu par le succès des ventes est aberrant.

Angus les regardait fixement, et George finit par se détourner, gêné.

— Donald est d'accord pour rester jusqu'au printemps, ajouta Scott, plus conciliant. Je t'avoue que je me serais bien passé de lui verser son salaire trois mois de plus, mais profite de sa présence pour régler ce qui doit l'être.

— Oui, marmonna George.

Il semblait n'avoir aucune envie de poursuivre cette discussion qui le mettait à la torture. Kate eut un élan de compassion envers lui. Vu sa fierté souvent mal placée, il devait être très vexé d'être mis en accusation.

— Ce soir, on fête Noël, dit-elle en passant son bras sous celui de Scott. Vous parlerez affaires une autre fois.

Surpris, son mari lui sourit machinalement et se laissa entraîner vers la porte.

— Ne fais pas ça devant les autres, chuchota-t-elle.

— Oh… Bien sûr, désolé.

Kate s'étonnait toujours de la facilité avec laquelle Scott lui donnait raison. Il se montrait conciliant, écoutait ses arguments et savait s'incliner alors qu'il possédait un caractère combatif.

— Viens voir toutes les cartes de vœux, suggéra-t-elle. Il y en a de magnifiques et je les ai disposées sur la console du salon. Aujourd'hui encore, nous en avons eu deux au courrier !

La tradition anglo-saxonne voulant qu'on s'adresse des cartes richement décorées, la famille Gillespie en avait reçu un grand nombre depuis le début du mois de décembre, plus pailletées les unes que les autres. Elles étaient exposées debout, à moitié ouvertes pour qu'on puisse voir le signataire, et Scott y jeta un coup d'œil amusé.

— Quelle imagination ont les fabricants ! Celle-ci est plus sobre, de qui est-elle ?

Il en saisit une, mais pas au hasard.

— Tiens, Craig... Ton collègue, le blond aux yeux verts ?

— Sacrée mémoire ! s'esclaffa Kate.

— Je peux lire ?

— Évidemment.

La formule des vœux pour la nouvelle année était tout à fait neutre, toutefois elle s'adressait nommément à Kate.

— Sait-il au moins que j'existe ? demanda-t-il.

— Ne sois pas stupide, Scott !

Elle lui prit la carte des doigts et la remit en place avec insouciance.

— Et lui ? insista-t-il. Est-il marié, père de famille ?

— Divorcé, sans enfant.

— Je vois.

— Tu ne vois rien du tout. Le jaloux est aveugle, maladroit et désagréable. Je te l'ai déjà dit, Craig est un gentil professeur qui m'a facilité la vie quand j'ai intégré l'école et avec qui je peux discuter de littérature française. Rien de plus. Je ne te reproche pas ta gentillesse envers ta secrétaire ou ta comptable, j'ai moi aussi le droit d'avoir des relations de travail sympathiques.

— Oui, mais tu es tellement jolie, Kate, tellement séduisante qu'aucun célibataire ne peut être indifférent à toi, j'en fais le pari.

— Et alors ? *Moi*, je suis indifférente ! J'aime mon mari, mes enfants, ma famille, je me moque bien qu'on me fasse les yeux doux.

— C'est ce qu'il fait ?

Un éclair de colère passa dans le regard de Scott, ce qui déstabilisa Kate.

— Je ne veux pas de ce genre de scène absurde, articula-t-elle à mi-voix.

Sur le point de répondre, son mari se ravisa, mais Kate vit l'effort qu'il faisait pour se taire et elle lui en fut reconnaissante. Néanmoins, ce bref échange l'avait mise mal à l'aise. Comment Scott pouvait-il douter d'elle ? L'amour qu'elle lui portait était inconditionnel, entier, sans la moindre ombre, et il n'y avait aucune place pour la jalousie. Jamais elle ne se demandait s'il regardait d'autres femmes, mais peut-être devrait-elle se poser la question. Sa mère lui avait assez répété qu'elle était inexpérimentée, l'avait même traitée de *bécasse*, comme si elle vivait en permanence sur un petit nuage rose. Or les soupçons de Scott, quoique sans fondement, venaient de lui ouvrir des horizons. S'il pensait Kate capable de s'intéresser à un autre, jugeait-il d'après lui-même ?

Songeuse, elle alla se planter devant la cheminée où brûlait le feu d'enfer entretenu par David. Le petit plaisir éprouvé en ouvrant la carte de Craig avait disparu, remplacé par une vague culpabilité qui n'avait pourtant pas lieu d'être. Elle se retourna et vit que Scott l'observait, à l'autre bout du salon. Elle soutint son regard jusqu'à ce qu'il esquisse un sourire contrit et la rejoigne.

— D'accord, j'ai été un peu… lourd. On n'en parle plus ?

— Il n'y a pas de sujet que je tienne à éviter, répliqua-t-elle.

— Ne sois pas rancunière, je viens de m'excuser.

— Oh, je n'avais pas pris ça pour un *mea culpa* !

Il éclata de rire et l'enferma dans ses bras, la serrant contre lui.

— Joyeux Noël, mon amour, chuchota-t-il à son oreille. Si je ne t'avais pas déjà épousée, je te demanderais en mariage.

— On ne peut pas vous laisser seuls cinq minutes ! claironna Philip. Remontez dans votre chambre en cas de besoin pressant, on se passera de vous pour l'apéritif.

Scott s'écarta de Kate mais sans la lâcher.

— Toujours caustique, petit beau-frère…

— Ne m'appelle pas ainsi, c'est horrible. Tiens, voilà les marmots !

Philip s'agenouilla pour être à la hauteur des jumeaux qui venaient d'arriver.

— Un bisou ? quémanda-t-il. Vous sentez bon, j'adore ça.

— Il m'a obligé à acheter du shampooing pour bébé, plaisanta Malcolm, et il l'utilise tous les jours.

Angus et Amélie entrèrent à leur tour, suivis de Moïra et de George. Kate remarqua la pâleur d'Angus et lui fit signe de venir s'asseoir près de la cheminée.

— Tu as encore froid ? Installe-toi là, tu seras très bien.

Tandis qu'il prenait place dans un fauteuil confortable, elle alla fermer les volets intérieurs. La nuit était tombée mais, malgré l'obscurité, elle vit qu'il commençait à neiger.

— Les routes vont devenir impraticables. Demain, j'espère que Graham pensera à mettre des chaînes !

— Il en a acheté, déclara Scott. Il est prévoyant, et pour rien au monde il ne raterait ses vacances avec Pat. Ils ne sont pas partis en voyage d'amoureux depuis des années, ça va leur faire du bien.

— Et tu pourras t'occuper un peu de Tom. C'est ton filleul, mais tu le négliges.

— Les journées n'ont que vingt-quatre heures, marmonna Scott.

Aussitôt, Kate s'en voulut de sa réflexion. Scott était souvent débordé entre les distilleries, les jumeaux, et les moments qu'il tenait à lui consacrer à elle seule.

— Je plaisantais, chéri. Pat sait que tu adores Tom et que tu le gâtes dès que tu en as la possibilité.

— Voilà de quoi se désaltérer ! annonça David qui poussait une table roulante.

Amélie avait tenu à ajouter du champagne français à l'incontournable whisky, et il y avait aussi du chardonnay glacé qu'on pouvait servir avec une goutte de cherry.

— Dépêchez-vous de trinquer, ma dinde sera cuite à point dans dix minutes, déclara Moïra. Je compte l'apporter entière sur la table, et Angus la découpera.

Le déroulement de cette journée de Noël était le même depuis toujours et nul ne songeait à s'en plaindre, mais Angus poussa un soupir en se tassant dans son fauteuil. Amélie et Kate étaient en train de servir quand Malcolm décréta que, ce soir, les femmes ne feraient rien.

— Vous avez tout préparé, à votre tour de vous reposer !

Il mit dans les mains de George le plateau de *oatcakes*, les petits crackers recouverts de fromage frais ou de tranches de cheddar, puis avec Philip il fit le tour du salon pour servir à boire. Scott et Kate choisirent du champagne, ce qui fit rire David.

— Tu boudes le Gillespie ? lança-t-il à Scott. Tu devrais être le premier consommateur acharné !

— Je préfère démarrer doucement ; en plus, j'adore les bulles.

— Traître..., maugréa Angus.

Lui avait évidemment opté pour le whisky, cependant il ne le buvait pas, son verre demeurant posé à ses pieds. Scott alla vers lui et s'assit sur l'accoudoir.

— C'est merveilleux de voir toute la famille réunie autour de toi.

— J'apprécie. Au bout du compte, les choses sont rentrées dans l'ordre et je suis content. Amélie aussi. Tu la connais, elle ne le montre pas forcément, mais je sais qu'elle est heureuse ce soir. Il ne manque que John à l'appel...

— On s'en passe, non ?

— Toi, sans doute.

— Il ne donne jamais aucune nouvelle à sa mère, je trouve ça lamentable.

— J'aurais détesté que ça nous arrive, Scott. Qu'on s'éloigne à ce point, toi et moi.

— Impossible. On s'aime, non ?

Angus leva la tête et planta son regard dans celui de son fils.

— Oui, dit-il avec fermeté.

Pourtant sa voix s'enrouait, ses yeux s'embuaient.

— On passe à table ! claironna Moïra. Installez-vous, je vais chercher la dinde.

Scott tendit la main à Angus, qui se leva lourdement.

— Bon sang, j'ai mille ans ce soir...

Il se redressa, refusant de continuer à s'appuyer sur Scott, et il pénétra le premier dans la salle à manger, suivi par toute la famille. Kate était restée un peu en arrière pour expliquer aux jumeaux qu'ils allaient devoir être sages pendant le repas, mais qu'ensuite ils auraient le droit de s'amuser puisque les adultes eux aussi se mettraient à jouer.

Alors que chacun venait de prendre place, Angus s'accrocha soudain au rebord de la table. Livide, les mains crispées sur la nappe, il ouvrit grande la bouche sans proférer un son, puis son corps parut s'arc-bouter et il bascula en arrière, renversant sa chaise et entraînant de la vaisselle dans sa chute. Amélie resta saisie une seconde, tandis que Scott se levait précipitamment. Au même instant, Moïra, qui arrivait avec la dinde, lâcha le plat et poussa un grand cri. Les yeux exorbités, elle fixa Angus qui gisait sur le tapis, les bras en croix, et Scott agenouillé près de lui.

En voulant contourner la table qu'elle présidait du côté opposé, Amélie trébucha sur le plat graisseux et brûlant. Persuadés que leur grand-père faisait une farce, les jumeaux avaient d'abord ri, mais Kate les fit sortir de la pièce en hâte. Dans la confusion qui suivit, Scott déboutonna le col d'Angus et défit sa ceinture.

— Papa, tu m'entends ?

Sans s'adresser à personne en particulier, il ajouta de la même voix forte :

— Il faut appeler une ambulance immédiatement !

Le regard d'Angus était devenu vitreux, et Scott chercha en vain son pouls.

— Il s'est évanoui ? bredouilla Amélie.

Elle se tenait derrière Scott, comme si elle n'osait pas approcher. Philip referma son téléphone portable en déclarant :

— Vu l'état des routes, ils disent qu'ils vont mettre du temps pour arriver jusqu'ici. Mais ils partent maintenant.

Scott se pencha au-dessus de son père, cherchant un souffle qu'il ne trouva pas.

— Essayons de le réanimer ! s'exclama Malcolm. J'ai fait pas mal de secourisme, je connais les gestes.

Écartant les autres, il se plaça face à Scott.

— Fais le bouche-à-bouche, je m'occupe du massage cardiaque.

Il mit ses mains l'une sur l'autre contre le torse d'Angus et commença à compter. Durant de longues minutes, ils s'acharnèrent tous les deux sans obtenir le moindre résultat.

— Va aider Kate pour les enfants, chuchota Philip à l'oreille de son frère. Et dis-lui que ça se passe mal ici.

George sortit sans bruit et referma la porte de la salle à manger. Statufiée, Moïra se tenait à l'écart, les yeux rivés sur Angus. Impuissant, David s'était mis les poings sur les oreilles et fixait le tapis imbibé de sauce. Scott et Malcolm s'interrompirent pour échanger un regard.

— On continue, décida Scott tout en comprenant que leurs efforts ne servaient à rien.

Quand, un peu plus tard, Malcolm fit de nouveau une pause et lui posa la main sur l'épaule, Scott se redressa lentement mais demeura à genoux, prostré. Un lourd silence s'abattit alors sur le salon, à peine troué par le crépitement de la flambée. Un instant, le temps parut suspendu, personne ne faisant le moindre geste. Hagard, Scott tenta de dire quelque chose et y renonça. Il sentit Kate se pencher vers lui et effleurer sa nuque.

— C'est fini, parvint-il à articuler.

— Non, non ! hurla Amélie dans son dos. Faites quelque chose, essayez encore !

Sa voix emplie de terreur frôlait l'hystérie. Kate abandonna Scott pour prendre sa mère dans ses bras.

— On ne peut plus rien pour lui, maman.

Scott et Malcolm finirent par se relever, désemparés, abasourdis. Par discrétion, Malcolm s'écarta, mais Amélie, accrochée à Kate, refusa de s'approcher. David fit un pas dans la direction d'Angus et murmura :

— On ne peut pas le laisser ici...

Il rejoignit Scott, qu'il interrogea du regard.

— Dans son bureau, peut-être ? ajouta-t-il d'une voix sans timbre. Il y a un grand canapé où il aime faire la sieste.

N'ayant pas pu se résigner à employer le passé, il se mordit les lèvres. Scott acquiesça, toujours muet, refoulant ses larmes. Il se tourna vers Amélie puis vers Moïra, en quête d'une approbation, mais aucune des deux ne semblait capable de réagir.

— Tu as raison, lâcha-t-il. On va l'emmener là-bas.

Monter l'escalier paraissait impossible, d'ailleurs il n'était pas question d'installer Angus sur le lit conjugal. Philip et Malcolm rejoignirent Scott et David, prêts à les aider.

— Attendez, intervint Kate. Il faut d'abord que j'éloigne les enfants. Ils sont dans le salon avec George, je vais fermer les portes.

— Je m'en charge, bredouilla Moïra. Je ne veux pas voir ça.

— Rappelle l'ambulance, suggéra Kate. Dis-leur qu'il n'est plus utile de prendre des risques pour venir jusqu'ici.

Les quatre hommes patientèrent, la tête basse, puis Scott écarta du bout du pied les morceaux d'une assiette brisée. Il n'arrivait pas encore à croire à cette mort trop rapide. Il se sentait à la fois anéanti et révolté, incapable de penser à la suite des événements.

— Allons-y, souffla David.

Ils soulevèrent Angus avec peine, essayant de le porter le plus dignement possible. George les rejoignit et se chargea d'ouvrir les portes devant eux. Arrivés dans le bureau, ils installèrent Angus de leur mieux, et après une hésitation Scott lui ferma les yeux, reboucla sa ceinture, croisa ses mains. Puis il se pencha pour l'embrasser sur le front.

— Puisses-tu avoir ta part de paradis ! murmura-t-il.

La formule était rituelle et chacun la répéta à son tour. Scott ne parvenait pas à détacher son regard du visage de son père, espérant peut-être un miracle, mais Angus était en train de se figer dans la mort.

— Pourrais-tu aller chercher des bougies ? finit-il par demander à George. Tu n'as qu'à prendre les chandeliers qui sont sur la table.

— Ne faudrait-il pas prévenir son médecin ? suggéra Malcolm. Viens, Philip, on va s'en occuper.

Demeurés seuls, Scott et David allèrent entrouvrir les fenêtres avant de rabattre les volets intérieurs.

— Je peux te laisser si tu préfères, proposa David de façon à peine audible.

— Non, on le veillera ensemble.

David hocha la tête, puis soudain il laissa échapper une série de jurons.

— Putain de bordel de merde ! Il n'était pas malade, il n'était pas vieux, quel satané lâcheur !

Il étouffa un hoquet qui devait être un sanglot, puis il cessa de lutter et se mit à pleurer. Scott se détourna pour essuyer ses propres larmes, qu'il n'avait pas senties couler.

— Voilà les bougies, annonça George en revenant. L'ambulance a fait demi-tour et le médecin est prévenu, il passera dans la soirée pour le permis d'inhumer.

Il posa les deux chandeliers sur le bureau et jeta un coup d'œil navré en direction de David. Ne sachant trop que faire, il tapota maladroitement l'épaule de Scott avant de s'éclipser. Sur le seuil, il croisa Kate, très pâle. Elle hésita, et finit par entrer.

— Est-ce que je peux l'embrasser ? risqua-t-elle d'une voix mal assurée.

— Bien sûr. Viens.

Scott la prit par la main pour la conduire vers Angus.

— Il a l'air plus apaisé que tout à l'heure, chuchota-t-elle.

Elle se contenta de caresser ses cheveux, puis elle récita tout bas une prière. Scott se souvint que son père était croyant et qu'il se rendait régulièrement à l'église. Seule Kate l'y avait parfois accompagné.

— Comment va ta mère ? finit-il par demander.

— Elle est choquée. Je crois qu'elle ne voudra pas entrer dans cette pièce.

— Même pas pour lui dire au revoir ?

— Elle a très peur de la mort.

— Si elle croit pouvoir y échapper ! ricana David avant de se moucher à grand bruit.

— Et les jumeaux, que font-ils ?

— Philip et Malcolm s'en occupent. Ils savent s'y prendre avec les enfants.

— Tu leur as dit quelque chose ?

— Non, ils ne comprendraient pas, ils sont trop petits. Pour eux, c'est Noël.

— Seulement pour eux, hélas, lâcha Scott amèrement. Faisons tout pour les préserver et… Oh, bon sang, je dois appeler Graham !

Il gagna l'autre bout de la pièce et sortit son portable.

— Je te dérange ? demanda-t-il en entendant la voix de son ami.

— Pas du tout. Nous avons dîné tôt, et maintenant nous sommes lancés dans une partie de Monopoly où Tom est en train de nous ruiner ! Est-ce que vous passez un bon Noël ?

— Non.

— Tu as l'air bizarre.

Scott dut avaler sa salive avant de pouvoir répondre :

— Écoute, Graham, il y a eu un drame chez nous. Papa est… euh… eh bien, il est décédé.

Le dire lui fit aussi mal que prévu et il dut se mordre les lèvres pour maîtriser sa voix.

— C'est arrivé il y a moins d'une heure, juste au moment où nous passions à table.

— Oh, Scott, je suis désolé ! Que s'est-il passé ?

— Une crise cardiaque, j'imagine. On a tout essayé mais il ne s'est pas réveillé.

— Quelle horreur ! Il était malade ?

— Fatigué ces jours-ci. Et il n'a pas consulté, tu le connais.

— Y a-t-il quoi que ce soit que je puisse faire pour toi ?

— On va se débrouiller. En revanche, je crains que tes vacances soient fichues. L'ambiance de la maison sera sinistre, pas question d'infliger ça à tes enfants.

— Aux tiens non plus ! Bien, on va changer de programme. Je viendrai demain comme prévu, mais je viendrai seul pour rendre hommage à Angus, ensuite j'embarquerai les jumeaux avec moi.

— Graham…

— Rien à faire, c'est ainsi. Pat et moi avons assez d'imagination pour organiser une semaine de fantaisie enfantine.

— Je ne peux pas t'en demander autant.

— Tu ne demandes rien, Scott, c'est moi qui propose. Et Pat me fait signe qu'elle est absolument d'accord. Impossible de laisser les jumeaux à Gillespie, ce serait trop dur pour eux et pour vous.

Scott réalisa qu'il allait devoir enterrer son père dans le cimetière du village voisin, là où sa mère reposait depuis si longtemps. À condition qu'Amélie soit d'accord, ce qui n'était pas certain.

— Entendu, j'accepte ton offre. Je vous revaudrai ça, à Pat et à toi. Fais attention sur la route demain.

— Je serai là vers onze heures. En attendant, mon cœur est avec toi, Scott.

Dès qu'il eut remis son téléphone dans sa poche, Kate lui demanda à mi-voix :

— Ils vont s'occuper des jumeaux, c'est ça ?

— Oui, ils insistent.

— C'est incroyablement gentil de leur part.

Elle semblait soulagée à l'idée de ne pas avoir à jouer la comédie d'une fausse gaieté pour les jours à venir.

— Veux-tu que je reste ici avec toi, Scott ? Sinon, je vais aller aider Moïra. Elle tient à nettoyer les dégâts de la salle à manger alors qu'elle n'arrête pas de pleurer.

— Dis-lui que je m'en chargerai, maugréa David. Le tapis est sûrement foutu, mais quelle importance, hein ?

Il était toujours debout à côté du canapé, incapable de s'éloigner d'Angus. Scott approcha un fauteuil et lui fit signe de s'asseoir.

— Et toi ? demanda David en cherchant des yeux un autre siège.

— Je prendrai celui du bureau. Mais d'abord je dois parler à Amélie.

— Rapporte-moi ma parka et couvre-toi, il commence à faire froid ici.

Scott jeta un coup d'œil vers les fenêtres avant d'acquiescer. En attendant l'arrivée des pompes funèbres, qui serait sans doute retardée par les intempéries et par l'enchaînement des jours fériés entre Noël et Boxing Day, la conservation du corps dépendrait de la température de la pièce. Scott sortit et referma la porte avec soin. En longeant la galerie, il perçut le rire des enfants, qui lui parut incongru. Philip et Malcolm avaient dû improviser des jeux pour les faire patienter jusqu'à l'heure du coucher. Quant aux autres membres de la famille, ils devaient être réunis à la cuisine, l'endroit le plus chaleureux du manoir. Lorsqu'il y pénétra, il trouva comme il s'y attendait Amélie accrochée à George, et Kate qui parlait tout bas à Moïra. Un sac-poubelle ouvert contenait les débris de vaisselle, et la dinde gisait sur un plan de travail. Dans l'évier, des serpillières et des éponges trempaient, et sur la table s'empilaient n'importe comment les reliefs de ce qui aurait dû être un repas de fête.

Repoussant George, Amélie s'adressa à Scott avec anxiété :

— Qu'allons-nous devenir ?

— Il nous faut penser à l'enterrement. Je vais m'en occuper, mais dites-moi ce que vous souhaitez.

À son air perdu, il vit qu'elle ne comprenait pas sa demande.

— Je crois qu'il aurait voulu une cérémonie religieuse, précisa-t-il. Et nous possédons un caveau de famille au cimetière du village. Si cela vous convient, il me semble que c'est sa place.

— Qui y a-t-il dans ce caveau ?

— Eh bien, ses grands-parents, ses parents, et… ma mère.

Amélie se redressa et essuya ses joues d'un geste brusque.

— Et où suis-je censée aller lorsque mon tour viendra ?

Elle le défiait du regard, soudain hostile.

— Avec lui, je suppose, lâcha-t-il à contrecœur.

Se tournant vers sa fille, elle parut chercher du secours.

— Tout ça me dépasse. Il faut vraiment en parler ce soir ?

— Quand l'ordonnateur des pompes funèbres sera là, ce ne sera plus le moment de discuter, dit doucement Kate.

— Mais je ne sais pas ce qu'Angus en pensait ! Il détestait évoquer la mort. J'ignore s'il n'aurait pas préféré être incinéré ou…

— Vous n'êtes pas sérieuse ? l'interrompit Scott. Nous avons des traditions dans la famille, et il était le premier à les respecter.

— Arrête de me rappeler que je suis une pièce rapportée ! s'écria-t-elle. J'étais son épouse légitime, c'est à moi de décider.

— Personne ne le conteste, se força-t-il à dire.

Elle le toisa et parut se satisfaire de sa réponse.

— Bien. Si tu es certain qu'il voulait être enterré, nous le ferons.

Dans le silence qui suivit, Moïra se racla la gorge puis déclara :

— Il faut prévoir des vêtements pour lui, Amélie.

— Je descendrai son costume gris.

Scott chercha le regard de Kate et lui adressa une grimace expressive. Il ne voulait pas se confronter davantage avec Amélie mais il avait autre chose à lui demander. Kate comprit et intervint aussitôt.

— Maman ? Écoute, je crois qu'Angus était vraiment fier de son nom et de ses origines. Pour les gens de sa génération, l'appartenance à l'Écosse est un sentiment très fort. Même s'il ne la mettait presque jamais, sa tenue...

— Le kilt ? s'écria Amélie. Vous voulez qu'il parte en jupe et en chaussettes, avec un béret ridicule sur la tête ? Alors ça, pas question ! Et pourquoi pas avec une cornemuse entre les pieds ?

— Ne caricaturez pas, il n'en a jamais joué, répliqua Moïra.

— Allez, maman, ne t'énerve pas, dit George, conciliant.

— Je ne m'énerve pas ! J'ai beaucoup de chagrin et vous me harcelez !

— Nous avons *tous* une peine immense, murmura Scott. Mais il y a des décisions à prendre. Des chants religieux et des textes à choisir, un cercueil, des faire-part... Nous devrons aussi recevoir les gens ici après l'enterrement. Pensez-y en prenant votre temps. Les pompes funèbres ne viendront pas avant demain ou après-demain. Si vous voulez, nous les recevrons ensemble.

Amélie fronça les sourcils et marqua une pause.

— En tout cas, finit-elle par déclarer, je n'ai pas la force de le revoir. Je préfère garder un autre souvenir de lui. Est-ce qu'ils vont l'emmener ?

— Je l'ignore. Peut-être la mise en bière aura-t-elle lieu ici.

— Ah...

De nouveau, elle semblait terrorisée, mais elle fit l'effort de se reprendre.

— Tu vas le veiller, Scott ?

— Oui, c'est la coutume.

— J'irai aussi, décréta fermement Moïra. Mon frère était tout pour moi !

Ce ton de défi visait avant tout Amélie, mais celle-ci l'ignora. Kate en profita pour se lever, annonçant qu'elle allait préparer un plateau pour les jumeaux.

— Je les ferai manger dans le salon, ensuite ils iront se coucher. Béni soit Graham de venir les chercher demain !

Elle commença de s'affairer, vite imitée par Moïra, qui se mit à préparer des sandwiches en prévision de la veillée. Scott échangea un dernier regard circonspect avec Amélie, puis il quitta la cuisine dévastée.

*

Une fois les jumeaux endormis, Kate s'attarda un peu pour ranger leur chambre en silence. Elle était partagée entre le soulagement de les savoir bientôt loin de Gillespie et la frustration de devoir se séparer d'eux. Elle se sentait affreusement triste en pensant à Angus qui, quelques heures plus tôt, était assis dans le salon, un verre de whisky à ses pieds, prêt à passer un joyeux Noël en famille. Rien ne présageait alors une fin si soudaine et si brutale, et surtout pas un tel jour. Imaginer la maison sans lui était presque insupportable.

Elle regarda les deux petits sacs de voyage qu'elle avait préparés, espérant n'avoir rien oublié, mais Pat et Graham sauraient se débrouiller. Une grande lassitude lui donna envie d'aller se coucher, cependant elle ne pouvait pas se le permettre, elle devait d'abord se préoccuper de sa mère, ensuite elle descendrait rejoindre Scott. Elle devinait ce qu'il éprouvait et le plaignait sans savoir comment elle pourrait l'aider. Il avait trop l'habitude de la protéger, de la consoler et de la choyer pour accepter l'inverse. Jusqu'ici, il n'avait pas craqué, par pudeur ou par fierté, mais peut-être se laissait-il aller avec David, et dans ce cas il fallait qu'ils aient un peu de temps.

Elle gagna l'autre aile, où se trouvait la chambre d'Angus et de sa mère, et y entra après avoir frappé un coup léger. Amélie était en robe de chambre, assise au bord du lit, l'air hagard.

— George m'a donné un tranquillisant, annonça-t-elle. Je ne savais pas qu'il en prenait…

— Tu devrais t'allonger, maman.

— Non, je n'y arrive pas. Je crois que je vais aller dans la chambre d'amis. Ou bien je dormirai dans le fauteuil.

— Tu auras froid.

— Est-ce qu'il neige encore ?

— Oui.

— Je suppose que ça complique tout ?

— Un peu. Pourtant j'ai entendu une voiture tout à l'heure, c'était sûrement le médecin.

— Pauvre Dr Grant ! Il aimait bien Angus, il jouait au golf avec lui.

Une seconde, Kate songea au chariot compact que Scott avait offert à son père la veille pour qu'il puisse transporter ses clubs, mais elle chassa cette pensée sinistre.

— Ton mari a été odieux avec moi, fit remarquer Amélie. Pour une fois, tu aurais pu prendre ma défense.

— Il n'a pas été si désagréable que ça puisqu'il te laisse décider de tout.

— Encore heureux ! C'est à l'épouse d'imposer sa volonté, non ?

— Pas forcément.

— Scott a toujours été persuadé que je n'avais pas de sentiments pour son père. Depuis le début, il me traite de haut.

— Maman…

— Tu as toutes les indulgences pour lui, je sais ! Mais ne me dis pas qu'il éprouve la moindre sympathie à mon égard, encore moins de la compassion, alors que je suis vraiment à plaindre. Qu'Angus soit parti ainsi me désespère. Il était si gentil avec moi, si tendre ! Vois-tu, il a été un époux parfait. Par-fait.

— Je sais. Vous vous entendiez bien.

— Pour être honnête, il me contrariait rarement. Il n'y avait que l'histoire du testament, dont il ne voulait pas entendre parler. Et maintenant, ce que je redoutais tant est arrivé, je vais me retrouver sans rien. Pire, je vais me retrouver toute seule.

— Tu as tes enfants et tes petits-enfants. Tu n'es absolument pas seule.

— Mmm...

Amélie semblait peu convaincue, et elle poussa un soupir accablé.

— Divorcée, veuve, je n'ai pas de chance avec les hommes ! Mais à mon âge que puis-je espérer ? Je suis trop vieille pour refaire ma vie, et trop jeune pour me morfondre.

— On ne sait jamais ce que nous réserve l'avenir. Quand ton chagrin sera un peu apaisé, tu réorganiseras ton existence, tu découvriras d'autres centres d'intérêt. En attendant, nous sommes là pour t'entourer.

— Vous n'êtes pas *tous* là. Crois-tu que John daignera venir pour l'enterrement ?

— Il ne... Eh bien, je lui téléphonerai demain matin pour l'avertir.

Amélie ignorait la menace qui pesait sur son fils aîné et le moment était vraiment inopportun pour le lui apprendre. Kate supposa que John se moquait éperdument de ce qui pouvait advenir de son beau-père. Il vivait dans la terreur de sa propre maladie et n'aurait aucune envie de revenir en Écosse pour enterrer quelqu'un qu'il n'avait jamais apprécié.

— Je sens que le médicament de George fait effet, annonça Amélie. Je crois que je vais essayer de me reposer un peu.

Elle s'affala sur les oreillers, ramena la couette sur elle.

— Quand je pense qu'hier soir nous parlions tous les deux de ce Noël ! Il me complimentait pour mon saint-honoré, il avait fait honneur au repas. Pauvre Angus…

Sa voix devenait pâteuse et finalement elle se tut, mais Kate attendit quelques minutes encore, debout à côté du lit. Quand un léger ronflement s'éleva dans la pièce, elle éteignit l'une des deux lampes de chevet et laissa l'autre allumée.

— Dors bien, maman, murmura-t-elle.

Dans la pénombre, le visage de sa mère semblait creusé, vieilli d'un coup. Sa peine était sincère, cependant elle ne songeait qu'à elle-même, comme toujours. À la situation un peu précaire qui l'attendait. Demeurer à Gillespie paraissait évident, mais elle serait sous le toit de Scott désormais et se sentirait moins chez elle. D'autant plus qu'elle n'avait jamais cherché à gagner l'affection de Moïra ou de David, les ayant tenus pour quantité négligeable tant qu'elle avait été la maîtresse de maison. Scott allait devoir se montrer patient et bienveillant avec elle, mais y parviendrait-il ? Jusqu'ici, il avait fait de gros efforts par égard pour son père, or la situation venait de changer radicalement. Kate se promit de tout mettre en œuvre pour maintenir la cohésion familiale, même si elle serait sans doute prise entre le marteau et l'enclume.

Elle descendit et trouva Philip et Malcolm assis sur les dernières marches de l'escalier.

— Les jumeaux dorment, annonça-t-elle, et maman aussi. Que font les autres ?

— David et Scott veillent Angus, George tient compagnie à Moïra. On a rangé l'essentiel, mais la maison conserve un air de fête, c'est affreux…

Malcolm désigna les décorations de Noël qui ornaient le hall d'entrée. Par les portes ouvertes du salon, on apercevait le grand sapin dont personne n'avait songé à éteindre les guirlandes lumineuses.

— Assieds-toi avec nous, proposa-t-il à Kate.

— Ici ?

— On n'y est pas plus mal qu'ailleurs.

Elle s'installa entre eux, soudain épuisée.

— Qu'est-ce qui va se passer, maintenant ? demanda Philip. Je veux dire, pour maman.

— Elle est la première à s'en inquiéter, mais je suppose qu'il ne se passera rien du tout. Elle va rester ici, elle est chez elle.

— Tant mieux, parce que Malcolm et moi n'envisagerions pas de la prendre en charge. Nous avons notre vie, tu comprends ?

— Bien sûr.

— Je sais ce qu'elle pense de mes mœurs. Elle essaie parfois de faire bonne figure, mais sa petite moue de mépris revient très vite et ça me met hors de moi. Finalement, Angus était plus franc ! À propos, tu sais s'il avait prévu quelque chose pour elle ? Une rente ou…

— Je ne crois pas.

— Eh bien, si elle est obligée de vous demander de l'argent de poche, son caractère ne va pas s'améliorer !

Cette fois, Kate fut obligée d'y penser pour de bon. Amélie ne possédait rien. Aucun bien propre, pas d'économies. Elle n'avait jamais travaillé, était passée d'un mari à l'autre en élevant ses enfants. En tant que veuve, aurait-elle droit à une pension quelconque ou serait-elle tout à fait démunie ?

— Je vais rejoindre Scott, décida Kate en se levant.

Les jours à venir l'épouvantaient. Prévenir les amis d'Angus, organiser l'enterrement, soutenir sa mère, ne pas oublier Moïra qui devait être très malheureuse. Et avant tout, aider Scott à affronter son deuil. Pour lui, l'histoire se répétait d'une horrible manière puisqu'il avait perdu sa mère juste avant Noël, alors qu'il n'était qu'un petit garçon. Dorénavant, cette période serait empreinte de tristesse. Alors qu'il n'avait pas trente-cinq ans, il devenait le chef de clan, seul aux commandes des affaires et de la propriété familiale.

En se dirigeant vers le bureau d'Angus, Kate eut un sombre pressentiment qui la mit soudain très mal à l'aise. Elle tenta de l'attribuer à l'atroce soirée qu'elle venait de vivre, mais ne parvint pas à s'en défaire.

5

Angus fut enterré le 30 décembre, par une journée pluvieuse qui faisait fondre les dernières plaques de neige sur les collines. Beaucoup de gens s'étaient déplacés pour lui rendre un dernier hommage, des amis étaient venus de loin et de nombreux employés des distilleries avaient tenu à être présents. Au cimetière, le défilé des condoléances s'était donc prolongé, malgré l'averse et le vent glacial. Soutenue par George et Philip, Amélie n'en pouvait plus lorsque le dernier couple s'arrêta devant elle. Incrédule, elle marqua un temps d'hésitation avant de se jeter dans les bras de John.

On aurait pu croire qu'elle l'avait attendu, lui, son fils préféré, pour enfin cesser de pleurer. Un instant, elle parut oublier son deuil, tout à la joie de le revoir. Derrière lui, Betty patientait, le visage grave. John fit les présentations car sa mère ne connaissait pas sa femme, ne l'avait jamais rencontrée. Elles s'embrassèrent sans enthousiasme, puis Amélie oublia George et Philip pour s'accrocher à John, négligeant déjà Betty. Celle-ci s'approcha alors de Scott, qu'elle étreignit.

— Je suis vraiment de tout cœur avec vous. Je sais que vous étiez très attaché à votre père, et c'est arrivé si brutalement ! Quand Kate nous a appelés, je ne voulais pas y croire.

— Merci, Betty. Je suis touché que vous soyez là.

— C'est John qui l'a proposé. Il avait envie de revoir sa mère.

— Il lui a beaucoup manqué.

Kate intervint pour proposer de quitter le cimetière et d'aller se réchauffer à Gillespie, où une collation était prévue.

— Peux-tu rentrer avec Philip ? lui demanda Scott. Je voudrais m'attarder un peu.

À cause de la pluie et des bourrasques, Kate faillit protester, mais finalement elle se serra contre lui avant de s'éloigner. Scott la suivit du regard, attendant que toute la famille ait franchi les grilles. Une fois seul, il se tourna vers la tombe. Le caveau était encore ouvert, la dalle serait de nouveau scellée le lendemain. Sur la stèle, les noms des Gillespie étaient un peu effacés par le temps, hormis celui de Mary. Le marbrier allait graver celui d'Angus à sa suite, et désormais les parents de Scott seraient réunis.

Il s'approcha, aperçut le cercueil au fond, avec le crucifix de bronze couvert des roses éparses que chacun avait jetées.

— Pourquoi es-tu parti si vite ? murmura-t-il. Je n'ai pas eu le temps de tout te dire… Et où es-tu maintenant ?

Il leva la tête vers le ciel plombé, reçut des gouttes d'eau et dut fermer les yeux. Un terrible sentiment d'abandon le ramena au décès de sa mère, au chagrin qu'il avait éprouvé ici même alors qu'il n'avait que huit ans. Il s'était réfugié contre Moïra parce qu'il était à l'époque un petit garçon éperdu, mais aujourd'hui il était seul pour faire face. Malgré Kate qu'il aimait par-dessus tout, malgré ses enfants qui le comblaient, la disparition d'Angus laissait un vide angoissant.

— Est-ce que je t'ai déçu ? demanda-t-il tout bas.

En rejetant Amélie durant des années, n'avait-il pas empêché son père d'être heureux ? Ne l'avait-il pas affolé avec ses innovations au sein des distilleries ? Pourquoi n'avait-il pas partagé avec lui le goût de la chasse ou du golf, qui leur aurait permis d'être plus souvent ensemble ? Bon, il n'avait sans doute pas été un fils parfait, et maintenant il ne pouvait plus y remédier. Au moins, il n'était jamais allé jusqu'à la querelle avec son père, leurs affrontements s'étant toujours soldés par une réconciliation. Même la gifle assenée par Angus quelques années plus tôt n'avait pas réussi à les fâcher durablement. Le lien qui les unissait résistait à leurs colères. Entre eux demeuraient la confiance, l'estime, une tendresse pudique qui n'osait pas s'afficher. Le retour de Scott à Gillespie avec femme et enfants avait dû être la dernière grande joie d'Angus.

— Veille sur nous tous, souffla Scott en se détournant.

Il ne savait plus s'il avait encore la foi et il ne fréquentait guère les églises, mais à cet instant il lui parut impossible que rien ne subsiste au-delà de la vie. Laisser une place à cet espoir lui permettrait peut-être d'atténuer sa peine.

*

Une fois les proches et les amis partis, Amélie s'empressa d'offrir l'hospitalité à John et Betty, les suppliant de rester quelques jours. Contre toute attente, John accepta avec une sorte de soulagement.

— Nous n'avons plus aucun point d'attache en Écosse, précisa-t-il, et je sais que ça fera plaisir à Betty de passer un moment dans son pays.

Il eut un bref regard en direction de Scott, mais pas pour guetter son assentiment, plutôt pour le défier de contredire Amélie. Son animosité ne s'était pas dissipée malgré les années d'absence, et le décès d'Angus n'y changeait rien. Betty, qui s'efforçait de détendre l'atmosphère, multipliait les sourires. Être admise sous le toit des Gillespie en tant que membre de la famille lui procurait une certaine fierté et atténuait momentanément l'angoisse générée par l'état de santé de son mari.

Tandis qu'Amélie, oubliant son deuil, pressait John de questions au sujet de la France, Scott s'éloigna à l'autre bout du salon avec Kate et Betty.

— Comment va-t-il ? s'enquit Kate en chuchotant.

— Il n'y a rien de changé pour le moment. Son traitement le fatigue, mais il le prend consciencieusement. De nos jours on peut avoir beaucoup d'espoir grâce aux nouveaux médicaments.

Kate s'empressa d'approuver, mais Scott resta silencieux. L'arrivée inattendue de John le laissait perplexe. Était-ce vraiment le besoin de revoir sa mère qui motivait son voyage ? Son indifférence avait été telle jusque-là qu'il était permis d'en douter. D'autant plus que la coïncidence avec le décès d'Angus semblait étrange. Mais, justement, ce beau-père qu'il avait détesté n'était plus là, et peut-être la maladie de John, le mettant en état de faiblesse, avait-elle provoqué une inhabituelle envie de se retrouver au milieu des siens ?

— Amélie a été très aimable de nous proposer de séjourner chez vous, toutefois le moment est mal choisi, risqua Betty sur un ton hésitant.

Elle avait travaillé pour Scott des années durant, elle connaissait son caractère et savait ce qu'il pensait de John, aussi devait-elle être un peu embarrassée par l'exubérante hospitalité de sa belle-mère. En bonne Écossaise, elle n'oubliait pas que Scott était désormais le chef du clan, et donc leur hôte.

— Vous êtes les bienvenus, répondit-il avec un petit sourire.

Il ne voulait pas la froisser, ni d'ailleurs Amélie, et surtout il pensait à Kate qui n'avait pas cessé de se faire du souci pour son frère.

— Il y a toujours une chambre d'amis pour vous accueillir, ajouta-t-il gentiment. Vous pouvez rester autant que vous le désirez.

Le regard reconnaissant de Kate le récompensa de son effort.

— Il recommence à neiger ! s'exclama Malcolm en fermant les volets intérieurs. Quelle horrible fin d'année…

Philip le rejoignit et lui posa une main sur l'épaule. Son geste tendre fut remarqué par John, qui s'approcha d'eux.

— Alors, les tourtereaux, à quand la noce ? En France, les gays peuvent se marier !

Sa fausse bonhomie n'était que provocation, néanmoins Philip répondit posément :

— Pas question de quitter l'Écosse, nous *adorons* vivre ici.

Kate se souvenait parfaitement de la réflexion détestable de John : « On aurait pu s'attendre à ça avec Philip, mais pas avec moi. » Elle devinait une sorte de rancœur aveugle chez John, qui considérait sa séropositivité comme une injustice, et elle ne voulait surtout pas que Philip s'en aperçoive.

— As-tu des bagages dans la voiture de location ? lui demanda-t-elle. Tu devrais les sortir maintenant, le perron va bientôt se transformer en patinoire. Si tu veux, je t'accompagne.

Elle le précéda hors du salon et récupéra son manteau sur un fauteuil de l'entrée.

— Les hivers sont toujours aussi rudes ici, hein ? marmonna John. Angus aurait pu choisir une autre saison !

— Tu es vraiment venu pour son enterrement ?

— Entre autres. Je te l'ai dit, Betty est ravie. Pour ma part, j'aurais préféré des vacances au soleil, mais ça coûte cher. Ici, nous avons le gîte et le couvert.

— Ne tourne pas tout en dérision. La famille te manquait, au bout du compte ?

— Peut-être… Je ne suis pas comme toi, Kate. Les liens du sang, tout ça, je m'en fous. En revanche, je dois t'avouer qu'il m'arrive d'avoir la trouille. Quand je pense à ce qui m'est tombé dessus, je suis terrorisé et révolté. J'ai parfois des bouffées de fureur contre le monde entier, y compris la pauvre Betty ! Par chance, elle ne m'en veut pas, mais dans ces cas-là je me sens coupable vis-à-vis d'elle. La vie que nous avons à Paris n'est pas vraiment géniale, alors maintenant que maman hérite et devient châtelaine…

S'immobilisant sur la dernière marche du perron, Kate saisit le bras de son frère.

— Qu'est-ce que tu t'es encore imaginé, John ?

— Eh bien, quoi ? Je suis son fils aîné et je suis malade !

— La question n'est pas là. Maman n'hérite pas d'Angus.

Les yeux écarquillés, John la dévisagea.

— Tu veux rire ?

— Non, je n'ai pas le cœur à ça.

De gros flocons tombaient entre eux, tourbillonnant dans la lumière provenant des fenêtres.

— Alors Scott va tout avoir ? Mais c'est monstrueux ! Maman a supporté cette vieille baderne pendant des années et elle n'a droit à rien ?

— John ! Angus était un homme bien, je t'interdis d'en dire du mal.

— Tu n'as rien à m'interdire. Toi, tu t'accommodes de tout et tu traces ta route. Gamine, tu as été assez avisée pour jeter ton dévolu sur le fils de la maison, bravo ! Mais pour autant maman ne doit pas se laisser dépouiller sans broncher. Et crois-moi, je vais l'aider à se défendre !

— Tu dis des énormités, soupira Kate.

— Pourquoi ? Tu trouves normal qu'elle soit spoliée ?

— Arrête les grands mots. Tu sais bien qu'avec nous elle ne manquera jamais de rien.

— Ah bon ? Vous allez lui faire la charité, ton mari et toi ? Elle vivra de vos aumônes ?

Kate commençait à se sentir en colère, mais elle connaissait trop bien son frère pour continuer à l'affronter. Ce qu'elle avait redouté en le découvrant au cimetière était en train de se produire : il allait semer la pagaille. Exactement comme lorsqu'il était un adolescent rebelle toujours prêt à en découdre. Ne songeait-il qu'à l'avenir de leur mère en prenant sa défense ou était-il déçu pour lui-même ? Qu'avait-il échafaudé avant de se décider à venir ?

— Dépêchons-nous, dit-elle en se dirigeant vers les voitures.

— Je n'ai pas besoin de ton aide, maugréa John.

Il la dépassa, la bousculant au passage, et elle glissa sur la neige avant de s'étaler. Sans un regard pour elle, John ouvrit le coffre et saisit ses sacs de voyage. Tandis qu'elle se relevait, elle espéra que Scott n'avait pas vu la scène depuis le salon. Laissant son frère se débrouiller, elle regagna la maison.

*

Le lendemain, Scott fut le premier à descendre, et il trouva Moïra qui s'activait déjà dans la cuisine. Sans même lui demander son avis, elle lui prépara des œufs brouillés qu'elle disposa sur des toasts.

— Veux-tu du café ?

— Une soupière, au moins !

— Fatigué ?

— Pire que ça.

— Alors pourquoi n'es-tu pas resté au lit ?

Elle emplit un mug et le lui tendit avant de s'asseoir en face de lui.

— J'y pense autant que toi, dit-elle avec un sourire triste. La maison me paraît vide et triste, bien que nous soyons tous là. Et puis je suis devenue la doyenne, alors que jusqu'ici Angus était mon grand frère, celui qui m'avait protégée du monde.

— Je prends la relève, Moïra.

— J'en suis certaine.

— Nous n'allons rien changer à la marche de la maison.

— Bien. Heureusement que vous êtes revenus avant, Kate et toi, ainsi tout est déjà en place.

— Oui. Et je tiens à ce que tu ne te fasses aucun souci. Tu es l'âme de Gillespie, et je souhaite que ça dure.

Moïra acquiesça avec un sourire malheureux. Elle se tut puis reprit, de façon plus légère :

— Que prévoyons-nous pour ce soir ? C'est le dernier jour de l'année, mais j'imagine que personne n'a le cœur à faire la fête.

— Un dîner simple sera le bienvenu. Je te laisse juge.

— J'en parlerai à Kate… et à Amélie.

Les trois derniers mots, ajoutés sur un ton mitigé, flottèrent entre eux. Scott soutint le regard de Moïra, cherchant à deviner ce qu'elle sous-entendait.

— Fais comme d'habitude, finit-il par dire. Si elle a envie de s'en mêler, ne la contredis pas. Je crois qu'elle a beaucoup de peine.

— Je suis d'accord. Mais aussi beaucoup d'inquiétudes, si tu veux mon avis.

— Kate saura la rassurer.

— Ah, Kate…, soupira Moïra. Tu n'imagines pas à quel point j'apprécie que vous soyez là tous les deux. Et je ne suis pas la seule ! Sans vous, et maintenant qu'Angus n'est plus, David aurait préféré partir.

— Il te l'a dit ?

— Pas besoin, je le connais.

Elle se leva pour prendre la cafetière et le resservir.

— Comment vont les enfants ?

— Graham et Pat les chouchoutent.

— Ils réclameront Angus quand ils reviendront.

— À leur âge, on oublie vite.

— Pas au mien, hélas, soupira-t-elle.

Scott écarta le mug pour poser sa main sur celle de Moïra.

— Ne va pas au cimetière tous les jours, il fait beaucoup trop froid. Les jumeaux rentrent après-demain, ils égaieront la maison et te réclameront des gâteaux. D'ailleurs, à propos... Quelle était votre manière de fonctionner, papa et toi, pour le budget des courses ?

— Je lui montrais les comptes à la fin du mois. Enfin, pas à lui, à Amélie, parce qu'elle tient à faire semblant de tout surveiller. Mais le virement venait d'Angus, bien sûr.

Fronçant les sourcils, Scott prit le temps de boire son café. Amélie, Moïra, Kate... Trois femmes ne pouvaient pas se partager la gestion de la maison.

— Je trouverais injurieux de te demander des comptes, déclara-t-il. Nous allons procéder autrement. Puisque c'est toi qui t'occupes des achats, tu n'auras qu'à me donner le total sans entrer dans les détails et je te rembourserai aussitôt. Tu peux t'adresser à Kate si tu préfères ; elle et moi, c'est pareil. Fais ça par mois, par quinzaine, ce qui t'arrange.

— Et tu vas nourrir tout le monde ?

— Eh bien, je suppose que oui. J'envisage aussi de trouver un moyen pour rémunérer David. Il s'occupe de tout, ici ! Et papa n'était pas très généreux avec lui.

— Ils étaient d'accord, protesta Moïra.

— Je sais. Mais c'est injuste. Je verrai ça avec lui.

— Fais attention, il est susceptible.

— J'avais remarqué, depuis le temps !

Pour la première fois depuis le sinistre soir de Noël, Scott se mit à rire. Le poids de ses responsabilités lui parut soudain moins lourd, probablement grâce à Moïra, qui était un roc au centre de Gillespie.

— Je pars faire un saut aux distilleries, annonça-t-il.

— Tu n'as pas fermé pour les fêtes ?

— Si, mais en réalité ça tourne toujours. Il y a des gardiens là-bas et je veux être sûr qu'ils sont à leur poste. Au retour, je m'arrêterai à la filature.

— George se proposait d'aller y jeter un coup d'œil lui aussi, à condition que tu lui prêtes ta voiture, il n'a pas confiance dans la sienne.

— Alors je vais le sortir du lit et l'emmener avec moi. En tout cas, c'est bien qu'il y ait pensé, il se responsabilise.

— Merci du compliment ! lança George, qui se tenait sur le seuil.

— Tu écoutes aux portes ? répliqua Scott.

Mais c'était dit sur un ton de plaisanterie et George se contenta de sourire. Ils quittèrent la cuisine ensemble tout en discutant de la filature. Le tartan semblait redevenu à la mode, aussi George avait-il fouillé dans les cartons d'archives et récupéré certains dessins.

— Il y en a qui datent de l'époque où Mary travaillait pour toi. Elle avait du talent.

Scott acquiesça en silence, peu disposé à parler de Mary, qui avait été sa fiancée quelques années auparavant. À ce moment-là, Kate était une adolescente et Scott la considérait comme sa petite sœur sans vraiment la regarder. Comment avait-il pu ne pas voir que cette gamine allait devenir une très belle jeune fille ? Le souvenir lui arracha une grimace tandis qu'il démarrait.

— Tu m'écoutes ou pas ? insista George. On peut se servir de ces croquis, oui ou non ?

— Ils appartiennent à la filature, on a le droit de s'en inspirer, ou même de les copier. Mais j'aimerais autant que tu déniches un jeune designer pour lancer une nouvelle collection.

— Mary avait le sens des assemblages de couleur.

— Trouve quelqu'un d'aussi doué.

— Je ne sais pas si on aura les moyens de le payer.

— Les débutants n'ont pas de grandes exigences.

— Mais comment saurai-je si leur travail sera bon ?

Scott lui jeta un regard étonné.

— C'est ton job, George ! Il faut que tu aies confiance en toi. Fie-toi à ton goût ou prends l'avis de tes copains, de Susan, de qui tu veux. Décide d'instinct en te demandant si tu porterais le pull ou l'écharpe que tu t'apprêtes à faire fabriquer.

George hocha la tête, perplexe, mais Scott ne lui laissa pas le loisir de réfléchir.

— Je compte beaucoup sur toi. Avec toutes les formalités consécutives au décès de papa, je ne vais pas être très disponible. D'autre part, si ce temps affreux se maintient, Donald ne se risquera pas sur les routes. Tu auras peut-être aussi des employés manquants, mais peu importe, débrouille-toi pour saisir ta chance. Écoute, autant me montrer franc avec toi : si la filature ne perd pas d'argent, je la garde, sinon je la vends.

George accusa le coup et parut se tasser sur son siège.

— Tu n'avais jamais évoqué cette possibilité, dit-il d'une voix morne.

— Je vais devoir m'acquitter de certains droits de succession, même s'ils sont minimes.

— Moins lourds qu'en France ?

— Je l'ignore. À vrai dire...

Il s'interrompit, hésitant à poursuivre, et George en profita pour demander :

— Tu hérites vraiment de tout ?

Jusque-là, personne n'avait osé poser la question à Scott.

— Tout ? Non, il y aura évidemment quelque chose pour ta mère. Mais je crois qu'elle avait accepté de signer un contrat de mariage qui n'est pas du tout à son avantage.

— C'est surprenant de la part de maman. Elle sait compter !

— Peut-être pensait-elle le modifier par la suite. Quand ils se sont mariés, ils se connaissaient à peine, une séparation de biens était une mesure de prudence. Avec le temps, papa aurait pu faire un testament en sa faveur, mais il ne l'a pas fait.

— Pourquoi ? Il avait l'air de l'aimer vraiment, il aurait dû penser qu'elle lui survivrait puisqu'elle était plus jeune.

Scott ne répondit pas immédiatement, il attendit d'être arrivé devant les grilles de la filature. Coupant le contact, il se tourna vers George.

— En fait... Il y a quelque chose qui n'a jamais été évoqué mais que tu dois savoir. En Écosse, la transmission du patrimoine est quasiment sacrée. Pas tellement pour les affaires, mais plutôt pour les domaines, surtout s'ils sont depuis longtemps dans une famille. Nous avons une longue histoire avec Gillespie, et mon père m'en a fait donation le jour de ma majorité. Son père avait fait la même chose pour lui, c'est une manière d'assurer la continuité. Par ailleurs, la filature appartenait en propre à ma mère, et j'en ai donc hérité après sa mort. Tout cela a eu lieu *avant* le remariage avec Amélie. Depuis, papa m'a aussi cédé régulièrement des parts de nos sociétés, en restant dans le cadre légal, bien entendu.

— Ah bon ? Je croyais que tu étais son... employé !

— Oui et non. Je n'aurais jamais revendiqué ces donations tant qu'il était de ce monde, il le savait très bien. Mais il préférait se dessaisir de certains biens de son vivant plutôt que de les imaginer vendus pour payer l'État après sa mort. De toute façon, je pense qu'il avait confiance en moi.

George réfléchit un moment à ce qu'il venait d'apprendre, puis il déclara :

— En somme, pour toi rien ne change. Mais pour maman ?

— Elle aura de quoi vivre et, quoi qu'il arrive, elle sera toujours chez elle à Gillespie.

— Selon ton bon vouloir.

— Non !

— Vous vous disputez en permanence. Tant qu'il y avait Angus, il calmait le jeu.

— Kate aussi sait apaiser les tensions.

— Il va lui falloir du doigté… Maman n'est pas un ange, mais elle n'est pas méchante. Elle a toujours considéré sa rencontre avec Angus comme une chance, elle ne s'en est pas cachée. Quand elle l'a connu, elle était aux abois, elle ne savait pas comment assurer notre avenir, ni le sien. Elle a pris le pari de tout plaquer pour venir en Écosse et…

— Et tu estimes qu'il s'agissait d'un marché de dupes ? Sérieusement, George, ta mère n'a rien abandonné puisqu'elle n'avait rien ! Elle voulait vous élever et elle a pu le faire, tant mieux. Je suis même persuadé qu'elle a fini par s'attacher à mon père et par aimer cet endroit. Mais si elle pensait s'enrichir, elle va être déçue, c'est certain.

Le ton de Scott s'était durci. Pendant toutes les années où il avait subi l'agressivité de sa belle-mère, ses remarques hostiles et ses manœuvres pour le fâcher avec son père, il avait été obligé de se taire. Sans doute continuerait-il à le faire, par respect pour Kate, toutefois il pouvait dire sa façon de penser à George ou à Philip. Ceux-ci n'étaient plus des adolescents, ils ne vivaient pas à Gillespie, et Scott préférait se montrer franc avec eux.

— Pourquoi n'es-tu jamais arrivé à nous accepter, Scott ?

— Quoi ? Je vous ai *acceptés* ! Je vous ai même cédé la place en partant de chez moi. Et puis vous étiez odieux. Tu ne t'en souviens pas ?

— Des trucs de potache. Tu n'es pas entré dans le jeu.

— J'avais autre chose à faire.

— Tu te comportais en fils de la maison, l'inaccessible Scott drapé dans sa dignité. Nous étions sûrement jaloux de toi, mais tu aurais pu nous apprivoiser.

— Avec John, l'expérience n'a pas été concluante, elle a tourné au calvaire, pour lui et pour moi. Maintenant, explique-moi la raison de cette soudaine mise en accusation.

— Je ne t'accuse pas. J'essaie seulement de comprendre pourquoi ça s'est si mal passé.

— Parce que mon père et ta mère ont fait un mariage précipité et qu'aucun de nous n'a eu le temps de s'habituer à l'idée de s'intégrer dans une famille recomposée. Nous avons tous été mis devant le fait accompli, avec l'obligation de nous aimer. C'était voué à l'échec.

Scott ôta la clef du contact et se mit à jouer avec elle au lieu de descendre de voiture. Au bout d'un moment, il marmonna :

— J'ai sans doute ma part de responsabilité là-dedans. Mais aujourd'hui, bon gré mal gré, nous avons réussi à la former, cette famille !

— Eh bien… Oui. En tout cas, je suis content que tu aies choisi de me parler.

Scott hocha la tête, toujours soucieux. Il allait devoir informer Amélie, lui apprendre qu'en fait il n'y avait quasiment pas de succession, tout étant réglé depuis bien longtemps. Ce que George semblait tolérer ne serait pas du goût de John, qui crierait sans doute à la trahison et au complot. Sa présence risquait de provoquer des étincelles car il avait l'art de dresser les uns contre les autres. De plus, sa maladie en faisait quelqu'un d'intouchable aux yeux de Kate. Elle prendrait sa défense.

— Allons faire le tour des bâtiments pour voir si tout est en ordre, décida Scott en ouvrant sa portière.

Au moins, l'endroit ne lui rappelait pas trop son père, qui y avait rarement mis les pieds, ces dernières années. En revanche, arrivé au milieu de la cour, il se souvint brusquement de ce jour d'automne où il avait emmené Kate pour lui faire découvrir la filature. Elle était alors une gamine en chaussettes, mais si gentille et si attentive ! À l'époque, Scott entretenait une liaison orageuse avec Mary, et par la suite Kate lui avait avoué que ce jour-là elle s'était sentie à la fois ridicule, laide et férocement jalouse de cette belle jeune femme si élégante qui travaillait pour lui.

— La vie est pleine de surprises formidables ! lança-t-il à George.

— Tu trouves ?

Si George avait été surpris par cet instant de gaieté alors que Scott était si sombre depuis le décès d'Angus, il n'en montra rien. En se dirigeant vers les ateliers, il se borna à demander :

— Crois-tu que je puisse inviter Susan à dîner avec nous, ce soir ? Elle est seule pour finir l'année et…

— Bien sûr ! Mais signale-le à Moïra ou elle t'arrachera les yeux. Même si le menu est *simple*, un convive de plus pourrait bouleverser son organisation.

La perspective de mieux connaître Susan plaisait à Scott, ainsi pourrait-il se faire une idée de son influence sur George. Celui-ci avait besoin d'être soutenu, encouragé, même s'il se révélait peu à peu et si Scott avait cessé de le croire incapable de s'épanouir à la filature.

Devant les métiers à tisser inertes dans la pénombre, ils partirent chacun de son côté pour faire plus vite le tour des bâtiments.

*

Amélie eut une véritable crise de larmes quand John lui apprit, sans ménagement, sa séropositivité. Il attendit qu'elle se soit un peu calmée avant de discuter avec elle, et il en profita pour se servir un whisky bien tassé.

— En veux-tu un soupçon, maman ?

— Pas à cinq heures de l'après-midi ! Je préférerais du thé.

— Je vais demander à Betty de te monter un plateau.

Ils étaient tous les deux dans la chambre d'Amélie, aussi envoya-t-il un SMS sur le portable de sa femme afin de ne pas se déplacer.

— Je suis consternée, John, soupira Amélie.

Elle serrait convulsivement un mouchoir dans sa main et semblait prête à se remettre à pleurer.

— Est-ce que les traitements..., commença-t-elle.

— La trithérapie, ou plutôt multithérapie maintenant, est efficace. Mais dans l'état actuel des choses il n'y a pas de guérison possible. Je suis contaminé par le VIH et je peux le transmettre.

— Je ne sais pas ce que ça signifie au juste.

— Virus d'immunodéficience humaine. Plus de résistance aux saloperies, plus de défense de l'organisme. Tu attrapes tout ce qui passe. Avec les médicaments, tu bloques la prolifération du virus, mais tu ne peux pas le tuer. En plus, il est malin, il mute tout le temps. Depuis vingt ans on planche sur un vaccin sans arriver à le trouver. Et puis un vaccin, c'est préventif.

— Mais tu es jeune et la recherche avance vite, non ?

— Peut-être. Au fond, je n'en sais rien, je suis gavé de termes techniques, de protocoles, de grilles horaires. Des médecins me parlent comme si j'étais un enfant, ou au contraire comme si j'étais un savant. Ma valise est pleine de boîtes de médicaments et je passe ma vie à faire les bilans de leurs effets secondaires. J'ai pris les hôpitaux en horreur, mais j'y vais ventre à terre. Tous les matins, je me regarde, je m'examine, je m'écoute, je me pèse... Betty est une sainte !

Au même instant, après un coup léger frappé à la porte, Betty entra avec un plateau.

— Vous êtes très gentille, lui dit Amélie en l'observant d'un œil aigu.

L'épouse de son fils chéri semblait posséder de nombreuses qualités, néanmoins elle était plus âgée que lui. Veillait-elle sur lui de façon *maternelle* ? Cette idée agaça Amélie, pourtant John avait besoin de beaucoup d'attentions. D'autre part, une très jeune femme aurait sans doute été horrifiée par le spectre du sida et l'impossibilité d'avoir des enfants, or Betty paraissait accepter la situation. Amélie continua de la regarder tandis qu'elle versait le thé, le nuage de lait, et présentait l'assiette de *shortbread*.

— Vous avez un travail de comptable, n'est-ce pas ? demanda-t-elle d'une voix douce. Combien de jours de vacances avez-vous pris pour venir ?

— Une semaine.

— En profiterez-vous pour voir de la famille, des amis ? Nous pouvons mettre une voiture à votre disposition, et pendant ce temps-là, soyez tranquille, nous nous occuperons bien de John.

Déjà, elle cherchait à l'éloigner pour profiter seule de la présence de son fils. Il lui avait tellement manqué, et depuis si longtemps !

— J'en serais ravie, affirma Betty en souriant. À condition que la neige…

— Oh, ça devrait s'arranger ! Dès demain, les températures remontent, paraît-il.

Betty se tourna vers John, esquissa un nouveau sourire plein de tendresse.

— Très bien. Alors je vais vous laisser, si vous n'avez besoin de rien d'autre. Moïra doit me montrer une recette de saumon.

Dès qu'elle fut sortie, Amélie fit une grimace.

— Moïra ne pense qu'à ses marmites ! Elle vient de perdre son frère, mais ça ne l'empêche pas de cuisiner.

— Tant mieux pour nous, répliqua John. Elle est occupée ailleurs et nous aurons de quoi dîner. Tu t'entends toujours aussi mal avec elle ?

— Disons que nous nous supportons mieux. Le temps avait fini par arranger nos rapports, mais maintenant Angus ne sera plus avec nous…

— Et tu t'inquiètes, n'est-ce pas ? Quelle position vas-tu occuper ici ?

— Eh bien…

— Ne laisse pas Scott régler les choses à sa façon.

— En général, il écoute Kate.

— Il *fait semblant* de l'écouter, ensuite il décide. Je le connais, tu sais ! Et il ne te fera aucun cadeau, j'espère que tu en es consciente. Tant que son père était là, il devait te supporter, mais aujourd'hui c'est lui, le chef. Sois sans illusions, il va adorer ça.

Perplexe, Amélie le suivit des yeux tandis qu'il se mettait à arpenter la chambre.

— Avant tout, enchaîna-t-il, tu dois consulter un homme de loi pour savoir quels sont exactement tes droits.

— Ne parlons pas de ça si tôt après l'enterrement.

— Mais tout le monde y pense, alors autant en parler, non ? Écoute, ne te laisse pas embobiner par de gentils discours et réclame fermement ce qui te revient avant de te retrouver sans rien du tout.

— Tu noircis le tableau, John. Personne ne va me jeter à la rue !

Elle eut un petit rire artificiel qui s'éteignit vite.

— En principe, maman, il existe toujours une part pour le conjoint survivant. Il faut que tu exiges la tienne. Tant pis si Scott doit se séparer de certains trucs, fais-toi régler rubis sur l'ongle.

— Non, je ne veux pas l'obliger à vendre quoi que ce soit, il ne me le pardonnerait pas, et Kate non plus. De toute façon, je n'ai pas vraiment besoin d'argent, je…

— Toi, peut-être pas, mais moi oui.

— Pourtant, tes frais médicaux sont…

— Putain, il n'y a pas que ça !

Il laissait enfin libre cours à sa colère, exaspéré d'avoir à lutter. Sa mère était la seule personne au monde qui ne le contredisait jamais, qui acceptait tout de lui, qui le défendait quoi qu'il fasse, et voilà qu'elle semblait avoir changé de camp. Furieux, il leva les bras au ciel puis vint se planter devant elle.

— Tu n'arrives vraiment pas à imaginer ce que je ressens ? Je suis en sursis dans le couloir de la mort, maman, et je me trouve trop jeune pour mourir, voilà ! J'ai envie de profiter de l'existence pendant le temps qui me reste à vivre. À Paris, nous subsistons, Betty et moi, rien de plus. Et toi qui as la possibilité de nous aider, tu laisserais filer un paquet de fric uniquement pour ne pas contrarier Scott et Kate ? Je rêve !

Elle le regardait d'un air horrifié, et il s'agenouilla et lui prit les mains.

— Maman, j'ai toujours senti ton amour, et aujourd'hui j'en ai un besoin extrême. J'ai très peur de cette saleté de maladie incurable. Je finirai par être malade tout le temps, je deviendrai très maigre, un vrai squelette, les derniers mois seront horribles et personne ne pourra plus rien pour moi. Avant que ça n'arrive, aide-moi à jouir de l'existence, d'accord ? Je n'ai pas été très présent pour toi ces dernières années parce que je croyais avoir tout mon temps, or c'était faux. Si je t'ai fait de la peine, pardonne-moi, mais continue à m'aimer et à me protéger, sinon je serai complètement perdu.

Incapable de résister à ce discours, Amélie se pencha pour l'embrasser.

— Bien sûr, mon chéri, bredouilla-t-elle. Je ferai tout ce que je peux pour te soulager.

— Alors ne te laisse pas flouer dans cette histoire de succession. Betty va te trouver un juriste.

— D'accord.

— Il y a ce domaine, avec les terres et les moutons, il y a deux distilleries prospères et une filature, des comptes en banque, des meubles anciens… Tu te rends compte de ce que ça représente ? Une part de chaque bien d'Angus te revient !

Il maîtrisa sa voix qui venait de monter dans les aigus sous le coup de l'excitation. Énumérer ces richesses, qui pouvaient devenir celles de sa mère et donc les siennes, lui donnait le vertige. Mais il n'eut pas la possibilité de s'appesantir car George était entré sans frapper.

— Qu'est-ce que vous faites ? s'étonna-t-il en découvrant son frère à genoux devant leur mère.

— Je console maman et je l'exhorte à faire respecter ses droits sur la succession d'Angus, répliqua John. À commencer par cette maison qui…

— Rien du tout, l'interrompit George. Ni la maison ni autre chose. Vous tiriez des plans sur la comète ? Vous connaissez bien mal les Écossais !

Il paraissait hilare, ce qui exaspéra John.

— Écossais ou pas, il y a des lois contre lesquelles l'avarice n'a pas de prise.

— Pas la peine de faire de grandes envolées lyriques, mon vieux. Il n'y a rien dans la succession.

Amélie et John échangèrent un regard surpris puis reportèrent leur attention sur George, qui expliqua, débonnaire :

— Tout était réglé depuis longtemps. Il y a quinze ans que Scott est propriétaire de Gillespie, soit bien avant la rencontre de maman avec Angus, et la transmission des affaires s'est effectuée petit à petit. Si vous désirez quelque chose, voyez avec monsieur fils unique, c'est lui qui détient très légalement l'essentiel.

Content de son petit effet, George alla s'asseoir sur une bergère, face à sa mère.

— Je ne comprends pas, murmura-t-elle. Tu veux dire que...

— Tu as épousé un homme qui n'avait déjà plus grand-chose à lui.

— Je ne le savais pas !

— Évidemment. S'il te l'avait appris d'entrée de jeu, tu ne te serais peut-être pas mariée avec lui.

Amélie secoua la tête pour mettre de l'ordre dans ses idées.

— En fait... Je crois qu'à ce moment-là j'étais loin de penser à son héritage. Votre avenir était ma seule obsession. Et puis il était gentil, protecteur, très épris. Non, ça n'aurait rien changé. J'avais vu la photo de Gillespie, j'avais envie de vivre ici avec vous. Un cadre pareil, ça m'a fait rêver, je nous ai imaginés tous très heureux.

Elle l'énonçait avec une telle sincérité que John en fut choqué.

— Il ne te dégoûtait pas un peu ?

— Angus ? Tu plaisantes, j'espère.

— Il n'avait pourtant rien de séduisant.

— Détrompe-toi. Sa gentillesse me touchait, surtout après l'indifférence dont votre père avait fait preuve.

— Angus n'était pas « gentil », il était gâteux avec toi.

— Et alors ? J'ai trouvé ça agréable, figure-toi.

— C'est indécent, maman ! explosa John. Prétendre que tu l'aimais, quelle blague ! Et ne me dis pas que tu n'es pas affreusement déçue par ce que vient de nous apprendre George, je ne te croirais pas. Angus avait l'air plein aux as, ça faisait partie de son « charme », non ?

Se tournant vers son frère, il ajouta dédaigneusement :

— Quand je pense que tu travailles pour Scott, je me demande ce qui ne va pas chez toi. Tu as donc tout oublié ? Il nous sortait par les yeux, on passait notre temps à le critiquer et à rire de lui, pour nous c'était l'ennemi public numéro un. Maintenant, tu lui manges dans la main, ça me soulève le cœur.

— Il m'a offert un bon poste, répliqua George.

— Tricoter des pulls avec la laine des moutons, tu parles d'un boulot viril et valorisant !

— C'est mieux que pas de boulot du tout. Il y a autant de chômage ici que n'importe où ailleurs, alors en ce qui me concerne je suis heureux de travailler.

— Ne me prends pas de haut, George…

John marqua une pause avant de lâcher la nouvelle qui le mettrait au-dessus de toute critique.

— Je suis séropositif.

Son frère le dévisagea, incrédule, avant de bredouiller :

— Toi ? Mais comment as-tu…

— Un moment d'égarement.

— Oh, Seigneur ! Et tu… Enfin, tu te…

— Je me soigne, oui, et ce n'est pas une partie de plaisir. Ce genre de maladie te fait réfléchir, voilà pourquoi je suis ici. J'avais envie de voir maman, de vous voir tous. N'ayant plus rien à perdre, je voulais m'assurer qu'au moins maman ne se ferait pas avoir et serait tranquille jusqu'à la fin de ses jours. Mais je n'imaginais pas que tout était réglé d'avance par ces salopards père et fils !

Désemparé, George se tut. Finalement, ce fut Amélie qui reprit la parole.

— J'espère que Moïra a préparé quelque chose de simple car je n'ai pas très faim.

— À quelle heure dînez-vous ? soupira John.

Il commençait à se sentir fatigué et il avait un certain nombre de médicaments à prendre. La perspective d'un réveillon, même modeste, l'écœurait, et il aurait voulu être seul pour réfléchir à cette absence de succession. Pas question de laisser sa mère accepter sans protester, il existait forcément un moyen de mieux s'en tirer. Il ne repartirait pas d'Écosse les mains vides, il s'en fit la promesse. Ainsi qu'il venait de le dire à son frère, il n'avait plus rien à perdre, il pouvait, sans aucun état d'âme, provoquer une tempête familiale et semer le chaos pour obtenir ce qu'il désirait.

6

Scott et David marchaient du même pas, indifférents à la pluie et au brouillard qui persistaient depuis le lever du jour. Ils avaient déjà rencontré deux bergers, s'arrêtant chaque fois pour discuter longuement. Scott savait que la mort d'Angus ne les avait pas seulement peinés mais aussi inquiétés, et il tenait à les rassurer lui-même. David, qui entretenait avec eux de bons rapports, aurait pu s'en charger, cependant Scott préférait le faire, devinant que sa parole pèserait plus lourd.

— Ils devaient avoir peur que tu veuilles tout bouleverser, fit remarquer David. Après un décès, il peut y avoir de sacrés changements !

— Ce n'est pas mon intention puisque tout va bien. Nous avons besoin des moutons pour la filature, et surtout pour maintenir les terres en état. Sinon, ce serait la jungle...

Franchissant la dernière crête, ils tentèrent de distinguer la mer, au loin, mais la brume noyait le paysage.

— Ton père aimait agrandir, il rachetait des parcelles dès qu'il en avait la possibilité. Même Moïra s'y est mise !

Au décès de leurs parents, si Angus avait hérité des distilleries, Moïra avait reçu en dédommagement un capital qui lui garantissait son indépendance. Pourtant, elle avait préféré rester dans l'ombre de son frère aîné à Gillespie.

— Moïra ? s'étonna Scott.

— Elle possède quelques hectares de colline, là où la terre agricole n'est pas chère.

— Mais ça ne lui sert à rien, ça ne lui rapporte rien !

— Et après ? Elle fait partie du clan, elle est née à Gillespie, alors elle s'est impliquée. C'est plus distrayant pour elle que de garder des billets sous son matelas !

David n'avait rien à lui mais semblait s'amuser de toutes ces histoires de propriété. Il était très concerné par l'ensemble de la famille et toujours prêt à comprendre chacun.

— Papa ne t'a pas très bien traité, commença Scott, qui souhaitait éclaircir la situation ambiguë de David.

— Tu veux rire ? Sans ton père, je serais en train de faire la manche à Glasgow. Il m'a tendu la main, je n'aurais pas eu l'idée de la mordre.

— D'accord, mais…

— Il n'y a pas de « mais ». Je n'ai pas de besoins, Scott. Je sais que je suis utile et que je rends ce qu'on me donne. De l'argent, pour quoi faire ? Les gens se rendent fous avec ça. À Gillespie, je suis heureux. En famille et heureux. J'ai une belle chambre, une voiture, un grand parc où je me fais plaisir. Que demander de plus ?

Désarmé, Scott ne savait plus quoi dire. Les arguments qu'il avait préparés pour mener une discussion positive avec David lui paraissaient soudain inappropriés, voire ridicules. Il se décida néanmoins à poser une dernière question, la plus importante.

— Mais ta retraite, David, tu y penses ?

— Eh bien, quoi ? Vous n'allez pas tous disparaître avant moi ! Écoute, Scott, je suis comme les bergers, je n'ai pas envie que les choses changent.

— Et moi, je ne veux pas te donner de l'argent de poche comme à un gamin que tu n'es pas, ou à un parent pauvre que tu n'es pas non plus.

— Ah bon ? s'esclaffa David. Quoi d'autre, alors ?

Pris à son propre piège, Scott s'obstina :

— Je te ferai un virement, d'accord ?

— Quelle tête de mule, soupira David. Je n'ai même pas de compte en banque !

Cette fois, Scott s'arrêta net au milieu du chemin.

— Dans quel monde viviez-vous, papa et toi ? Bon, vos arrangements ne me regardent pas, c'était votre façon de procéder. Pour ma part, je refuse de t'exploiter. Je tiens à pouvoir te demander de faire telle ou telle chose sans me sentir coupable. Une enveloppe tous les mois, ça irait ?

— Est-ce que tu comptes payer Moïra aussi ? riposta David. Elle s'occupe de tellement de trucs !

Son ton s'était durci, il ne plaisantait plus. Scott sortit une main de sa poche et la posa sur la manche du Barbour trempé de David.

— Excuse-moi, je suis maladroit.

— Oui !

— Alors, oublie. Tu feras à ta guise, ce sera bien pour moi. Tu as raison, tu es mon cousin au même titre que Moïra est ma tante, et j'ai une famille formidable.

Impassible sous la pluie, David le scruta un moment puis haussa les épaules.

— Je crois qu'on a vu toutes les clôtures, déclara-t-il. On devrait rentrer, on va attraper la crève.

Ils rebroussèrent chemin, déçus de ne pas avoir aperçu la mer, ce qui constituait toujours la récompense des longues marches à travers les terres. Scott méditait les paroles de David, soulagé de lui avoir parlé et navré de l'avoir heurté. Il en référerait à Moïra pour savoir de quelle manière s'y prendre et ne pas laisser David sans un penny.

Depuis le décès de son père, trois semaines plus tôt, il avait dû se montrer diplomate avec tout le monde, particulièrement envers Amélie. Après l'avoir rassurée sur sa situation immuable à Gillespie, où elle restait évidemment chez elle, il lui avait suggéré de ne rien entreprendre jusqu'à l'ouverture de la succession. Avertie par George, elle savait déjà à quoi s'attendre et n'avait pas fait de commentaire, mais John ne s'en était pas privé. Scott avait dû faire appel à tout son sang-froid pour ne pas réagir à son agressivité et aux termes peu flatteurs qu'il avait employés.

— À ton avis, il va rester longtemps, John ? demanda soudain David.

— J'en ai peur. Il prétend défendre les intérêts de sa mère et il a chargé Betty de trouver un avocat. Elle est très embarrassée par cette situation, mais elle adore son mari et elle fera ce qu'il veut. De là à se lancer dans une procédure coûteuse qui ne les mènera nulle part…

— Malgré sa maladie, je n'arrive pas à éprouver la moindre empathie pour lui. Pourquoi est-il venu ventre à terre, dès qu'il a su qu'Angus était mort ? Ce garçon n'a jamais pu gagner sa vie, même lorsqu'il était en bonne santé, et tout à coup il a cru que sa mère était devenue riche. Quelle aubaine pour lui, puis quelle déception ! Méfie-toi de lui, Scott. Il est aigri, retors, et il risque de manipuler Amélie. Elle a toujours eu toutes les indulgences pour lui, alors maintenant qu'elle le sent en danger, elle va sortir ses griffes. Et c'est bien dommage car elle s'était plutôt bonifiée, ces dernières années.

— Heureux de te l'entendre dire.

— Il faut être honnête, elle n'a pas que des défauts. Je crois même qu'elle avait fini par aimer Angus. Ou peut-être qu'elle l'aimait depuis le début et qu'on n'a pas voulu y croire ? Quant aux jumeaux, ils l'ont transformée.

— Mais ils n'ont pas remplacé John.

— Exactement.

— Tu es un sage, David, murmura Scott.

Il avait toujours apprécié son étrange cousin, entretenant avec lui une relation privilégiée, et une fois de plus ils étaient d'accord.

— Je voudrais être déjà au printemps, ajouta Scott.

D'ici à quelques mois, l'absence d'Angus serait moins douloureuse, et les relations familiales, pour l'instant bouleversées, auraient eu l'occasion de s'apaiser. Face à eux, un peu plus haut sur la colline, les contours de Gillespie commençaient à émerger de la brume. Sans se concerter, ils ralentirent l'allure pour grimper la dernière pente.

*

Le menton dans les mains, Kate écoutait avec intérêt son confrère. Ils étaient restés les derniers dans la salle des professeurs, Craig ayant proposé de tenir compagnie à Kate tandis qu'elle attendait Scott. Celui-ci devait passer la prendre pour l'emmener à Édimbourg où, après un rendez-vous d'affaires, il souhaitait lui faire découvrir un nouveau restaurant.

La nuit était tombée et tous les élèves avaient déserté la cour. Devant les fenêtres obscures, Craig Macpherson allait et venait, emporté par son sujet.

— Stevenson est l'auteur le plus facile à faire lire aux élèves, le plus populaire ! Pour ceux qui aiment l'aventure et les pirates, il y a *L'Île aux trésors* ; pour les fans de romans historiques, *Enlevé !* est un modèle ; et bien sûr *L'Étrange Cas du Dr Jekyll et de Mr Hyde* obtient toujours un énorme succès. Quand je donne ma liste de lectures en début d'année, je vois leurs yeux qui s'illuminent.

— Il y a tout de même eu une période où Stevenson a basculé de l'enchantement au dramatique.

— C'est d'autant plus intéressant, mais à voir plus tard. Pour ce trimestre, j'ai choisi le *Voyage avec mon âne dans les Cévennes*, une manière de rendre hommage à ma collègue française !

En riant, il fit semblant d'ôter un chapeau imaginaire.

— Et toi, que leur as-tu donné à étudier ?

— Maupassant.

— Il est né la même année que Stevenson ! Tu as choisi *Bel-Ami* ?

— Non, *Le Horla*.

— Oh ! La folie et la terreur… Je ne sais pas si ce sera du goût de notre proviseur, cela dit, je te donne raison. De toute façon, nous travaillons sur la même période, c'est parfait. En revanche, avec ma classe supérieure, je pense étudier en fin d'année des auteurs du XXe. Peut-être ceux d'après-guerre comme Trocchi et White, qui ont tous deux quitté l'Écosse pour vivre en France. Si tu peux caler ton programme sur le mien, nous serons vraiment complémentaires.

Il vint s'asseoir sur le coin de la table, juste en face d'elle.

— Quel bonheur d'avoir un professeur de français comme toi ! Celle que tu remplaces n'a pas la moitié de tes qualités. La bonne nouvelle est qu'elle ne reviendra peut-être pas car elle aimerait suivre son mari qui a été muté à Aberdeen. Dans ce cas, tu aurais le poste, j'en suis certain, et la Hutcheson's Grammar Scholl y gagnerait !

Kate lui rendit son sourire, gagnée par son enthousiasme.

— J'adorerais rester ici, soupira-t-elle.

— Tout le monde le souhaite, moi le premier.

Il laissa passer un silence puis enchaîna :

— Tu te remets un peu de la mort de ton beau-père ?

— Oui, ça va mieux, mais j'ai été choquée. D'abord parce que je l'aimais beaucoup, ensuite parce que les circonstances ont été éprouvantes. Un soir de Noël, ça ne pouvait pas être pire, et c'est arrivé si brutalement, alors que nous venions juste de passer à table…

— Pour ta mère, quel choc !

— Pour nous tous. Il était vraiment le pilier de la famille. Au début, j'avais peur de lui parce qu'il était très impressionnant pour une gamine de treize ans, mais sous ses airs bougons il a fait preuve de beaucoup de gentillesse. Il m'a appris à jouer au golf, il m'a traînée à l'église où personne ne voulait l'accompagner, et nous avons eu des discussions théologiques passionnantes. Il était un peu d'une autre époque à force d'être enfermé à Gillespie, très chef de clan, très patriarche, farouchement écossais ! Assez vite, peut-être au bout de quelques mois seulement, j'ai fini par le trouver rassurant. Sans ostentation, de façon bienveillante, il a remplacé mon père absent. Mes frères le rejetaient, mais pas moi ; au contraire, j'ai adopté ses valeurs parce que c'était quelqu'un de bien.

Tout en parlant, elle avait senti ses yeux s'embuer et elle dut déglutir pour refouler ses larmes.

— Kate, je suis désolé, murmura Craig en lui prenant les mains.

Son geste était si amical qu'elle ne chercha pas à se dégager, mais elle sursauta en entendant la voix de Scott.

— Je ne vous dérange pas, j'espère ?

Il se tenait sur le seuil de la salle, le visage fermé et les yeux rivés sur Craig. Kate se leva, se sentant malgré elle prise en faute.

— Nous parlions d'Angus, crut-elle bon d'expliquer.

Les deux hommes continuaient de s'observer, et Craig finit par aller vers Scott, la main tendue.

— Craig Macpherson. Je suis ravi de vous rencontrer, et j'en profite pour vous présenter mes condoléances.

— Merci, lâcha Scott, glacial.

Négligeant la main de Craig, il réussit à sourire à Kate.

— On y va ?

— Tu ne veux pas visiter un peu l'école ?

— Non, je crains d'être en retard à Édimbourg. Si tu es prête…

Elle le connaissait trop pour ne pas comprendre qu'il était en colère. Pourtant, elle n'avait rien fait de répréhensible et prit le temps de dire au revoir à Craig avant de suivre Scott. Ils traversèrent la cour en silence et, devant la voiture, il ouvrit la portière pour Kate avant de s'installer au volant.

— Qu'est-ce qui te contrarie, mon chéri ? demanda-t-elle aussitôt pour rompre le malaise.

— Voir ce type te tenir les mains en te couvant du regard. Et vous trouver seuls tous les deux en ayant l'impression d'être un intrus. D'ailleurs, je t'ai fait sursauter.

— Scott ! Ne sois pas bête, ce n'est pas du tout ça. Craig ne me « couvait » pas du regard, et tu étais le bienvenu puisque je t'attendais. J'aurais aimé te montrer nos locaux, mes salles de classe, mais tu semblais furieux et tu as été désagréable.

— Avec le blondinet ? Ce n'est pas grave.

— Mais si ! Craig est mon collègue et tu n'as même pas voulu lui serrer la main. Ton attitude était blessante, or tu n'as rien à lui reprocher. Et à moi non plus !

Pour la toute première fois, le ton montait entre eux. À présent, Kate aussi était en colère, et elle s'en voulait d'avoir eu une réaction de crainte.

— Je ne te savais pas jaloux sans raison, ajouta-t-elle amèrement.

— Quand tu t'intéresses à un homme que tu cites à tout bout de champ et quand je te vois lui sourire d'un air charmé, oui, je suis jaloux.

— Tu voudrais que je ne regarde aucun homme ?

— Pas celui-là.

— Mais pourquoi, à la fin ? Parce qu'il est séduisant ?

— Si tu le dis…

Exaspérée, elle se tourna vers la vitre et fit mine d'observer le paysage, cependant il faisait nuit et il n'y avait rien à voir. Sur la M8 qui conduisait à Édimbourg, ils ne s'adressèrent plus la parole, chacun restant sur sa position. Une heure plus tard, en arrivant dans les faubourgs, ce fut Scott qui rompit le silence.

— Je dois m'arrêter cinq minutes à la chaîne d'embouteillage, j'ai un petit souci avec eux. Mais je ne te ferai pas attendre longtemps.

Il stationna en double file, mit ses feux de détresse et sortit avant qu'elle ait eu le temps de répondre. Elle le suivit des yeux tandis qu'il entrait dans des hangars, ne sachant plus que penser. Ils avaient prévu cette soirée depuis plusieurs jours, heureux de s'offrir un tête-à-tête en amoureux loin de Gillespie et de la famille, donc ce moment rare ne devait pas être gâché. Mais la froideur de Scott, à laquelle elle n'était pas habituée, lui semblait si injuste qu'elle rechignait à faire le premier pas. Qu'est-ce qui avait provoqué cette crise de jalousie ? Ses mains dans celles de Craig ? Un simple geste de sympathie ! Avait-elle éprouvé un plaisir particulier à ce contact ? Non, uniquement du réconfort, ou...

Elle se remémora le regard affectueux que Craig avait posé sur elle. Il possédait de beaux yeux verts, un sourire charmeur, une voix chaleureuse. Avec lui, elle aimait parler de littérature, ce qu'elle ne faisait jamais avec Scott. Elle se sentait sur un pied d'égalité car ils étaient professeurs tous les deux, et Craig ne l'avait pas connue à treize ans, avec des nattes et des chaussettes ! Faisait-elle preuve de coquetterie lorsqu'ils déjeunaient ensemble à la cantine de l'école ? Éprouvait-elle le besoin de l'éblouir ou de le faire rire ? Existait-il quoi que ce soit d'ambigu dans leur relation confraternelle ? Bien sûr que non. Elle était très amoureuse de Scott, elle le désirait, l'admirait, adorait vivre avec lui. Les yeux verts de Craig ne pouvaient pas rivaliser avec ceux de Scott, d'un sublime bleu ardoise, et rien ne valait son sourire en coin qui la faisait craquer.

Jetant de fréquents coups d'œil vers l'entrée de la chaîne d'embouteillage, elle se sentit soudain très impatiente de le voir revenir. Mais quelle attitude adopter ? Mieux valait cesser de bouder, oublier cette petite scène désagréable et faire comme s'il ne s'était rien passé du tout. Elle baissa le pare-soleil pour s'observer dans le miroir de courtoisie. En prévision de ce dîner à Édimbourg, elle s'était maquillée légèrement et avait choisi avec soin sa tenue. Elle portait un chemisier de soie et un gilet noir semé d'un fil d'argent, avec une jupe courte, un collant opaque et des bottes à hauts talons. Un murmure d'approbation avait salué son arrivée en classe ce matin, peut-être à cause de ses vêtements, ou bien du chignon un peu lâche mais très étudié qu'elle avait mis une demi-heure à élaborer. Ces efforts étaient destinés à Scott et à personne d'autre.

Elle le vit enfin émerger des bâtiments et, sur une impulsion, elle ouvrit sa portière et courut à sa rencontre pour se jeter dans ses bras. Il se raidit mais la serra contre lui en murmurant :

— Aurais-tu quelque chose à te faire pardonner ?

Elle eut l'impression de recevoir une douche froide. S'écartant brutalement de lui, elle le toisa.

— Tu en es encore là ? T'occuper de tes affaires ne t'a pas changé les idées ? Si tu dois être obnubilé par cette fausse histoire pendant toute la soirée, nous ferions mieux de rentrer à Gillespie.

Il parut hésiter, et elle était sur le point de tourner les talons quand il la saisit par le poignet.

— Kate…

De sa main libre, il la prit par la nuque, l'attira à lui et l'embrassa avec une telle fougue qu'elle en eut le souffle coupé.

— Je t'emmène dans le centre, à Calton Hill. Il y a là un restaurant très original, The Gardener's Cottage, entouré d'un grand potager. C'est à la mode de faire pousser ses légumes, même en ville ! L'endroit est ravissant, tu verras, et on te sert six plats de suite, rien qu'avec des produits frais…

Il la tenait toujours, craignant apparemment de la voir partir.

— Je suis désolé, chérie, conclut-il tout bas.

— Tu peux. Tu t'es fait un film, Scott !

— D'accord.

— J'ai le droit d'avoir des amis, et je pourrais même te demander de les apprécier.

— Absolument. Invite-le à dîner un de ces jours.

C'était une telle reddition qu'elle en demeura sans voix avant d'éclater de rire.

— Pourquoi passes-tu de la posture du mari outragé à celle du mari modèle ?

— La façon dont tu m'as repoussé et regardé m'a fait très peur.

Sa sincérité, évidente, bouleversa Kate. Rien ne semblait jamais pouvoir effrayer Scott, ce qui rendait son aveu d'autant plus touchant.

— Allons vite découvrir ton restaurant, il est tard et j'ai faim ! dit-elle gaiement.

L'orage était passé et Scott semblait apaisé, mais Kate se promit de réfléchir plus tard à ce qu'elle venait de découvrir. D'une part la jalousie excessive de Scott, d'autre part cet énorme pouvoir qu'elle avait sur lui. Elle s'était toujours crue la plus amoureuse des deux parce qu'elle l'avait idolâtré pendant des années sans oser le lui avouer. À force de s'endormir en pensant à lui sans le moindre espoir de concrétiser son rêve, elle avait pris tel un cadeau inespéré et immérité leur mariage. Il était le premier homme pour elle, l'unique, et elle s'émerveillait encore qu'il l'ait choisie. Avant elle, à l'époque où il la voyait en gentille petite sœur, il avait eu des maîtresses. Mary, entre autres, avec laquelle Kate n'aurait jamais imaginé pouvoir rivaliser. Ce soir, elle venait de comprendre que Scott l'aimait comme il n'avait jamais aimé aucune autre femme. En capitulant devant la colère de Kate, oubliant la sienne, il lui avait montré qu'elle comptait plus que tout au monde. Que faire d'une telle révélation ? Était-ce grisant ou angoissant ?

— Un penny pour tes pensées, dit-il tout en se faufilant dans les encombrements du centre.

Au lieu de répondre, elle se pencha vers lui pour poser la tête sur son épaule.

— Tu crois que c'est égoïste de se réjouir de passer une soirée sans les jumeaux ? ajouta-t-il avec son irrésistible sourire en coin.

— Et sans ta belle-mère…

— Oh, c'est vrai ! Pour fêter ça, je t'emmène en boîte après le dîner.

— En boîte ?

— J'ai envie de danser des slows torrides avec ma femme. On peut aller au Cabaret Voltaire, dans la vieille ville. Je n'ai pas mis les pieds dans une discothèque depuis des lustres. La dernière fois, c'était avec Graham avant son mariage.

— Pour moi, ça remonte à l'université.

Il profita d'un feu rouge pour l'embrasser et redémarra sur les chapeaux de roues. Kate esquissa un sourire et ferma les yeux, parfaitement heureuse.

*

— L'avocat n'est pas très optimiste, déclara Betty sur un ton prudent.

John la foudroya du regard, la jugeant responsable.

— Ce serait du jamais vu ! explosa-t-il. On ne laisse pas une veuve sans rien.

— Il n'est pas question de « rien ». Mais Gillespie a été donné à Scott des années avant le mariage d'Amélie, et la filature faisait partie de l'héritage de sa mère. Quant aux distilleries, Angus lui en a cédé de nombreuses parts au fil du temps. Il en reste, bien sûr. Mais il s'agit de l'outil de travail et la loi est complexe là-dessus. Enfin, l'avocat rappelle que le contrat de mariage stipulait la séparation de biens. Or il n'y a pas eu d'acquisition postérieure à cette date, hormis quelques hectares de terres à moutons, non constructibles et donc de peu de valeur.

— Tout de même, Angus avait sûrement des économies, des comptes…

— Les donations successives à Scott lui ont coûté cher.

— Quelle crapule ! Avoir tout organisé pour que sa femme soit dépouillée après sa mort, c'est ignoble.

— Pas dépouillée, puisqu'elle ne possédait aucun bien propre, objecta Betty.

— Bon sang, dans quel camp es-tu ?

— Dans le tien, mon chéri. Seulement, il faut être réaliste. En Écosse, la transmission du patrimoine de père en fils est très courante.

— Les Écossais me font vomir !

Betty le regarda d'un air si peiné qu'il ajouta en hâte :

— Pas toi, tu sais bien.

— Quand je travaillais à la distillerie, je ne me suis jamais posé la question de savoir qui en était propriétaire. Nous supposions tous que c'était encore Angus, mais on voyait que Scott avait pris les rênes et qu'il touchait un salaire dérisoire. Je le sais puisque je rédigeais les fiches de paie ! J'ignorais ces histoires de parts, d'actions, mais au fond c'est une évidence.

— « Quand je travaillais à la distillerie »…, minauda-t-il en l'imitant. Ma parole, tu regrettes ! Moi, quand j'étais là-bas, j'ai cru mourir d'ennui.

— Mon poste était intéressant, protesta-t-elle doucement.

— Et voir Scott du matin au soir, ça l'était ? Ce type me met hors de moi, je l'exècre. Si ce n'était pas pour maman, je ne resterais pas une seconde de plus sous ce toit. Je n'y ai que de mauvais souvenirs ! Un soir, ici, Scott m'a balancé son poing en pleine figure, tout ça pour une petite blague innocente que nous avions faite à Kate avec les frangins. Ce coup me reste en travers et je le lui ferai payer d'une façon ou d'une autre.

Betty connaissait depuis longtemps le différend entre les deux hommes, mais elle avait bêtement supposé que le temps arrangerait les choses. Hélas, depuis qu'il était revenu à Gillespie, John ne désarmait pas. Sa haine de Scott se nourrissait de n'importe quel mot ou regard qu'il interprétait à sa manière. Pour sa part, Betty était beaucoup plus mesurée. Elle avait apprécié Scott à l'époque où elle était son employée, et elle gardait pour lui de l'admiration et de la sympathie. Elle le savait acharné dans son travail, toujours très courtois avec ses salariés, et capable de compassion ; il le lui avait bien manifesté par téléphone. En même temps, elle comprenait la déception de John face à cette succession manquée qui détruisait ses espérances. L'angoisse de la maladie le poussait à s'offrir des plaisirs, comme si chaque jour devait être le dernier, or il n'en avait pas les moyens. Et, malgré tous ses efforts, Betty ne pouvait pas satisfaire ce besoin compulsif. Le budget de leur couple ne permettait pas de grandes fantaisies, et John rongeait son frein. En apprenant le décès d'Angus, il avait tiré toutes sortes de plans sur la comète, sachant que sa mère ne lui refuserait rien, et la déception le laissait frustré, aigri, plus querelleur que jamais.

Betty ne lui en voulait pas. Ou plutôt ne se sentait pas le droit de lui en vouloir. Lorsqu'elle s'était enfuie en France avec lui, quelques années auparavant, elle avait alors la certitude de vivre un très grand amour. Les défauts de John, qu'elle connaissait, lui semblaient mineurs et susceptibles de s'arranger. Il ne se plaisait pas en Écosse, ce qui expliquait ses échecs, et elle avait espéré qu'il retrouverait tout son dynamisme une fois qu'il serait de retour dans son pays. Hélas, elle s'était trompée. Peu à peu, elle avait dû se résigner devant l'évidence : il ne changerait pas. Velléitaire et paresseux, il ne menait aucun projet à bien. Un temps, elle l'avait gentiment secoué, raisonné, sans succès. Et maintenant, avec cette horreur de virus, un danger permanent planait sur lui. Elle ne *pouvait pas* s'en détacher maintenant, ce serait inhumain. Elle était piégée, alors elle évitait d'y penser. Sa seule consolation était ce retour en Écosse qui se prolongeait. Auprès de son employeur parisien, elle avait sollicité un congé sans solde, accordé pour un mois, mais qu'adviendrait-il au-delà de ce délai ? Le loyer continuait à courir, des factures devaient les attendre en France. Quand elle pressait John de questions à propos de leur avenir immédiat, il restait évasif. Était-il malgré tout rassuré par la présence de sa mère et la proximité de ses frères, ou ne s'acharnait-il que pour obtenir un peu d'argent au bout du compte ?

— Quoi qu'il en soit, conclut-elle, il faudra attendre l'ouverture de la succession chez le notaire, même pour la contester.

— Bien sûr qu'on va la contester !

— Ça prendra du temps et ça coûtera cher en honoraires d'avocat. Celui que j'ai rencontré est brillant, célèbre pour ses succès dans des procédures difficiles, mais il veut une avance.

— Propose-lui plutôt un intéressement. Un pourcentage sur ce qu'il récupérera.

— Ta mère sera d'accord ?

— Elle est toujours d'accord avec moi, laissa-t-il tomber avec suffisance.

— En attendant, que faisons-nous, mon chéri ?

— On reste ici ! Sinon maman se laissera embobiner par Kate et Scott. Je préfère occuper le terrain. En plus, l'auberge est bonne et elle est gratuite !

— Je ne te comprends pas, John. Tu viens de dire que tu ne supportes pas Scott, or il est là tous les soirs.

— Pas dans la journée, Dieu merci ! De toute façon, je ne le laisse pas en repos. Il faut qu'il comprenne qu'il m'aura sur le dos tant que je n'aurai pas gain de cause.

— Et si ça dure trois mois, six mois, un an ?

— Peu importe.

— Alors, il faut prendre des dispositions. Rendre notre appartement parisien, te trouver un bon service de médecine à Glasgow…

Cette perspective parut le refroidir. Il hésita un moment, puis prit sa tête dans ses mains.

— Je sens que la migraine arrive, marmonna-t-il.

— Tu as bien pris tes médicaments, aujourd'hui ?

— Oui ! Ne me traite pas en gosse, ça me fatigue.

De plus en plus souvent, elle essuyait ses rebuffades, qu'elle mettait sur le compte de la maladie, comme tout le reste.

— George et Susan viennent dîner ce soir, dit-elle pour changer de sujet.

— Comment le sais-tu ? C'est toi qu'on prévient ?

— Par Moïra. Je vais d'ailleurs descendre l'aider, j'adore la voir faire la cuisine.

Il haussa les épaules avec indifférence sans rien ajouter. Betty en profita pour quitter leur chambre, heureuse d'échapper à la mauvaise humeur quasi permanente de John. Elle n'osait pas lui avouer qu'elle se plaisait énormément à Gillespie, ni qu'elle s'entendait bien avec tous les membres de la famille. Même Amélie avait cessé de la traiter de haut, allant jusqu'à instaurer une sorte de complicité avec sa belle-fille. En longeant la galerie, elle admira au passage une série de pastels figurant des vues marines assez spectaculaires. Le mobilier du manoir était hétéroclite, chaque génération paraissant avoir ajouté son empreinte, toutefois l'atmosphère qui se dégageait du lieu la charmait.

Une cavalcade venue de l'autre galerie la fit sourire. Les jumeaux remontaient après leur dîner et se poursuivaient en riant malgré les protestations de Kate. Leur gaieté faillit rendre Betty mélancolique. Jamais elle n'aurait d'enfant, la séropositivité de John l'interdisant. Et puis elle approchait de la quarantaine. Avait-elle encore le choix de quoi que ce soit ?

Luke et Hannah foncèrent sur elle en l'apercevant et se réfugièrent derrière ses jambes.

— Vous n'êtes pas très bien cachés ! s'exclama joyeusement Kate.

Elle adressa un clin d'œil de connivence à Betty avant de récupérer les petits.

— Je vais leur lire une histoire et les coucher. J'ai entendu arriver George et Susan, mais je crois qu'il n'y a personne en bas à part Moïra, dans la cuisine. Veux-tu leur tenir compagnie et leur offrir l'apéritif ?

Ravie d'être impliquée dans la vie de la maison, Betty s'empressa d'accepter. Elle enviait l'aisance de Kate, qui semblait née à Gillespie alors qu'elle y était arrivée à treize ans en parfaite étrangère. Elle n'avait quasiment pas l'accent français, langue qu'elle enseignait pourtant dans ses classes, et tout le monde semblait l'adorer. Renonçant à aller voir de quelle façon Moïra réussissait ses bricks de saumon, Betty descendit au salon.

*

Malcolm avait acheté une bouteille de champagne pour fêter l'événement. Il se réjouissait tout autant du succès de Philip que s'il avait lui-même décroché une nouvelle exposition ou vendu un tableau.

— À ton contrat ! dit-il en levant son verre.

Choisi pour être le dessinateur d'un scénariste en vogue, Philip allait illustrer un album de bande dessinée.

Pour la première fois, il avait l'occasion de monnayer son talent et il était très excité par son projet. Il avait déjà travaillé sur les premières planches, veillant jusqu'au milieu de la nuit pour parfaire ses croquis.

Les yeux dans les yeux, ils burent quelques gorgées, puis Malcolm alla chercher le plateau de petits feuilletés au fromage qu'il avait préparés.

— Tu les as achetés ou tu les as faits ? demanda Philip.

— Fabrication maison. Une recette de Moïra, moitié cheddar, moitié parmesan.

Ils s'amusaient à rivaliser devant les fourneaux, chacun essayant de surprendre l'autre. Au fil du temps, leur cuisine s'était enrichie d'une batterie d'instruments qui lui donnait l'allure d'un laboratoire. Séparée du séjour par un haut comptoir de brique, c'était leur pièce favorite dans leur appartement ravissant, chaleureux, décoré avec goût. Les parents de Malcolm, qui le mettaient à sa disposition depuis sa première année d'études, l'avaient laissé libre d'y vivre à sa guise. La deuxième chambre ne servait à rien mais bénéficiait d'une belle lumière grâce à une verrière, alors Malcolm l'avait transformée en atelier. Il y passait le plus clair de son temps, tandis que Philip travaillait dans le séjour sur une table à dessin. Contrairement à ce que leur jeunesse et leur statut d'artistes naissants pouvaient faire croire, ils menaient une existence assez paisible, sortant essentiellement pour courir les musées et les cinémas. Le reste du temps, ils aimaient recevoir leurs amis autour d'un menu concocté par l'un ou par l'autre.

— Quel soulagement de gagner enfin quelques livres sterling ! s'exclama Philip avec un sourire réjoui.

Si Malcolm n'avait jamais fait la moindre allusion à la situation financière de Philip, celui-ci souffrait néanmoins d'être désargenté. Malcolm réglait les factures, l'invitait au restaurant et lui faisait des cadeaux qu'il ne pouvait pas rendre, ce qui le mettait parfois mal à l'aise.

— Il faut que ça me serve de tremplin, que ça me fasse connaître, ajouta-t-il.

— Quand tu seras un dessinateur très demandé...

— Toi, tu seras un peintre célèbre !

— Mmmm...

Dubitatif, Malcolm secoua la tête, ce qui ébouriffa ses cheveux trop longs. Il avait exposé à deux reprises dans une galerie d'Édimbourg mais n'avait obtenu qu'un petit succès d'estime. Pourtant, il possédait un talent prometteur, même s'il n'avait pas encore trouvé sa voie. Philip lui répétait que sa peinture était trop douce, trop légère, parfois mièvre, et qu'il devait lâcher la bride à son imaginaire.

— Mon vrai problème est que je ne crève pas de faim. Je suis un enfant gâté, je le reconnais, et à cause de ça je me sens obligé d'être poli, quasiment bien élevé dans tous mes tableaux. Si j'ai soudain une source d'inspiration plus sombre ou violente, je l'écarte.

— Tu as tort.

— Je sais.

— Laisse-toi aller, peins pour toi-même. Et ne te demande pas ce que ta famille va en penser !

Ils rirent ensemble, complices et amoureux. Malcolm restait très attaché à ses parents, il ne voulait pas les décevoir, or ceux-ci s'extasiaient avec effusion devant une délicate aquarelle mais auraient reculé d'effroi face à une peinture plus torturée.

— Donne-moi encore un peu de champagne, réclama Philip. Il va falloir que nous allions dîner à Gillespie, un de ces soirs. John est toujours là-bas et je crois qu'il cherche la bagarre.

— C'est peut-être une manière d'exorciser son angoisse ?

— Même en pleine santé, il était querelleur. Surtout avec Scott ! Et je trouve navrant qu'il remonte maman alors qu'elle s'était calmée, ces derniers temps. Souviens-toi de ce séjour à Noël, juste avant qu'Angus ne fasse son horrible arrêt cardiaque, il y avait une bonne ambiance familiale.

— D'accord, mais vous ne pouvez pas rejeter John. Surtout ta mère !

— Tu veux dire qu'il est devenu intouchable parce qu'il est séropositif ?

— En quelque sorte. Scott le sait, et il aura d'autant plus de mal à lutter contre lui. Je le plains, parce que j'adore Scott.

— Eh ! protesta Philip. *Adorer* n'est pas un peu excessif ?

— C'est juste une expression. Quoique ton beau-frère soit assez séduisant. Kate a de la chance, il est fou d'elle et ça se voit.

— Un peu trop fou, peut-être, car il paraît qu'il est jaloux. Kate me l'a confié en riant, mais avec une pointe d'agacement.

— La jalousie est un sale défaut, dont nous sommes presque tous atteints ! Kate est une jolie jeune femme épanouie et bourrée de charme, ses nombreux collègues masculins n'y sont sûrement pas indifférents. Mais ça vaut pour tout le monde, la vie est pleine de rencontres et de tentations.

— Malcolm ? Tu parles pour toi ?

— Non. Je fais un constat. De son côté, Scott a sans doute de ravissantes employées, à la filature ou aux distilleries, et Kate pourrait s'en inquiéter aussi.

— Et moi, je devrais ?

— Je viens de te dire que non.

— Mais tu as demandé un poste d'assistant à l'Université, pour superviser les études de plein de très beaux jeunes gens, alors…

— Alors je ne veux pas être toujours enfermé seul avec un pinceau à la main. Comme tu l'as fait remarquer, je suis bloqué dans une peinture qui manque de puissance. J'ai besoin de voir du monde, de discuter avec mes anciens professeurs, d'expérimenter de nouvelles voies.

Philip se leva d'un bond et rejoignit Malcolm sur le canapé.

— Je t'ai blessé en critiquant tes tableaux, c'est absurde ! J'aime ce que tu peins, et d'ailleurs ça ne plaît pas qu'à moi ou à tes parents puisque tu en vends. Mais ton talent est très au-dessus des toiles que tu veux bien montrer. Tu as des esquisses incroyables dans tes cartons, tu...

— Tu fouilles dans mon atelier ?

— Évidemment.

Malcolm le dévisagea puis éclata de rire. De la part de n'importe qui d'autre il n'aurait pas supporté cette indiscrétion, mais rien de ce que faisait Philip ne le dérangeait.

— Je suis resté en admiration devant ta série de chevaux. Quel choc ! On dirait du Géricault ou du Goya.

— Rien que ça ! Merci du compliment, bien qu'il soit outrancier.

Philip tendit la main pour écarter les cheveux de Malcolm qui tombaient devant ses yeux.

— Avant que nous allions dîner à Gillespie, va chez le coiffeur ou maman s'évanouira.

— Pas question. Même Angus ne faisait pas de réflexion là-dessus. Finalement, il était moins coincé que ce qu'on pouvait croire. Quelle façon abrupte de tirer sa révérence, quand même ! L'année prochaine, à Noël, nous allons tous nous surveiller les uns les autres. Je proposerai de mettre un tensiomètre à l'entrée de la salle à manger afin d'éviter une autre mauvaise surprise.

Souriant de la plaisanterie, Philip changea de position et posa sa tête sur les genoux de Malcolm.

— Je voulais commencer mes croquis dès ce soir, mais finalement je préfère finir cette bouteille de champagne avec toi. Promets-moi de...

— Rien à faire, je ne me couperai pas les cheveux.

— Tu ne m'as pas laissé finir. Promets-moi de me faire un tableau rien que pour moi. Avec un cheval.

— Peut-être. Je ne sais pas.

— Si, tu sais. Un cheval en train de tomber.

— Ah… Tu as vu cette étude-là.

— Oui. Le mouvement est magnifique, poignant. Peins-le.

Du bout des doigts, Malcolm suivit les contours du visage de Philip. Pourquoi s'était-il affranchi si facilement concernant ses mœurs et ne parvenait-il pas à se libérer devant son chevalet ?

— J'essaierai, promit-il sans trop y croire.

*

Le froid glacial avait fini par céder. Le thermomètre n'affichait plus de températures négatives, néanmoins il ne faisait que trois degrés, avec un vent violent et de la pluie en rafales. À Gillespie, David passait toutes ses matinées dehors pour couper des branches mortes et ramasser le petit bois qui jonchait le parc. Grâce à sa ténacité, il faisait bon dans le manoir, les cheminées et les poêles ronronnant à longueur de journée.

Scott avait acheté un petit 4 × 4 à Kate pour qu'elle soit en sécurité sur les routes hivernales, et pour sa part il effectuait quotidiennement le trajet vers Greenock, Inverkip ou Glasgow à bord de son Range Rover. À la filature, George avait enfin accepté que Susan vienne habiter avec lui l'appartement de fonction. Celui-ci n'étant pas en très bon état, Susan avait proposé de le rénover et elle passait ses journées vêtue d'une salopette de chantier au milieu des pots de peinture. Pendant ce temps, George travaillait d'arrache-pied. Mis au défi par Scott, il s'était pris au jeu et commençait à se sentir plus à l'aise dans son rôle de directeur. Vivre en couple lui procurait une sorte de légitimité vis-à-vis des ouvrières, et il pouvait s'attarder le soir afin de présenter régulièrement à Donald des dossiers plus solides. Constatant que la situation s'améliorait, Scott le surveillait de loin, sans le harceler.

Amélie se remettait mal de la disparition d'Angus. Depuis le jour de son arrivée à Gillespie, il avait été celui qui la protégeait, qui la mettait au-dessus des autres, qui accédait à tous ses désirs. Dorénavant, elle ne pouvait plus se sentir la maîtresse des lieux. Seule le soir, elle contemplait l'oreiller vide à côté d'elle en se demandant à quoi allait ressembler sa vie. Sans la présence de John – et sa fureur systématique –, peut-être aurait-elle pu s'adapter à la redistribution des rôles et devenir la douairière. Mais son fils aîné la poussait à la révolte, à entamer une guerre qui semblait perdue d'avance et ne ferait que déchirer la famille. Certes, défier Scott n'aurait pas été pour déplaire à Amélie, sauf qu'il y avait Kate et les jumeaux. Habiter avec eux était agréable, mais l'attitude agressive ou méprisante de John selon son humeur mettait tout le monde à cran. Même Betty semblait parfois gênée et tentait de compenser par de petits gestes anodins l'attitude de son mari.

Moïra et David, réconfortés par l'attitude affectueuse de Scott, n'avaient rien changé à leurs habitudes. À eux deux, ils maintenaient la cohésion de la famille, du moins en apparence. Qu'il s'agisse de Philip et Malcolm, de George et Susan ou de Pat et Graham, les invités étaient toujours les bienvenus pour des dîners qui retrouvaient peu à peu de la gaieté. Et les rires des jumeaux ne semblaient plus incongrus.

Au mois de février, pendant les vacances scolaires de *half-term*, Kate décida de profiter de la suggestion de Scott et d'inviter deux de ses collègues à dîner. Elle voulait s'assurer que la petite scène du mois précédent n'avait été qu'un mouvement d'humeur sans suite. L'idée d'avoir un mari jaloux à l'excès la contrariait, et elle espérait que cette soirée dissiperait ses doutes.

Craig se présenta à Gillespie en compagnie d'Elizabeth, un professeur d'histoire. Cette jeune femme s'était prise de sympathie pour Kate dès son arrivée à l'école et elles étaient quasiment devenues des amies. Pour rendre l'ambiance plus chaleureuse, Kate avait également convié Graham et Pat, dont la gentillesse et l'entrain étaient toujours un gage de soirée réussie.

Scott arriva le dernier, retenu tard à la distillerie de Greenock, et il trouva tout le monde installé dans le salon, un verre de whisky à la main. Radieuse, Kate lui présenta Elizabeth, puis remarqua qu'il saluait Craig assez froidement.

— Vous avez une maison magnifique ! s'exclama Elizabeth. Nous sommes sous le charme, n'est-ce pas, Craig ? Kate nous en avait parlé, mais ça semblait un peu trop idyllique, or elle n'exagérait pas.

— Je suis tombée amoureuse de Gillespie le jour de mon arrivée, et de Scott aussi, dans la foulée ! affirma Kate très sérieusement.

— Quel âge avais-tu ? voulut savoir Craig.

— Treize ans.

Elizabeth éclata de rire, mais Kate précisa :

— Un amour obsessionnel d'adolescente, platonique par la force des choses, et bien entendu désespéré.

— Comme quoi il ne faut jamais se décourager.

En le disant, Craig avait souri à Kate d'un air entendu. Scott l'observa puis se détourna. Il s'était promis d'être convivial et chaleureux avec les amis de Kate mais, rien à faire, cet homme l'exaspérait. Il affichait sa complicité avec sa « collègue » de manière trop ostensible, tout en ignorant Scott dont il évitait le regard.

— Depuis combien de temps cette maison est-elle dans votre famille ? demanda Elizabeth.

— Très longtemps ! s'exclama Moïra. Je suis née ici, mon père et mon grand-père aussi, il faudrait consulter nos archives personnelles pour établir la date de la première pierre. L'architecture est assez victorienne, mais en fait le manoir a été remanié à cette époque car sa construction est antérieure. En tout cas, c'est bien un Gillespie qui l'a fait bâtir !

Elle semblait heureuse de pouvoir donner ces précisions, et très fière de sa famille.

— De nos jours, quelle importance, tout ça ? lança John sur un ton ironique. Il faut vraiment vivre dans un trou perdu pour se glorifier d'un tas de vieilles pierres !

— Croyez-moi, ce « tas » ferait le bonheur de pas mal de gens, répliqua posément Elizabeth.

— De gens qui n'ont jamais vu autre chose. Vous vivez tellement entre vous, au fond de vos campagnes… Allez donc faire un tour à Paris !

— Est-ce là que vous habitez ?

— Oui, et j'y suis né. Comme ma mère, ma sœur et mes frères. Kate joue à l'Écossaise bon teint, mais c'est une Gillespie de fraîche date !

Se tournant vers Kate, Craig lâcha :

— Tu as parfois, à peine, une délicieuse trace d'accent français que tout le monde adore.

Il avait paru éberlué par les propos de John ; sans doute ne connaissait-il pas les détails de la situation familiale. Scott espéra qu'au moins Kate ne l'avait pas pris pour confident, ce qui aurait dénoté une trop grande intimité.

— On passe dans la salle à manger, annonça Moïra.

Présidant à l'anglaise, Amélie s'assit avec Craig à sa droite et Graham à sa gauche, tandis que face à elle, à l'autre bout de la table, Scott se retrouvait entre Elizabeth et Pat. La place d'Amélie était restée la même et Scott avait pris celle d'Angus. Kate, arguant des exigences du service qu'elle effectuait avec Moïra, avait refusé de déloger sa mère, et elle s'installait à différents endroits selon les invités. Bien entendu, ce soir-là, elle prit la chaise libre à côté de Craig et se mit aussitôt à bavarder avec lui. Scott se sentit obligé de faire un effort de politesse et il engagea la conversation avec Elizabeth. Pat se tourna alors vers John pour lui demander quels étaient ses projets en Écosse.

— Rien de particulier, ricana-t-il. Je reste uniquement pour soutenir ma mère, je n'aime pas particulièrement être ici.

Elizabeth jeta un regard vers Kate, qui riait avec Craig et n'avait pas entendu. Que sa femme s'amuse aurait dû faire plaisir à Scott, mais il se sentait agacé.

— Nos jumeaux réclament les vôtres, lui dit Pat, enjouée. Depuis qu'ils ont passé une semaine ensemble, ils se languissent les uns des autres. Surtout Tom, qui s'était retrouvé chef de la bande !

Scott ne répondait rien, aussi lui posa-t-elle la main sur le bras, d'un geste spontané.

— Scott ?

— Excuse-moi. Oui, Hannah et Luke en parlent sans arrêt eux aussi. Venez donc tous passer un week-end ici, ce sera très gai.

Kate s'était levée pour aller chercher des plats à la cuisine avec Moïra, et pour la première fois de la soirée Scott et Craig échangèrent un regard.

— Méfie-toi, tu n'as pas l'air aimable, chuchota Pat.

Scott s'efforça de reporter son attention sur elle et il eut un geste d'excuse.

— Je n'y peux rien, répondit-il aussi bas, il m'est antipathique.

— Ne le montre pas, ce n'est pas gentil pour Kate.

— Ah oui ! approuva Elizabeth, qui avait mal entendu. S'il y a bien quelqu'un de gentil, c'est Kate. Ses élèves l'adorent, en plus ils respectent son autorité. Dommage que vous ne puissiez pas être une petite souris au fond de la classe, Scott, vous la découvririez dans son rôle de professeur.

— J'adorerais être une petite souris dans votre école, répliqua Scott.

Kate s'était rassise et Moïra procédait au service de la soupe de crabe. Graham avait engagé la conversation avec Craig à propos de l'immobilier à Glasgow qui ne cessait de monter en flèche. Ce qui ramena Scott à l'idée de vendre son appartement. Graham le lui avait fait acheter bien avant son mariage, et aujourd'hui son locataire payait l'équivalent du crédit. Mais il allait avoir besoin d'argent, car malgré les arrangements antérieurs il y aurait forcément quelques droits de succession à acquitter. Et, quoi qu'il arrive, il résidait maintenant à Gillespie et n'en bougerait plus. De nouveau, il regarda Kate, la trouvant incroyablement jolie. Elle avait attaché ses cheveux en simple queue-de-cheval ornée d'un ruban bleu ciel assorti à sa robe. Son maquillage léger mettait en valeur son teint clair et ses yeux dorés. Elle semblait si fraîche, si gaie qu'il se sentit ému. Bientôt elle fêterait ses vingt-cinq ans, mais elle avait toujours l'allure d'une jeune fille. En comparaison, Elizabeth, pourtant charmante, paraissait terne, comme presque toutes les femmes que Scott avait l'occasion de rencontrer. N'en regarderait-il plus jamais une seule hormis la sienne ?

— Là, tu es parfait ! s'esclaffa Pat.

— Arrête de me surveiller, protesta-t-il avec un sourire. Et tu diras à ton mari que j'aimerais le voir cette semaine pour parler affaires.

— À propos, où en êtes-vous de la succession ? D'après Graham, ça pose problème.

— Amélie a pris un avocat. Bien entendu, c'est l'idée de John. Nous allons tous chez le notaire mercredi, mais je crois qu'il vaut mieux éviter le sujet d'ici là.

Moïra déposa le gigot d'agneau devant Scott et lui tendit un long couteau.

— Découpe-le pendant que je sers les légumes, demanda-t-elle.

Un délicieux parfum d'ail et de romarin émanait de la viande fumante. John se pencha en avant, y jeta un coup d'œil et décréta qu'il ne se sentait pas bien. Il quitta la table sans s'excuser, sous le regard alarmé de sa mère. Betty avait l'air résignée et baissait la tête, fixant son assiette vide. Un silence accompagna la sortie de John, puis Graham relança la conversation en s'adressant à David.

— Tu trouves encore des champignons à cette saison ?

— Quelques-uns, mais il a fait trop froid, ces derniers temps. En revanche, à l'automne j'avais ramassé une grande quantité de bolets que Moïra a séchés et conservés. D'ailleurs, vous en mangerez ce soir.

— Je me suis promis d'aller un jour en forêt avec toi pour que tu m'apprennes à les reconnaître.

— Un jour ne suffira pas. Parce que, crois-moi, mieux vaut ne pas se tromper ! Et à part la morille, il y en a trop qui se ressemblent.

Kate était allée chercher la sauce, mais en reprenant sa place elle buta sur le pied de sa chaise et fit un mouvement maladroit. Devinant que la saucière allait lui échapper, Craig voulut l'aider, malheureusement leurs gestes se contrarièrent et toute la sauce se renversa sur la nappe et sur Craig, qui se leva d'un bond. Horrifiée, Kate poussa une exclamation de rage avant de se saisir d'une serviette. Puis, s'apercevant qu'elle ne pouvait pas tamponner le pantalon de Craig à cet endroit-là, elle resta une seconde le bras en l'air, rouge de honte.

— Oh là là, quel désastre ! s'écria Amélie.

Fusillant sa fille du regard, elle se leva à son tour tandis que Kate bredouillait des excuses incompréhensibles. Moïra les avait rejoints mais, après une seconde d'hésitation, elle choisit de s'occuper de la nappe.

— Ne t'en fais pas, dit gentiment Craig à Kate. C'est ma faute, je voulais t'aider et je t'ai bousculée. Si tu me montres le chemin, je vais aller me nettoyer à la cuisine.

— Nettoyer *ça* ? s'indigna Amélie. Je vous souhaite bien du courage !

S'il était gêné, Craig ne le montrait pas, au contraire il adressa un sourire désarmant à Kate.

— Je suis navré, insista-t-il en lui posant une main sur le bras.

Il était assis lorsqu'il avait reçu la sauce ; tout le haut de son pantalon dégoulinait donc de graisse, jusqu'aux genoux.

— Venez avec moi, trancha Scott en repoussant sa chaise.

— Ah, quand même..., marmonna Amélie à mi-voix.

Elle faisait ainsi remarquer à son gendre qu'il était bien le seul à pouvoir les tirer d'embarras. Scott précéda Craig dans le hall puis dans l'escalier, et ils montèrent jusqu'à sa chambre.

— Je pense qu'un de mes jeans vous ira ?

— Vous êtes un peu plus grand que moi.

— Vous n'aurez qu'à faire un revers.

Scott sortit d'une armoire un jean noir et un sac plastique.

— Mettez le vôtre là-dedans. Je vous montre la salle de bains, si vous voulez prendre une douche. Il y a des serviettes dans le placard.

Il ouvrit la porte, alluma et laissa passer Craig. Jusque-là, il s'était exprimé sur un ton qu'il espérait neutre, à défaut d'être aimable. Il retourna dans la chambre et s'approcha d'une fenêtre. Au-dehors tout était noir hormis, sur la pelouse, quelques rectangles de lumière en provenance de la maison. Pourquoi le geste affectueux de Craig posant sa main sur le bras de Kate le mettait-il dans un tel état de rage ? Était-ce trop affectueux, trop complice ? Pour patienter, il alla jeter un coup d'œil dans la chambre des jumeaux, qui dormaient paisiblement. En emménageant à Gillespie, Kate les avait estimés assez grands pour occuper de vrais lits. N'ayant plus de barreaux pour les arrêter, on les retrouvait souvent dans le même, mais ce soir ils étaient chacun à sa place, entourés de peluches.

Scott referma doucement la porte et regagna sa chambre. Craig sortait juste de la salle de bains, son sac de vêtements sales à la main.

— Merci beaucoup, je me sens mieux ! lança-t-il gaiement. Je laverai votre jean et je le rendrai à Kate. Mais je suis vraiment navré pour le dîner interrompu, je ne...

— Est-ce que ma femme vous plaît, Craig ?

Posée froidement, la question abrupte aurait dû le déstabiliser, pourtant il ne marqua aucune surprise.

— À qui ne plairait-elle pas ? répondit-il très sérieusement.

Ils se défièrent du regard, puis Craig esquissa un sourire apaisant.

— Je ne cherche que son amitié, Scott.

— Tant mieux. Parce que si vous cherchiez autre chose, c'est moi que vous trouveriez. Je suis assez clair ?

Une certaine âpreté dans la voix de Scott ou dans l'expression de son visage dut alerter Craig car il se contenta de hocher la tête.

— Parfait. Descendons vite manger ce gigot qui doit être froid.

Conscient d'avoir été agressif, Scott ne regrettait pourtant rien. La présence de Craig dans la chambre qu'il partageait avec Kate et dans leur salle de bains n'avait fait qu'attiser sa mauvaise humeur. Mais la soirée tournait à la catastrophe, et en tant que maître de maison c'était à lui d'apaiser les esprits, pas le contraire.

Dans la salle à manger, ils trouvèrent les autres en train de rire. Même Amélie et Betty semblaient égayées, malgré le départ de John. Reprenant son sérieux, Moïra leur expliqua comment elle avait réussi à refaire un peu de sauce au fond de la marmite qu'elle avait eu la bonne idée de ne pas mettre à tremper. Plusieurs serviettes avaient été disposées sur la nappe à l'endroit de la tache, et David s'était chargé de découper le gigot qui venait de repasser cinq minutes au four. Kate lança un regard reconnaissant à Scott tandis que Craig reprenait place à côté d'elle en murmurant :

— Voilà, c'est arrangé.

Le dîner se poursuivit sans autre incident, en particulier grâce à Graham et Pat, qui se montraient de joyeux convives quelles que soient les circonstances. Après un dernier verre de whisky siroté au salon, les invités prirent congé vers minuit. Moïra était montée se coucher une fois tout rangé, selon son habitude, Amélie, Betty et David s'étaient éclipsés un peu plus tôt, aussi Scott et Kate se retrouvèrent-ils seuls pour éteindre les lumières.

— On reste un peu ? proposa Scott en désignant la cheminée où des braises rougeoyaient encore.

— Si tu veux, mais j'aimerais être sûre que les enfants dorment.

— Je suis allé les voir, tout va bien.

— Alors, sers-moi quelque chose, je n'ai quasiment pas bu de tout le dîner tant j'étais contrariée. Avoir lâché cette saucière m'a fait mourir de honte ! J'espère que la nappe ne sera pas fichue… En tout cas, j'ai trouvé que Craig prenait les choses très sportivement.

— Ah oui ?

— Imagine un peu ce qu'il a dû éprouver. D'abord, la sauce était très chaude, bien grasse, et elle est tombée au mauvais endroit. Il aurait pu se sentir ridicule et se vexer.

— Et après ? Il n'allait pas te jeter un verre d'eau à la tête.

— Sans ton aide, impossible pour lui de finir le dîner dans cet état.

— Je dois t'avouer que je ne l'ai pas fait très spontanément.

— Pourquoi ? Tu ne le trouves pas gentil ?

— Je ne dirais pas ça.

Elle but une gorgée du whisky-soda qu'il lui avait préparé, puis elle releva les yeux vers lui.

— Tu ne l'aimes toujours pas, j'en suis désolée. Mais tu n'as fait aucun effort pour parler avec lui.

— Je ne pense pas l'intéresser beaucoup. C'est toi, l'objet de toutes ses attentions.

— Scott..., soupira-t-elle.

— Il faudrait être aveugle pour ne pas le voir ! Il est en extase devant toi et il te fait du charme, même avec moi à l'autre bout de la table.

— Tu ne vas pas remettre ça ?

— Si. Je ne peux pas demeurer indifférent quand je vois un homme te draguer.

— Mais c'est faux ! Il ne me drague pas, ou alors je pourrais aussi bien prétendre que Pat cherche à te séduire parce qu'elle te sourit et te parle à voix basse ! Ou bien m'offusquer de t'entendre minauder avec Elizabeth en disant que tu aimerais être une petite souris dans notre école !

— Ne sois pas de mauvaise foi, chérie, ça n'a rien à voir.

— Oh, les hommes ! Cette façon de s'arroger des droits...

— Tu ne connais pas grand-chose aux hommes, la coupa-t-il sèchement. Et c'est bien ce qui m'inquiète.

— Tu aurais préféré que je collectionne les amants avant de t'épouser ?

Pâle de colère, Kate s'était levée et lui faisait face.

— Tout le monde me reproche ma naïveté, mon manque d'expérience, même ma mère ! Mais que *toi* tu me le dises, ça dépasse l'entendement. Reste là si tu veux, pour ma part je vais me coucher. Cette abominable soirée a assez duré. Et compte sur moi à l'avenir pour ne plus jamais inviter aucun ami ici.

— Attends, Kate. Essaie au moins de me comprendre. Je t'aime et je ne veux pas qu'on te tourne autour. Penser que vous êtes tous les jours ensemble suffit à me rendre fou.

— Vraiment ? Alors, que dois-je faire ? Démissionner parce que tu te racontes des histoires ? Trouver un poste dans une autre école et attendre que ça se reproduise avec n'importe lequel de mes nouveaux confrères ? Si tu dois devenir malade de jalousie, je te préviens que je ne le supporterai pas.

— Non, tu caricatures.

— À peine !

— Tu ne peux pas ignorer la façon dont Craig te couve du regard.

— Bien sûr que si, je suis tellement cruche !

— Kate, je déteste ce type.

— Je m'en fous ! hurla-t-elle.

Jamais il ne l'avait vue à ce point en colère. En insistant davantage, il risquait de provoquer une scène qu'ils auraient du mal à oublier l'un comme l'autre. Pourtant, il ne pouvait s'empêcher de croire que la fureur disproportionnée de Kate était due à un véritable attachement à Craig.

Il la rattrapa alors qu'elle franchissait la porte, la saisit par un poignet et la fit pivoter vers lui.

— S'il te plaît, chérie…

Il voulait la prendre dans ses bras mais elle se débattit, le repoussant brutalement.

— Je n'aurais jamais cru que nous puissions nous disputer, Scott. Pourtant ça fait deux fois, et sur le même sujet. Tes soupçons sont injurieux pour moi, est-ce qu'au moins tu t'en rends compte ? Je vais y penser chaque fois que j'entrerai dans la salle des profs ! Je ne sais pas ce que tu attends de moi. Faudra-t-il que je me surveille tous les soirs, en rentrant, pour ne pas laisser échapper le moindre mot qui risquerait de te fâcher, de te ramener à ton obsession ? Je n'ai pas envie de vivre ainsi !

Elle éclata en sanglots, mettant ses poings sur ses yeux comme une enfant. Consterné, Scott essaya encore de l'attirer à lui pour la consoler, mais elle lui échappa. Il l'entendit traverser le hall en courant et se précipiter dans l'escalier. Il la suivit, montant quatre à quatre derrière elle. Sur le palier, il réussit à la ceinturer, la plaqua contre lui.

— Je t'en supplie, murmura-t-il, ne me fuis pas…

Sous ses mains, il la sentait chercher son souffle, le cœur battant. Il l'embrassa dans la nuque, derrière l'oreille, puis sur l'épaule. Elle était si vulnérable et si émotive, de quel droit la faisait-il pleurer ? À travers sa robe, il percevait la chaleur de son corps, ses muscles tendus. Dans ses cheveux défaits flottait encore l'effluve de son parfum. Un brusque désir le prit au dépourvu. Il avait envie d'elle, là, debout à l'entrée de la galerie, et il la serra plus fort.

— Lâche-moi, Scott, dit-elle d'une voix froide.

Au prix d'un gros effort, il la laissa s'écarter de lui. Elle se retourna et le considéra avec une expression indéchiffrable. Quand il comprit qu'elle attendait quelque chose de précis, il fut obligé de capituler.

— D'accord, soupira-t-il. Excuse-moi, j'ai été odieux. Je te promets de ne plus t'en parler.

Il la vit enfin se détendre, esquisser un demi-sourire.

— Tu dis ça parce que tu as envie de faire l'amour ?

— Et aussi parce que c'est vrai. Je n'ai qu'une parole.

— Je saurai te le rappeler.

Ce fut elle qui s'approcha, lui mit les bras autour du cou. Il baissa la tête pour l'embrasser et ils restèrent longtemps enlacés. Quand il releva le bas de sa robe, elle murmura seulement :

— Ici ?

— Tout le monde dort. Et nous sommes mariés.

Dans la pénombre du palier, le regard de Kate brillait et il sut qu'elle était d'accord.

7

— *Pour les biens qui seront encore en ma possession au jour de mon décès, je souhaite qu'ils soient répartis entre mon fils unique, Scott, et mon épouse, Amélie, selon la législation en vigueur. À l'exception de mes fusils, que je lègue à mon cousin David, et de la montre de gousset rangée dans le tiroir de mon bureau et qui avait appartenu à mon père, que je lègue à ma sœur Moïra.*

Le notaire releva la tête pour promener son regard sur l'assistance. Amélie était accompagnée par son avocat, Bruce Forbes, et avait demandé que son fils John soit présent pour la soutenir. Scott était venu avec Kate en espérant qu'elle saurait apaiser sa mère en cas de conflit. Enfin David et Moïra étaient là parce qu'ils étaient nommés dans le testament.

— Avez-vous pu établir la liste des biens que possédait M. Angus Gillespie ? s'enquit l'avocat.

— Absolument. Les liquidités du compte d'épargne et du compte courant, des terres agricoles qui étaient des acquisitions récentes, ainsi que quelques parts dans la distillerie de Greenock.

— « Quelques » ?

— J'en ai le compte précis dans le document que je remettrai à chacun de vous.

— Et la distillerie d'Inverkip ?

— Il n'en était plus actionnaire.

— Et la filature ?

— Elle ne lui appartenait pas, elle est un bien propre de M. Scott Gillespie qui l'a héritée de sa mère, Mary.

L'avocat leva les yeux au ciel, puis demanda de façon tranchante :

— J'aimerais consulter tous les actes des cessions de parts concernant les distilleries, avec les montants, les dates, et les droits acquittés.

— Je vous en ferai établir copie, répliqua le notaire sans s'émouvoir.

— Vous mesurez, j'imagine, quelles peuvent être la surprise et la déception de Mme Amélie Gillespie. Le fait que son défunt mari se soit dessaisi de quasiment tous ses biens au profit de son fils et qu'il ne l'ait *jamais* mentionné est assez inhabituel.

— Mais pas illégal.

— À vérifier !

— Faites donc.

Le notaire marqua une pause avant de reprendre la lecture de ses documents.

— Il y a également un coffre à la banque, et j'ai procédé à son ouverture en présence d'un huissier et de M. Scott Gillespie. Nous avons dénombré neuf bijoux de femme.

— Accompagnés de leurs factures ? intervint l'avocat.

— Non.

— Si l'on ne peut prouver leur antériorité au second mariage de M. Angus Gillespie, ils font donc partie de l'actif.

— Ce sont les bijoux de ma mère, intervint Scott.

— La banque tient forcément un registre des visites de ses clients à la salle des coffres, s'entêta l'avocat. À quand remonte la dernière visite de votre père ?

— Au moment de mon mariage avec Kate. Il est allé chercher la bague de fiançailles de ma mère pour la lui offrir.

— Donc il a eu accès à ce coffre alors qu'il était marié avec Mme Amélie Gillespie. Les bijoux auraient pu y être déposés à cette date et destinés à son épouse pour des occasions futures.

Éberlué, Scott dévisagea l'avocat. Celui-ci eut une ombre de sourire avant de préciser :

— Nous les ferons estimer pour le partage.

Sans le regarder, Kate posa sa main sur le bras de Scott. Tout ce qui concernait le souvenir de sa mère le mettait à vif, et l'idée de voir une partie de ces bijoux attribuée à Amélie devait lui sembler scandaleuse.

— Vous ne vous y opposez pas, je suppose ? lâcha l'avocat avec dédain. Vous êtes tellement privilégié dans cette succession…

— Je ne bénéficie d'aucun privilège et je ne compte pas m'en faire octroyer. Je respecte la veuve de mon père, je ne lui ferai pas tort d'un seul penny. Mais beaucoup de choses peuvent se régler à l'amiable et je trouve que vous mettez inutilement de l'huile sur le feu, maître Forbes.

— J'aime les affaires en ordre, monsieur Gillespie.

— Elles le sont ! protesta le notaire.

— Elles le seront quand j'aurai tout vérifié point par point. Il existe une disproportion énorme entre les espérances que pouvait légitimement concevoir ma cliente et la réalité de cette succession qui ressemble à une farce.

Avec un haut-le-corps, le notaire recula son fauteuil de bureau.

— En somme, ricana l'avocat, ma cliente a épousé un *pauvre* qui avait tout l'air d'un riche propriétaire.

— Évidemment, si elle l'avait épousé pour sa fortune, ce serait très décevant, mais comme ce n'est pas le cas…

La réflexion, lâchée à mi-voix par David qui n'avait pas dit un mot jusque-là, fit réagir John.

— On ne t'a rien demandé à toi, le minable !

— Tu te calmes ! lui lança Scott par-dessus la tête des autres.

— Messieurs, s'il vous plaît, intervint le notaire. S'il y a d'autres questions, je suis prêt à y répondre.

— N'y avait-il que les neuf bijoux dans ce coffre ?

— Oui.

— Bien, je pense que je vais constituer un dossier pour estimer s'il y a lieu d'intenter une action en justice, déclara Bruce Forbes avec arrogance. D'ores et déjà, je vous demande un inventaire précis de l'ensemble du mobilier de Gillespie, établi sous contrôle d'un commissaire-priseur.

Moïra s'agita sur sa chaise et essaya de croiser le regard de Scott. Mais celui-ci, dont Kate continuait à serrer le bras, gardait les yeux rivés sur le notaire. Celui-ci répéta lentement :

— Un inventaire ?

— Tout à fait. Je suppose que la donation de la propriété de Gillespie n'incluait pas les meubles meublants, y compris d'éventuelles œuvres d'art. Il est probable que le don se rapporte uniquement à la maison et aux terres constituant le domaine à cette époque-là, sans autre précision. Si c'est bien le cas, tout ce qui se trouve à l'intérieur est réputé appartenir à M. Angus Gillespie au jour de son décès, et en conséquence faire partie de la succession.

Un bref silence suivit sa déclaration. Moïra semblait accablée, et Scott regardait à présent le tapis.

— Nous sommes donc appelés à nous revoir, conclut Forbes en se levant. Je vous remercie de faire parvenir tous les documents nécessaires à mon cabinet.

Il tendit la main à Amélie pour l'aider à quitter son fauteuil, montrant par ce geste qu'elle était bien « sa » cliente.

— Ma secrétaire va vous raccompagner, dit le notaire en appuyant sur une sonnette.

Après une brève hésitation, John choisit de suivre sa mère et l'avocat. Dès qu'ils furent sortis tous les trois, Kate laissa échapper un long soupir de soulagement.

— En clair, qu'est-ce que cela signifie ? demanda-t-elle.

— Forbes va tout contrôler, tout éplucher. Mais pour une fois, malgré sa réputation infaillible, il a choisi une mauvaise cause. Il n'y a rien d'illégal dans cette succession, d'ailleurs Mme Amélie Gillespie ne se retrouve pas sans rien car l'actif n'est pas insignifiant. Elle obtient également quelques parts de la distillerie de Greenock, que vous seriez bien inspiré de lui racheter, Scott, car rien ne l'empêcherait de les vendre à n'importe qui. Pour l'inventaire, je ne peux rien faire.

Hochant la tête, Scott prit la liasse de papiers que le notaire lui tendait.

— In-ven-tai-re ? articula Moïra en détachant chaque syllabe. Jusqu'à la dernière petite cuillère ou taie d'oreiller ?

— J'en ai peur.

— Seigneur ! Angus doit se retourner dans sa tombe.

Le notaire sourit puis s'adressa directement à Kate :

— Votre mère est mal conseillée. Il n'y a rien de bon à attendre de ce genre de querelle familiale. Forbes va tout faire pour gagner un peu plus d'argent puisque au lieu d'honoraires il a accepté un pourcentage, et il se moque bien des conséquences. C'est un rapace, pour lui les rapports humains n'ont aucune importance.

— Désolé pour tous ces… débordements, s'excusa Scott d'une voix tendue.

— Ne vous inquiétez pas, j'en ai vu bien d'autres dans mon étude. Et je me doutais que ce ne serait pas simple !

Le notaire les raccompagna lui-même et prit congé sur le trottoir, un signe de sympathie, ou peut-être même de considération envers Scott, qui était devenu un de ses gros clients.

Une fois installés tous les quatre dans le Range Rover, Scott ne démarra pas aussitôt. Il prit une profonde inspiration avant de lâcher :

— Notre notaire vient de le dire, ce ne sera pas simple… Alors inutile d'y mettre de la mauvaise volonté, on laisse faire ce foutu inventaire. Concernant les bijoux de maman, je suis révolté, mais on verra en temps et en heure. L'essentiel pour moi est de pouvoir racheter les parts de la distillerie.

— John s'y opposera, rien que pour t'emmerder, grommela David. Il préférera les vendre à un de tes concurrents. J'ai beau être un minable, je sais exactement ce qui va arriver.

Scott se tourna vers lui pour répliquer :

— Cousin David, tu es un sage, on te l'a toujours dit.

Il se força à lui sourire, mais dès qu'il reprit sa place sur son siège son visage redevint grave.

*

Susan avait enfin rangé le dernier pot de peinture et l'échelle. L'appartement était devenu pimpant après tant d'heures passées à laquer les murs, et l'ancien logement de fonction tristounet s'en trouvait transformé.

— Tu as fait un sacré boulot ! répéta George.

Il disposa des tranches de bacon grillé autour des œufs brouillés, ajouta des triangles de toasts et posa leurs assiettes sur la table.

— Maintenant, grâce à toi, il fait bon vivre ici.

Être sur place lui permettait de s'attarder pour le petit déjeuner, un repas qu'il affectionnait. Susan emplit leurs tasses de café puis jeta un regard circulaire.

— Les occupants précédents ont été négligents.

— Quand tu n'es pas chez toi, tu t'en fiches un peu.

— Je n'aime pas cette mentalité. Pour moi, le cadre de vie est important.

— Toi, bien sûr ! s'esclaffa-t-il.

Le métier de Susan, un peu surprenant pour une femme, était la rénovation d'appartements. Elle avait appris la plupart des techniques auprès de son père, un artisan de Glasgow, et savait aussi bien plâtrer que peindre, réparer une canalisation défaillante, refaire une électricité vétuste. George avait payé les fournitures, mais elle lui avait fait cadeau de son travail. Pas vraiment jolie avec un visage émacié et un nez en trompette, elle possédait cependant un charme fou dû à son irrésistible sourire et à ses yeux en amande. Petite et bien faite, elle dégageait autant de gentillesse que de gaieté. Si George n'en avait pas été très amoureux au début de leur relation, il s'y était attaché au fil des mois et n'envisageait plus désormais sa vie sans elle. Le seul problème était que Susan ne voulait pas arrêter ses activités. Après avoir consacré beaucoup de temps au logement de la filature, elle devait rattraper son retard sur ses autres chantiers et rentrait très tard le soir, harassée. Or George ne voyait pas la vie d'un couple de cette manière. Il souhaitait retrouver Susan à midi pour sa pause lorsqu'il remontait chez lui, et partager avec elle les longues soirées. Cette divergence risquait de leur créer des soucis dans l'avenir, et dans l'immédiat elle empêchait George de songer au mariage.

— Comment s'est passé le rendez-vous chez le notaire ? demanda-t-elle, les yeux brillants de curiosité.

— Mal, d'après John.

— C'était couru d'avance. Ton frère n'est *jamais* content.

— Il a des excuses. Enfin… En ce moment. Mais il n'était pas plus heureux avant. Bien entendu, maman se range à son avis. Elle lui a toujours donné raison, quoi qu'il fasse. Sauf que, finalement, sa haine pour Scott s'est diluée avec les années et elle n'a plus vraiment envie de lui créer des ennuis. Elle est plutôt mitigée concernant l'avocat.

— Pourquoi ? Si elle est dans son bon droit...

— Ça reste à prouver. Angus avait très bien planifié les choses alors qu'il ne connaissait pas encore maman.

— D'après ce que tu m'as dit de lui, il était terriblement traditionnel, attaché à son domaine, ses ancêtres, son titre de laird.

— Pour l'obtenir, il suffit d'acheter un terrain !

— Là, il est question de propriété héréditaire. De possessions terriennes transmises de père en fils. Gillespie en est l'exemple type.

George ramassa ce qui restait d'œuf avec son dernier morceau de toast.

— L'avocat va faire traîner les choses. Il dit être prêt à se battre jusqu'à la dernière petite cuillère. Moïra est scandalisée.

— Pourvu qu'elle ne fasse pas la grève des fourneaux !

Susan s'était mise à rire, joyeuse comme à son habitude.

— J'aime bien ta famille, ajouta-t-elle.

Ce qui signifiait sans doute qu'elle était prête à en faire partie.

— Je dois descendre, annonça-t-il après un regard vers la pendule murale.

Les ouvrières n'allaient plus tarder et il aimait être là quand elles commençaient leur travail. Il surveillait le démarrage des métiers à tisser, de chaque tapis d'alimentation vers son loup-carde, observait les rouleaux de mèches tournant sur leurs cylindres, les bobines de fil en formation. En quelques minutes, les bâtiments s'animaient d'une activité de ruche, et alors seulement il gagnait son bureau. Donald ne venait plus qu'une ou deux fois par semaine, George n'ayant plus vraiment besoin de ses conseils. Il se sentait désormais de taille à décider seul de la prochaine collection censée remonter le chiffre d'affaires. Bientôt, il présenterait à Scott son projet chiffré et assorti des croquis en couleurs. Tartans destinés aux kilts et aux écharpes, pulls aux tons pastel, plaids écossais : il avait tout étudié durant des journées entières. Restait à renouveler les filières de vente, à trouver de nouveaux débouchés.

— Bonne journée, monsieur le directeur ! plaisanta Susan.

— Ne te moque pas de moi.

— En fait, j'adore te voir avec ta cravate et ton costume, tu fais très sérieux.

En le disant, elle se remit à rire. Pour sa part, elle portait une salopette sur un sweat-shirt, sa tenue quotidienne. Il ne détestait pas cet accoutrement de travail qui lui donnait une allure de garçon manqué, mais il préférait, de beaucoup, la voir en robe ou en jupe.

Ils descendirent l'escalier extérieur l'un derrière l'autre et il l'accompagna à sa voiture avant d'aller ouvrir les grilles. Le jour pointait à l'est, avec un ciel limpide qui annonçait un beau temps froid. Au moment où Susan démarrait, des phares apparurent au loin sur la route. La matinée allait débuter et George se sentait en pleine forme.

*

— Scott chéri, il est tard, chuchota Kate.

En sortant de sa douche, au lieu de choisir une chemise et une cravate, il était revenu s'allonger près d'elle et s'était rendormi.

— Tu es fatigué ?

— Oui, soupira-t-il.

— Tu travailles trop.

Il bâilla, s'étira, se tourna vers elle pour l'embrasser.

— Tu es très belle au réveil, tu me donnes envie de rester avec toi. Toute une journée sous la couette, ce serait divin !

Mais il se leva et commença à s'habiller. N'ayant pas cours ce matin-là, Kate n'était pas pressée. Elle comptait donner leur petit déjeuner aux jumeaux avant de prendre un bain plein de mousse, plaisir qu'elle s'accordait rarement.

— Ne pars pas sans manger quelque chose, recommanda-t-elle.

— Moïra y veillera !

Il lui adressa un baiser du bout des doigts, enfila sa veste et sortit. Tout en dévalant l'escalier, il se remémora le planning de sa journée, qui était chargé. Pourtant, ses obligations professionnelles ne lui pesaient pas, contrairement à ses soucis familiaux.

— Tu as fait la grasse matinée, on dirait ! plaisanta David en le voyant entrer dans la cuisine.

— Il est à peine huit heures, tempéra Moïra.

— Un peu tard pour moi, admit Scott.

Il engloutit un toast sans avoir pris le temps de le beurrer et but son café debout.

— Le commissaire-priseur vient à dix heures pour l'inventaire, rappela Moïra sur un ton faussement désinvolte.

— Laissez-le faire son travail.

— Bien sûr…

— Je ne peux pas décommander mes rendez-vous de ce matin, j'ai un client important à Inverkip. Est-ce que ça ira ?

— Ne t'inquiète pas.

Cependant elle avait sa tête des mauvais jours, sans doute ulcérée par la perspective d'un inconnu ouvrant tous les placards de la maison. Dans le hall d'entrée, tandis que Scott enfilait son pardessus, Betty le héla, dévalant l'escalier.

— Scott ! Vous avez une minute ? Il faut absolument que je vous parle.

Essoufflée, elle s'appuya à la grosse boule de cristal taillé qui surmontait le dernier barreau de la rampe.

— Je suis obligée de m'adresser à vous parce que je ne sais pas vers qui me tourner. John ne me répond pas quand je l'interroge sur ses intentions, mais nous devons absolument prendre des décisions. Mon employeur français a refusé ma demande de congé sans solde et me met en demeure de retourner au travail. Je vais donc démissionner, je n'ai pas le choix. Et rendre le bail de l'appartement avant qu'un huissier ne s'en mêle car nous ne payons plus le loyer. Croyez-vous que je pourrais trouver un job ici, même temporaire ? Je ne veux pas rester sans rien faire, l'inaction me rend folle. Et puis nous aurons besoin d'argent parce qu'il faut que John se fasse suivre médicalement. Hélas, nous n'avons pas de couverture sociale en Écosse, et tout ça est si compliqué pour moi...

Son menton s'était mis à trembler, apparemment elle était à bout. Sans doute était-elle seule à se débattre dans les problèmes, John se révélant incapable de l'aider. Comme toujours, il comptait sur sa mère ou sa femme pour tout aplanir.

— Je me suis renseignée partout, reprit-elle en surmontant son émotion, et nous devrons aller à Édimbourg. Il y a là-bas un hôpital qui possède un service spécialisé. J'ignore quelles seront les démarches pour faire admettre John, mais j'y arriverai. Son traitement ne doit être interrompu sous aucun prétexte !

— Il possède toujours la double nationalité, française et écossaise, alors les choses devraient s'arranger. Prenez rendez-vous pour lui, Betty, et accompagnez-le. Si vous avez besoin d'argent, nous vous aiderons, ne vous inquiétez pas pour ça. En ce qui concerne un travail, je n'ai pas d'idée pour l'instant, mais j'en parlerai autour de moi.

Le visage de Betty exprimait un tel soulagement qu'il en fut ému.

— Merci du fond du cœur, Scott. Je sais que John se montre odieux avec vous et j'avais peur de votre réaction. Vous auriez pu m'envoyer promener, j'aurais compris.

— Non, pas vous, Betty.

Avec ces quatre mots il lui faisait comprendre qu'il était son ami, contrairement à John. Il n'avait aucune envie de secourir ce dernier, malade ou pas. En de nombreuses occasions, John s'était dressé contre lui, et son départ pour la France avait permis l'apaisement de la famille. Depuis qu'il était revenu, pour des raisons d'intérêt personnel, il semait de nouveau la discorde. Son emprise sur sa mère était intacte et il en profitait sans scrupules. Alors, bien qu'il soit le frère de Kate, Scott n'avait aucune considération pour lui. George et Philip avaient bien évolué depuis quelques années, trouvant chacun sa voie tandis que John accumulait les échecs et devenait aigri. Quant à sa séropositivité, il avait pris des risques en ayant des rapports non protégés, et aujourd'hui il en voulait au monde entier, en particulier à Scott, mais ne se remettait pas en cause. Il errait dans Gillespie avec un air d'ennui profond ou s'enfermait avec Amélie pour des conciliabules dont il sortait très agité. Il trouvait normal d'être entièrement pris en charge par une famille qu'il méprisait ouvertement. Même vis-à-vis des jumeaux, pourtant adorables, il n'affichait qu'indifférence ou agacement. Son attitude exaspérait Scott au plus haut point, mais que faire ? Impossible de l'expédier ailleurs puisqu'il était sans ressources, et Betty aurait été la première à en pâtir. D'ailleurs, elle souffrait visiblement de la situation, elle avait beaucoup changé depuis l'époque où elle était comptable à la distillerie de Greenock. C'était alors une jeune femme pleine d'entrain, souriante et disponible. Aujourd'hui, elle semblait éteinte, écrasée par ses responsabilités, déçue par l'existence. Pourtant elle voulait se battre, par amour ou par devoir, ce qui la rendait estimable.

Tout en filant vers Inverkip, Scott ruminait des pensées contradictoires. Amélie, avec laquelle il ne voulait pas se fâcher, Betty, qui était en perdition, et enfin le spectre de la maladie lui interdisaient de s'en prendre à John. Il ne pouvait que le subir, sans savoir pour combien de temps. Mais, au moins, il allait rendre coup pour coup à l'arrogant Bruce Forbes. Devait-il, lui aussi, engager un avocat ? Était-il concevable que la succession se trouve totalement bloquée ? Que les bijoux de sa mère finissent sur Amélie ? Que l'argenterie et la vaisselle de ses ancêtres soient réparties en lots dont certains seraient vendus ? Qu'un de ses concurrents sur le marché du whisky se retrouve actionnaire de la distillerie Gillespie ? De quoi le faire bouillir de rage. Jamais il n'avait eu l'intention de spolier Amélie. Au contraire, il se souvenait très bien de la promesse faite à son père, qu'il comptait respecter. Il avait même envisagé de constituer une rente pour sa belle-mère si la somme qu'elle recevait était insuffisante. Il la considérait toujours comme la maîtresse de maison à Gillespie, avec le plein accord de Kate. Tout aurait pu s'arranger sans heurt si John ne s'en était pas mêlé. À présent, Scott se sentait acculé. Même en vendant vite son appartement, aurait-il les fonds nécessaires pour racheter les parts d'Amélie ? Y consentirait-elle, toujours sous l'emprise de John ?

Préoccupé, il faillit rater un virage et il ralentit aussitôt. Avoir un accident ne l'aiderait pas à résoudre ses problèmes. Or il était le seul à pouvoir trouver des solutions. Kate elle-même ne pouvait pas l'aider, s'agissant de sa mère et de son frère elle était trop concernée. En arrivant à proximité de la distillerie, il décida d'oublier sa famille pour quelques heures et de se consacrer à ses affaires.

*

Postés de part et d'autre de Moïra, Philip et Malcolm surveillaient ses gestes.

— Après l'avoir retournée et bien grattée, j'ai laissé la panse toute la nuit dans de l'eau salée, rappela-t-elle. Et j'ai mis la fressure et les rognons à cuire doucement il y a bientôt deux heures.

— Ta fressure, c'est foie, cœur et poumons ? s'enquit Philip.

— Absolument. Maintenant, je retire ça de l'eau, et je dois enlever les cartilages et la trachée.

— Horrible..., ponctua Malcolm. Mais ce sera tellement délicieux !

— Ne ferme pas les yeux, regarde-la faire, lui enjoignit Philip en riant.

— Tu vas te servir d'un hachoir, Moïra ?

— Non ! Je hache toujours au couteau. C'est un coup de main à prendre.

Fascinés, ils la regardèrent travailler la viande de brebis avec des gestes précis.

— Vous m'avez épluché les oignons, les garçons ? Alors on va les faire blanchir et on gardera leur eau de cuisson. Que l'un de vous prenne une poêle pour faire griller les flocons d'avoine jusqu'à ce qu'ils croustillent.

Malcolm s'en chargea tandis que Philip demandait :

— Et cet inventaire, Moïra ?

Elle resta une seconde avec son couteau en l'air, puis elle le planta violemment dans la planche en bois.

— Intolérable ! Le commissaire-priseur n'était pas désagréable, il a même essayé d'être discret, mais le voir fouiller m'a rendue malade. C'était une violation de notre intimité. Il a ouvert jusqu'au dernier tiroir, a tout noté, ça lui a pris des heures et il avait deux stagiaires avec lui ! Dans la galerie du premier, la série de pastels l'a impressionné. Il paraît qu'ils ont une certaine valeur, comme les meubles de la chambre d'Angus et les deux commodes du hall d'entrée. Pour finir, il est allé répertorier les outils de jardin, tondeuse, débroussailleuse et le reste, alors là j'ai bien cru que David allait sortir de ses gonds.

— Au moins, vous connaîtrez le prix des choses qui vous entourent, dit Malcolm avec ironie.

Choquée, Moïra lui lança un regard incisif : elle vit qu'il plaisantait pour la faire rire.

— Bon, parlons d'autre chose, admit-elle. Allez, on mélange tout maintenant, en liant avec l'eau de cuisson des oignons. Il faut bien pétrir pour que ça devienne consistant mais souple.

— Je peux le faire ? demanda Philip.

— D'accord, si tu t'appliques. Ce serait bien la première fois que je raterais mon haggis !

Elle récupéra sa panse de brebis qu'elle essuya avec soin.

— Quand Philip aura fini de malaxer, on la remplira, mais aux deux tiers seulement. On évacue bien l'air et on ficelle au milieu, ensuite on pique avec une aiguille pour que ça n'éclate pas à la cuisson.

— Pendant combien de temps ?

— La cuisson ? Trois à quatre heures.

— Seigneur ! À quelle heure allons-nous dîner ?

— Parce que vous comptiez en manger ? Moi qui croyais que vous n'étiez là que pour la recette...

La mine déconfite des deux hommes la fit sourire.

— Bon, rassurez-vous, il y en aura pour tout le monde et vous pouvez rester avec nous ce soir. Scott doit rentrer tard, on ne passera à table que vers huit heures et demie.

Depuis bien des années, Amélie avait réussi à imposer ses horaires pour les repas, estimant que les Écossais dînaient trop tôt. En revanche, elle n'avait jamais pu s'imposer à la cuisine et avait fini par l'abandonner à Moïra.

John fit irruption au moment où Moïra posait un couvercle sur la marmite.

— Qu'est-ce que c'est que cette odeur abominable ? se plaignit-il avec une grimace dégoûtée.

— Nous venons de terminer la fabrication du haggis, expliqua Philip.

— Comment pouvez-vous bouffer ce truc ?

Il avait une mine épouvantable, le teint gris et les yeux cernés. Compatissante, Moïra proposa de prévoir autre chose pour lui.

— Si tu veux, je te ferai une omelette.

Haussant les épaules, il refusa.

— Je me contenterai de ta purée. C'est bien ce que tu sers avec ton horreur ?

— Ne sois pas désagréable, tout le monde adore ça. Même ta mère s'y est mise.

John sortit de sa poche la boîte qui contenait ses médicaments. Il devait les prendre à heure fixe et s'y astreignait. Il but directement au robinet de l'évier pour faire passer les comprimés puis déclara :

— Finalement, c'est un vrai coffre au trésor, cette baraque... Le commissaire-priseur est arrivé à une jolie somme !

Moïra ignora la provocation, s'affairant à baisser le feu sous sa marmite. Philip et Malcolm échangèrent un regard que John surprit, et il les apostropha.

— Eh bien quoi, les tourtereaux, quelque chose vous choque ? Toi, Philip, tu te fous royalement du sort de maman, si je n'étais pas là il n'y aurait vraiment personne pour la défendre. George est un toutou devant Scott, et je ne parle pas de Kate !

— Il y a moyen de faire les choses en douceur et nous ne sommes pas aussi agressifs que toi, dit patiemment Philip.

— Parce que vous n'êtes pas malades ! Vous avez toute la vie devant vous, pas moi !

Il avait crié et sa voix s'était cassée sur les derniers mots. Il quitta la cuisine dont il claqua la porte avec assez de force pour faire trembler les vitres. Après un petit silence consterné, Malcolm murmura :

— Waouh ! Il est très mal dans sa peau... Mais je pense qu'on peut le comprendre, et aussi le plaindre.

— Je m'en veux de lui avoir répondu, avec lui mieux vaut s'écraser.

— Je ne sais pas comment nous réagirions à sa place, intervint Moïra. C'est sûrement très dur pour lui.

— Pour son entourage aussi, fit remarquer Philip. Il n'y a qu'à voir la tête de Betty...

Leur gaieté de l'après-midi avait disparu, remplacée par un vague malaise.

— Bon sang, quand trouvera-t-on un vaccin pour cette putain de maladie !

L'un des meilleurs amis de Malcolm était atteint du sida, ce qui expliquait ce juron furieux alors qu'il avait toujours un langage châtié.

— En attendant le remède miracle, la science a progressé. Si John est bien soigné, il peut rester stable et ne pas développer la maladie. Je sais qu'il a rendez-vous cette semaine à Édimbourg, Betty s'est démenée pour le lui obtenir.

Moïra consulta la montre de gousset dont elle avait hérité et qui ne quittait pas sa poche. Elle était allée la chercher dans le tiroir du bureau d'Angus en rentrant de chez le notaire, horrifiée à l'idée qu'elle puisse, par erreur, faire partie de l'inventaire.

— Trouvez de quoi vous occuper pour la fin de l'après-midi, les garçons !

— J'ai apporté mon carnet de croquis et mes fusains, annonça Malcolm. Je vais monter au belvédère pour dessiner un peu.

— Prends la clef dans ce tiroir. J'ai fermé pour que les jumeaux ne puissent pas y aller. Les enfants, on ne sait jamais ce qui leur passe par la tête.

— C'était l'endroit préféré de Kate quand elle était gamine, rappela Philip avec un sourire. Elle guettait l'arrivée de Scott telle la princesse en haut de sa tour !

Il adressa un clin d'œil à Malcolm et ajouta :

— J'espère que la vue t'inspirera. En t'attendant, je vais éplucher les pommes de terre.

— Tu ne veux pas en profiter pour travailler aussi ?

— Je n'ai pas mes planches ici, et j'ai envie d'une journée sabbatique.

Tandis que Malcolm quittait la cuisine, il alla piocher un vieil exemplaire du *Daily Record* dans le panier à journaux et l'étala sur la table.

— Il a un talent incroyable, mais il ne le sait pas…

— Vous êtes doués tous les deux, protesta Moïra.

— Ça n'a rien à voir. Je suis un tâcheron à côté de lui. Juste un simple dessinateur.

— Tu te dévalorises.

— Non, Moïra, je suis lucide. J'arriverai sans doute à bien gagner ma vie dans la bande dessinée, et j'adore ce métier, mais Malcolm deviendra un vrai peintre… qui ne vendra peut-être pas un seul tableau.

— La vie est injuste, tout le monde sait ça, soupira Moïra.

Elle resta songeuse un moment puis décida de préparer un gâteau pour faire plaisir aux jumeaux. Eux, au moins, n'avaient pour le moment aucun souci.

*

— Si, répéta Craig, il m'a demandé textuellement : « Est-ce que ma femme vous plaît ? »

Il avait rendu à Kate le jean lavé et repassé, et à présent il lui racontait en souriant sa brève altercation avec Scott.

— Ton mari n'a pas l'air commode quand il est contrarié ! J'ai eu beau lui affirmer que je ne cherchais rien d'autre que ton amitié, il était prêt à en découdre.

— Oui, il est très jaloux, admit-elle à regret. Et c'est un défaut que je déteste.

Installés dans la salle des professeurs, ils avaient pris au distributeur des gobelets de café brûlant. La pluie s'abattait en rafales sur les vitres embuées et la nuit était en train de tomber.

— C'est bientôt le printemps, mais ça ne se voit pas, ajouta-t-il avec un regard éloquent vers les fenêtres.

Kate hocha la tête distraitement. Scott ne lui avait pas fait part de cette petite scène, craignant sans doute sa réaction. Il avait d'ailleurs promis ce soir-là de ne plus jamais parler de Craig. Mais il devait imaginer des tas de choses pendant que Kate était à l'école. Or il ne se passait rien, du moins *presque* rien. En fait, Craig recherchait sa compagnie, lui proposait souvent de boire un café ou un thé entre deux cours, et lorsqu'elle corrigeait des copies dans la salle des professeurs, il arrivait comme par hasard. Était-ce vraiment pour le plaisir de parler littérature ? Elle commençait à en douter. Et pouvait-il être question d'amitié entre un homme et une femme de la même génération, séduisants tous les deux ? Depuis que Scott s'était montré jaloux, elle faisait plus attention à l'attitude de Craig, découvrant ses regards appuyés et ses sourires charmeurs. Il n'agissait pas avec elle de la même manière qu'avec ses autres collègues, c'était à elle seule qu'il réservait ses fous rires et ses grandes envolées lyriques sur les poètes écossais.

— Quand Scott t'a posé cette question, qu'as-tu trouvé à lui répondre ? voulut-elle savoir.

— J'ai dit : « À qui ne plairait-elle pas ? » Une forme de provocation, d'accord, mais sa question était désobligeante. Tu l'auras remarqué, je lui suis très antipathique. Et je demeure persuadé que tous les hommes pas trop moches qui t'approcheront auront droit au même traitement.

Elle aurait voulu prendre la défense de son mari, mais elle restait choquée par ses crises de jalousie, et Craig n'avait sans doute pas tort.

— Scott doit régler mille choses en ce moment, plaida-t-elle néanmoins. Il a lancé sur le marché son whisky de quinze ans d'âge qu'il cherche à imposer. Sa secrétaire vient de partir en congé de maternité et il n'arrive pas à trouver une remplaçante valable. Il commence juste à pouvoir faire confiance à mon frère George à la filature, et maintenant c'est John qui lui crée des tas de problèmes pour la succession. L'avocat de maman est enragé, et si ça continue de cette façon Gillespie finira sous scellés ! Scott essaie de garder son calme parce qu'il respecte ma mère et parce que John est malade, mais il bout intérieurement. D'une certaine manière, c'est ma famille contre la sienne, et moi, je suis au milieu.

— Pauvre Kate...

— Non, je ne suis pas à plaindre ! protesta-t-elle en souriant.

Craig savait écouter et compatir, une qualité appréciable mais qui poussait Kate à se confier malgré ses réticences.

— Nous serons encore une fois les derniers, constata-t-elle en désignant la grosse pendule murale.

Autour des projecteurs de la cour, des halos de pluie semblaient en suspension. Kate décrocha son imperméable, que Craig l'aida à enfiler.

— Tu me fais toujours parler de moi, en revanche je ne sais pas grand-chose de ta vie, fit-elle remarquer. La prochaine fois, c'est toi qui raconteras !

— Est-ce que ça t'intéresse ? demanda-t-il d'une voix amusée.

En même temps, il lui posa une main sur l'épaule. Il avait souvent fait ce geste, pourtant elle en fut soudain gênée. La familiarité amicale qui régnait entre eux pouvait être interprétée de diverses manières. Elle prit conscience, avec un sentiment de culpabilité, qu'elle laissait les choses aller trop loin. Toutefois elle ne pouvait pas le planter là et partir en courant car ils avaient l'habitude de regagner leurs voitures ensemble.

— Je me dépêche, les jumeaux doivent m'attendre.

Ramassant son cartable, elle sortit devant lui, hâtant le pas pour traverser la cour.

— À demain, Craig ! lança-t-elle en s'installant au volant.

Son cœur battait un peu vite, comme si elle venait d'échapper à un danger. Mais elle était responsable de ce qui arrivait, elle le savait. Pourquoi avait-elle cédé à la tentation de plaire ? Il s'agissait seulement de cela, elle essaya de s'en persuader. Son amour fou pour Scott était arrivé si tôt dans sa vie qu'elle n'avait pas eu le temps de s'intéresser aux autres hommes. Hormis un prétendant malheureux, elle n'avait pas eu de flirt ou de petit copain. Les jeunes filles de son âge s'amusaient alors qu'elle rêvait inlassablement de Scott, et elle était vierge le soir où elle avait enfin fait l'amour avec lui. N'ayant pas pratiqué les jeux de la séduction, elle n'en connaissait pas les règles, toutefois elle voyait bien que sa relation avec Craig prenait une tournure ambiguë.

Elle conduisit lentement jusqu'à Gillespie, essayant de se souvenir de tous les moments – ils étaient nombreux ! – passés avec lui. Ses compliments semblaient toujours si spontanés qu'elle s'était laissé prendre à la flatterie. L'avait-elle encouragé ? Et n'éprouvait-elle pas un certain plaisir à sa compagnie ?

« Je dois mettre un terme à tout ça… C'est un piège et je file droit dedans ! Scott a dû le pressentir, peut-être n'est-il pas un jaloux maladif, seulement un mari avisé ? »

Pressée de savoir s'il était rentré, elle escalada les marches du perron et fila à la cuisine, l'endroit où tout le monde était réuni à cette heure. Elle y trouva Moïra qui s'affairait à préparer un plateau de petits canapés au concombre et au saumon.

— Nous avons une invitée ! annonça-t-elle à Kate. Scott est dans le salon avec elle, c'est sa nouvelle secrétaire.

— Et les enfants ?

— Ta mère leur donne le bain.

— Pourquoi ne m'attend-elle jamais ?

— Parce qu'elle adore s'occuper d'eux.

— Moi aussi, maugréa Kate.

Elle gagna le salon où elle trouva Scott, Philip et Malcolm, ainsi qu'une très belle jeune femme qui vint vers elle la main tendue.

— Bonsoir ! Vous êtes Kate, n'est-ce pas ? Ces messieurs parlaient de vous à l'instant. Je m'appelle Grace et votre mari m'a engagée ce matin pour remplacer sa secrétaire.

Machinalement, Kate ébaucha un sourire.

— Ravie de vous rencontrer…

Grace était plus grande qu'elle et portait un élégant tailleur noir égayé par un chemisier rouge vif et des escarpins aux talons vertigineux. Kate, dans sa tenue de professeur, avec des mocassins plats et un col roulé, se sentit dévalorisée. De plus, Grace avait de très beaux yeux gris qu'elle savait maquiller, des traits délicats, des cheveux blonds à peine bouclés qui tombaient sur ses épaules. Le genre de femme sur qui tous les hommes devaient se retourner.

— Nous dégustions le quinze ans d'âge d'Inverkip, poursuivit Grace, il est tout à fait remarquable…

Elle s'y connaissait donc en matière de whisky ?

— Le nez est riche, le corps moelleux. Je le trouve épicé, avec une note de grain qui est le cuir, et peut-être un peu de girofle pour la note herbacée ?

La mine réjouie de Scott prouvait qu'elle ne se trompait pas. Il crut bon de préciser :

— Grace a travaillé trois ans chez Glenfiddich.

— J'en suis partie, enchaîna la jeune femme, parce que j'en avais assez des Highlands et de la vallée de la Spey. Il n'y a pas de grande ville là-bas, je voulais me rapprocher de Glasgow ou d'Édimbourg, mais autant que possible rester dans une distillerie. L'annonce de Scott est tombée à pic !

Elle se tourna vers lui pour lui adresser un regard reconnaissant, puis alla poser son verre vide sur une console. Kate se taisait et Philip dut percevoir son malaise car il annonça :

— On mange du haggis, ce soir ! Nous avons passé une partie de l'après-midi à le préparer avec Moïra, on devrait se régaler.

— Je monte voir les enfants, déclara Kate en se forçant à sourire.

Pourquoi était-elle contrariée par la présence inattendue de cette femme ? Très absorbée par les jumeaux, la maison, ainsi que son travail d'enseignante, elle avait rarement l'occasion de se rendre dans les distilleries et elle ignorait à peu près tout des collaborateurs de Scott. Sa précédente secrétaire n'avait rien de remarquable physiquement, alors que Grace était vraiment belle. Y serait-il sensible en étant quotidiennement auprès d'elle ?

— Veux-tu que je vienne avec toi ? demanda-t-il en la prenant par la taille.

— Non, je n'en ai pas pour longtemps.

Il la retint contre lui avant de la laisser aller. Jamais il ne ratait l'occasion de l'embrasser, la toucher, lui faire un compliment. Le retrouver le soir était toujours une joie, alors pourquoi était-elle de mauvaise humeur ?

Dans la salle de bains où les jumeaux s'amusaient à s'éclabousser, Amélie riait avec eux, assise sur le bord de la baignoire. En voyant leur mère, ils poussèrent des cris de plaisir et l'aspergèrent gaiement. Kate se prêta au jeu un moment, puis elle sécha Hannah tandis qu'Amélie s'occupait de Luke.

— David leur a fabriqué des quilles en mousse dont ils raffolent. Comme quoi il est inutile de se ruiner en jouets ! Évidemment, leur chambre est dans un désordre indescriptible. Mais il a plu tout l'après-midi, et je n'ai pas pu les emmener dehors.

— Je vais ranger, proposa Kate.

— Alors, je les mets en pyjama pendant ce temps.

Kate était toujours étonnée de l'affection débordante de sa mère pour les jumeaux. Elle n'avait pas souvenir d'avoir été aussi choyée lorsqu'elle était enfant. Mais, à cette époque, Amélie devait faire face aux bêtises des trois aînés et se montrait souvent excédée en fin de journée. Gagnant la chambre des enfants, Kate se dépêcha de ramasser les peluches et les petites voitures éparpillées entre les fameuses quilles. Elle refit les lits, entrouvrit une fenêtre. Elle pensait toujours à cette Grace, à ses boucles blondes, à ses escarpins vertigineux. Et surtout à son assurance pour parler du whisky. Hormis du champagne dans les grandes occasions, parfois une bière ou un verre de chardonnay, Kate buvait peu d'alcool. Elle aurait été incapable de porter un jugement avisé sur tel ou tel single malt.

Dans la galerie, elle vit que la salle de bains était éteinte. Sa mère avait dû descendre avec les jumeaux, ce qui lui laissait cinq minutes de répit. Elle courut jusqu'à sa chambre, se débarrassa en hâte de ses vêtements et enfila une jupe courte, un chemisier, puis changea soudain d'avis. De quoi aurait-elle l'air si elle modifiait sa tenue ? De vouloir rivaliser ? Finalement, elle se contenta de troquer ses mocassins plats contre des escarpins vernis tout simples, puis elle mit une goutte de parfum au creux de sa nuque et se précipita vers l'escalier. Une fois en bas, elle hésita, partagée entre l'envie de retourner au salon et celle de faire dîner elle-même ses enfants. Résolument, elle gagna la cuisine.

*

La soirée s'était prolongée et Grace prit congé vers minuit. À table, elle n'avait bu que de l'eau et se déclarait prête à prendre le volant. Scott la raccompagna jusqu'à sa voiture, s'attardant un peu avec elle dehors. Lorsqu'il revint, Malcolm et Philip embrassaient Kate, s'apprêtant à partir eux aussi.

— Alors, comment la trouvez-vous ? voulut-il savoir.

— Très... voyante ! lança Malcolm.

Devant l'air médusé de Scott, Philip ajouta :

— Pour une simple secrétaire. Ce serait ta directrice marketing ou communication, elle aurait une allure plus adaptée.

— Ah bon ?

— Disons qu'elle est très glamour. Tous les hommes employés dans tes distilleries vont lui courir après.

— Mais enfin, ce n'est pas un défaut ! Elle avait fait un effort d'élégance pour venir dîner ici parce qu'elle ne savait pas à quoi s'attendre.

— Il vaut toujours mieux n'être pas assez habillé que trop, décréta Philip.

— Vous êtes sans pitié.

— Et toi trop gentil dès qu'il s'agit d'une belle femme. Tu sais quoi ? Elle me rappelle Mary...

Navré, Philip s'aperçut que l'allusion à l'ancienne fiancée de Scott était maladroite vis-à-vis de sa sœur. Mary, qui était styliste, avait beaucoup d'allure et ne portait que des vêtements parfaitement coupés. À l'époque, elle espérait le mariage, mais à son grand désespoir Scott s'était dérobé.

— Au lieu de la juger sur son physique, je vais attendre de savoir si elle possède les qualités requises. Son expérience chez Glenfiddich est prometteuse. Évidemment, c'est beaucoup plus artisanal chez moi.

— Alors pourquoi a-t-elle accepté ? railla Kate, qui commençait à trouver qu'on parlait beaucoup de Grace.

— Là-bas, elle était une secrétaire parmi d'autres, alors qu'elle sera ma secrétaire de direction. Je suppose qu'elle le prend comme une promotion, mais elle risque de crouler sous le boulot et de se sentir bien seule.

Alors que Malcolm ramassait ses affaires, le regard de Kate tomba sur le carnet de croquis.

— Attends une seconde ! Montre-moi ça...

Elle tendit la main et prit le carnet à spirale qui était ouvert sur un superbe dessin au fusain.

— Mais c'est la vue depuis le belvédère ! J'adore ce paysage et tu l'as transcendé ! Ton dessin dégage une mélancolie poignante...

— Il pleuvait, s'excusa Malcolm avec une grimace.

— Je l'adore, tu n'imagines pas tout ce que ça évoque pour moi. Tu ne voudrais pas me le donner ?

— Non, il s'agit d'une simple étude qui n'est pas encore aboutie. J'aurais assez envie d'aller peindre là-haut de temps en temps.

— Vas-y à ta guise !

— S'il te fait un vrai tableau, tu devras le lui acheter, prévint Philip. D'ailleurs, ce sera un bon placement.

— Je t'en ferai cadeau, Kate.

Ils sortirent bras dessus, bras dessous, et Scott verrouilla la porte derrière eux.

— Ce dessin est magnifique, dit-il à Kate. Nous devrions nous intéresser davantage au travail de Malcolm, je crois que Philip a raison quand il parle de son talent.

— Il est question du mignon barbouilleur ? lança John, qui descendait l'escalier.

Il s'accrochait à la rampe et il grimaça.

— Ça sent encore cette horreur de haggis...

S'asseyant sur une marche, il se prit la tête à deux mains.

— Bon sang, je me sens mal, toutes ces saloperies de médicaments...

— Heureusement qu'ils existent, fit remarquer Scott.

— Ah, une nouvelle amabilité ! Tu n'as jamais rien d'autre à me dire ?

— Veux-tu un verre d'eau ? intervint Kate. Après, je t'aiderai à remonter.

— Non, j'ai besoin de me dégourdir les jambes. Betty dort, je ne veux pas la réveiller en tournant en rond dans la chambre. On a rendez-vous demain à l'hôpital, à Édimbourg. J'espère que les médecins écossais ne sont pas trop nuls !

— Pourquoi le seraient-ils ? Tu seras très bien soigné, tu verras.

— Toujours optimiste, la petite sœur ? Ce que j'ai ne se soigne pas.

— Mais ils vont te suivre, t'aider. Tu ne développeras pas la maladie.

— J'aimerais en être aussi sûr que toi.

Cette phrase-là, pour une fois, avait été prononcée sans agressivité. À certains moments, il devait avoir tellement peur que Kate en fut bouleversée.

— Il y a encore de bonnes braises dans la cheminée du séjour, et plein de journaux dans le porte-revues. Va donc te reposer un peu là-bas, suggéra Scott.

John se leva, se tordit les pieds sur la dernière marche et manqua de tomber. En passant devant Scott, il ne lui accorda pas un regard, encore moins un sourire.

— Le pauvre..., soupira Kate.

Scott faillit répondre mais s'en abstint. Il évitait toute critique à l'égard de John, surtout en présence de sa femme, cependant elle savait à quel point cette cohabitation se révélait difficile pour lui. Il ne digérait toujours pas l'inventaire, auquel il n'avait pas daigné jeter un coup d'œil bien que le commissaire-priseur en ait laissé un double. Kate l'avait rangé dans le dossier « succession » et elle était allée le déposer sur le bureau d'Angus. Cette pièce restait pour le moment inoccupée, mais Kate était persuadée que Scott s'y installerait un jour. Son propre bureau, au second, était moins pratique, et il voudrait à un moment ou à un autre se retrouver parmi les meubles de son père et les souvenirs qui s'y rattachaient. Pour cela, il fallait d'abord qu'il termine son deuil, qu'il parvienne à tourner la page et à oublier cette lugubre soirée de Noël.

John se dirigea vers le salon tandis que Kate et Scott gravissaient l'escalier. Une fois en haut, Scott murmura :

— Pourquoi faut-il que ton frère s'en prenne à tout le monde ? Malcolm n'est pas un barbouilleur, le haggis de Moïra était succulent, et nos médecins écossais en valent bien d'autres.

— Je sais qu'il t'exaspère et qu'il te complique l'existence.

— C'est peu dire !

— En plus, il habite chez toi avec sa femme, tu les nourris, tu...

— Gillespie, c'est chez « nous », ma chérie. Tu ne te sens pas chez toi ?

— Oh que si !

— J'aime mieux ça. Bon, John a des excuses, j'en tiens compte. Mais il en joue un peu, non ?

— On en ferait peut-être autant à sa place.

— Tous les malades ne pourrissent pas systématiquement la vie de leur entourage.

Ils étaient arrivés dans leur chambre et, après avoir fermé la porte, Scott changea de sujet pour demander, d'un air inquiet :

— J'ai bien vu que tu étais mal à l'aise ce soir. Si ça t'ennuie que j'aie engagé Grace, tu dois me le dire.

— Eh bien… Elle est sacrément belle, alors je me suis sentie un peu… reléguée au second plan.

— Kate ! Tu es pour moi la plus belle femme du monde et tu le resteras toujours, même quand tu seras une vieille dame. Je ne suis pas un menteur, je vois bien qu'en effet Grace a tout pour plaire. Tant mieux pour elle. Mais il n'y a que toi qui comptes, que toi que j'aime et dont j'ai envie. Au *second plan* ? Tu perds la raison !

Scott l'attira à lui et l'embrassa avec sa fougue habituelle. Après une déclaration pareille, que pouvait-elle ajouter ? Il avait désamorcé toute tentative de conflit. Il serait malvenu de faire preuve de jalousie alors qu'elle le lui reprochait dès qu'il s'agissait de Craig avec qui, elle aussi, travaillait tous les jours.

Elle s'écarta un peu pour le regarder. Ses yeux bleu foncé étaient rivés sur elle, pleins de douceur et d'amour.

— Grace doit faire une période d'essai d'un mois, ajouta-t-il. Je n'irai pas au-delà si ça te contrarie et je trouverai quelqu'un d'autre.

— Non, tu as eu du mal à la dénicher et, au vu de son expérience, je suppose qu'elle est compétente.

— Il faudra d'abord qu'elle le prouve. De plus, elle ne se plaira peut-être pas à Greenock.

La discussion était close, et Kate ne souhaitait pas insister. Mais elle se promit d'être attentive à l'attitude de Scott dans les semaines à venir. D'instinct, elle devinait qu'aucun homme ne pouvait être tout à fait indifférent face à une femme comme Grace. Or il n'était pas question pour elle de faire courir le moindre risque à son couple. La naïveté dont on la taxait volontiers était une légende, elle était assez fine pour comprendre que, même en étant très amoureux, on pouvait parfois se laisser troubler. N'avait-elle pas éprouvé une sorte d'attirance pour

Craig ? Elle s'était raconté qu'il s'agissait de sympathie ou d'amitié, néanmoins quelque chose était né. Et si Scott tombait dans le même piège ? Horrifiée à cette idée, elle se jeta sur lui, l'entourant de ses bras. Le résultat, immédiat, fut que Scott la souleva et la porta sur leur lit.

8

Trois semaines plus tard, le printemps s'installa enfin. Sur toute la côte ouest, un vent léger mais tenace faisait frémir les bruyères mauves, et à flanc de colline, parmi les saules et les genévriers, les chardons s'épanouissaient. Chaque matin, en se rendant à Greenock, Scott profitait de ce paysage avec un sentiment d'apaisement. Il avait enfin accepté la mort brutale de son père, et avec le recul il lui était infiniment reconnaissant d'avoir su organiser très tôt la passation de pouvoir. Jamais Scott n'aurait pu faire face s'il avait été propulsé à la tête des distilleries sans les avoir dirigées auparavant. Et Gillespie aurait été absorbé par la succession. Un jour, beaucoup plus tard, Scott agirait de même avec ses enfants pour leur offrir les mêmes chances et préserver le patrimoine familial.

Lorsqu'il arriva dans la cour, un peu en retard car il avait musardé en route, fasciné par le vol d'un tétras-lyre, il remarqua la voiture de Graham et se souvint qu'il avait rendez-vous avec lui. Il se dépêcha de gagner son bureau, saluant au passage tous les employés qu'il croisait.

— Ah, vous voilà ! s'exclama joyeusement Grace en l'interceptant dans le couloir. J'ai conduit votre ami à la salle de réunion, je lui ai apporté du thé et je lui ai tenu compagnie.

— Merci, je m'en occupe. Rien d'urgent ?

— Pas avant dix heures. Mais votre notaire a appelé, il aimerait que vous passiez à l'étude aujourd'hui ou demain.

— J'ai un moment pour ça ?

— Vous avez un rendez-vous à Glasgow à dix-sept heures, vous pourriez y aller après.

— Parfait.

Scott fila vers la salle de réunion, mais il avait eu le temps de remarquer la jupe fuselée de Grace et le décolleté de son pull vaporeux.

— Panne d'oreiller ? lui lança Graham quand il le rejoignit.

— J'ai fait du tourisme sur la route. La nature est splendide !

— J'ai remarqué aussi, sans ralentir.

— Nous n'empruntons pas les mêmes chemins. Tu es un citadin et moi un campagnard.

Grace fit irruption pour apporter une tasse à Scott ainsi qu'une nouvelle théière fumante. Elle les gratifia d'un sourire éblouissant et, dès qu'elle fut sortie, Graham chuchota :

— Tu ne comptes pas la garder, j'espère ?

— Pourquoi ?

— Enfin, Scott, elle est complètement décalée ici ! Et ce n'est pas le pire. D'après ce que j'ai compris, elle est surtout en quête d'un mari. Et à l'évidence tu lui plais beaucoup.

— Moi ? C'est ridicule, je suis marié.

— Et alors ? Tu crois que ça arrête ce genre de femme ?

— Oh, Graham…

Scott souriait, amusé par l'énormité du propos. Graham s'entêta.

— Écoute, je connais tout le monde ici. J'ai bavardé deux minutes avec ta comptable pendant que Grace préparait le thé, et cette brave femme est consternée. Elle n'est pas la seule ! Grace passe sa vie à poser des questions sur toi, sur ta famille, sur les bilans de tes sociétés, et même sur Kate. Elle m'a cuisiné aussi, sans en avoir l'air, croyait-elle.

— Vraiment ?

— Renseigne-toi à son sujet.

Cessant de sourire, Scott dévisagea son ami.

— Est-ce qu'il n'y aurait pas un peu de jalousie dans tout ça ? La manière élégante et très actuelle dont Grace s'habille, le charme qu'elle déploie avec mes visiteurs, qui sont d'ailleurs tous séduits, sans oublier sa grande connaissance de l'univers du whisky doivent irriter certaines de mes employées. Et tu le sais, les nouvelles têtes ne sont pas toujours bien acceptées au début.

— Possible. Enfin, elle ne correspond pas à l'image de ta maison.

— Je passe ma vie à essayer de rajeunir cette image ! À trouver le juste équilibre entre tradition et modernité. Côté tradition, j'ai tout ce qu'il faut et même un peu trop. Pour le reste...

— Le reste ne passe pas par ta secrétaire. Tu t'es fait plaisir parce qu'elle épate les gens, et qu'au fond elle a dû t'épater aussi, même si tu refuses de l'admettre.

Scott se tut puis bougonna :

— Eh bien, tu ne m'épargnes pas, ce matin !

— Scott, je te connais. Il y a quelques années, tu as été ébloui par Mary. Tu ne l'aimais pas assez, mais tu la désirais énormément. Un jour ou l'autre, au contact de Grace, tu vas...

— Non ! Pour moi, il n'y a que Kate. Je suis catégorique, Graham.

— Tu te surestimes. Moi, tout à l'heure, le nez dans son décolleté pendant qu'elle me servait du thé, je n'ai pas été tout à fait indifférent. Pourtant, j'aime Pat. Bref, je t'aurai averti, fais-en ce que tu veux.

Perplexe, Scott garda le silence. Il avait l'habitude de tenir compte des avis ou conseils de Graham, et celui-ci n'était jamais malveillant.

— Une dernière chose, Scott. Demande-toi aussi si tu ne prends pas une sorte de revanche.

— À quel propos ?

— Un certain Craig, que tu ne supportes pas. Ta femme te rend jaloux, tu lui renvoies la balle à ta façon.

— Oh, ça... Franchement, je n'y pensais plus.

— Vraiment ? Bon, je ne suis pas venu pour m'immiscer dans ta vie privée mais pour te parler de ton appartement de Glasgow. J'ai un acheteur. Le prix qu'il offre est un peu inférieur à ta demande ; cela dit, par les temps qui courent ce n'est pas si mal.

— Je vais avoir besoin d'argent. J'en saurai plus ce soir chez mon notaire, mais je m'attends à quelques ennuis du côté de John, Amélie, et leur foutu avocat !

— Comment fais-tu pour le supporter ?

— John ? Je n'ai pas le choix. C'est le frère de Kate, elle ne me pardonnerait pas de le mettre à la porte.

— Évidemment.

— Hélas, cet avocat est vraiment l'étincelle qui manquait au baril de poudre. Sans son intervention, j'aurais pu m'entendre avec Amélie, j'étais déterminé à la dédommager car je comprends qu'elle trouve injuste la manière dont papa m'a tout transmis. Il ne le lui avait pas dit, il a eu tort.

— Il devait avoir peur qu'elle le trouve moins intéressant à épouser.

— Sans doute. Devant les femmes, il n'a jamais eu confiance en lui. Quoi qu'il en soit, ça s'appelle tricher.

— D'accord, moralement c'est discutable, mais légalement tout est en ordre, non ?

— On arrive toujours à contourner une loi, à trouver une faille, une jurisprudence. Bruce Forbes y parviendra, crois-moi.

— Prends un avocat encore plus retors que lui !

— Pour me lancer dans des années de procédure ? Je préfère le laisser faire, et si l'accord proposé est acceptable, alors j'accepterai et j'aurai la conscience tranquille. Abandonner l'argenterie à Amélie ne me gêne pas.

— John la fera fondre pour se procurer du cash. Tout ce que tu lui laisseras à elle ira dans sa poche à lui. Il est venu pour ça, il ne partira pas avant d'être renfloué. Et Amélie détroussée…

— Le plus inquiétant pour moi, ce sont ces parts de Greenock qu'elle va obtenir. Connaissant la rancune de John, il la poussera à vendre, mais surtout pas à moi. Je vais finir avec un de mes concurrents dans le capital de la distillerie.

Les sourcils froncés, Graham prit le temps de réfléchir, puis il déclara lentement :

— Nous trouverons une parade, Scott. Je suis ton conseiller financier, et je ne suis pas le plus nul concernant les affaires. Il y a *toujours* une solution quelque part.

— On pourrait surenchérir ?

— Non, tu sais bien que les transactions se font en douce dans le monde des distillateurs. Tu ne sauras rien et personne ne te tiendra au courant. Le whisky des Gillespie a une solide réputation, certains seront trop heureux de mettre un pied dans ta société… Écoute, en attendant d'avoir une idée, fais traîner les choses.

Scott eut un geste de découragement.

— Moi qui aurais voulu en sortir le plus vite possible !

Il enrageait de sentir planer une menace sur sa distillerie de Greenock, mais par une brusque association d'idées il pensa à John qui subissait en permanence une menace sur sa vie. N'était-ce pas infiniment plus angoissant que n'importe quelle histoire d'argent ? Pour la première fois peut-être, il éprouva une réelle compassion pour le sort de son beau-frère, même si celui-ci avait fait son malheur tout seul. Fallait-il être désœuvré pour tromper Betty avec la première venue et sans prendre la moindre précaution !

— À quoi peux-tu bien penser en faisant une tête pareille ?

— À John. Au bazar qu'il met dans ma vie depuis si longtemps. Pendant des années, j'ai dû fuir ma propre maison à cause de lui. J'ai failli me brouiller avec mon père, je me suis querellé avec Amélie, j'ai subi sa mauvaise volonté ici même quand il prétendait travailler et ne faisait que glander. Aujourd'hui, s'il pouvait me mettre en difficulté dans mes affaires, voire me ruiner, il le ferait sans se poser de questions, sans comprendre qu'il se tirerait une balle dans le pied. Il n'est pas intelligent et je le crois méchant. Mais je ne peux pas m'empêcher de le plaindre. Et puis c'est mon beau-frère, il fait partie de ma famille. Il y a toujours une brebis galeuse...

Scott se leva à regret. Soulagé de s'être confié à Graham, il allait mieux aborder la journée qui l'attendait.

— Dis à Pat d'appeler Kate pour organiser un week-end à Gillespie. Quand vous êtes là tous les deux avec les enfants, la maison devient très gaie ! Tu veux une bouteille avant de partir ?

Se dirigeant vers une vitrine qui contenait plusieurs flacons, Scott en choisit un, qu'il tendit à Graham.

— Je voudrais faire quelques essais ici, comme à Inverkip. Je peux encore développer Greenock en diversifiant. Tenter un whisky relativement jeune, qui offrirait une saveur pleine et forte. J'ai des douze, quinze et dix-huit ans dans la gamme, alors... Enfin, j'y réfléchis. Pour l'heure, je me sens les mains liées par la succession.

Graham lui donna une petite tape amicale sur l'épaule.

— Jamais à court d'idées, hein ? Surtout, ne perds pas ton enthousiasme !

En sortant de la salle de réunion, ils tombèrent sur Grace, qui semblait se tenir là par hasard.

— Votre rendez-vous est arrivé, annonça-t-elle à Scott. Il y a aussi le transporteur en train de charger les fûts, ceux qui doivent être rajeunis.

— On va de nouveau brûler l'intérieur, expliqua Scott à Graham. Ils seront *rejuvenated* !

— Ça sert à quoi ?

— Le brûlage permet à l'alcool d'accéder aux flaveurs du bois, et aussi de mieux expulser les senteurs indésirables. Les tonnelleries te les livrent avec différents degrés de brûlage, mais l'opération doit être répétée au bout d'une trentaine d'années.

— Tu gardes tes fûts tout ce temps-là ?

— Le plus longtemps possible. Ce sont des fûts qui ont contenu à l'origine du sherry ou du bourbon.

— En somme, tu passes ta vie à faire réparer ? Les alambics, les tonneaux…

— Mais on ne fait rien de bon dans du neuf, Graham !

Scott lui adressa un signe amical et gagna enfin son bureau, Grace sur ses talons.

— Je vais chercher votre visiteur, déclara-t-elle. Faudra-t-il du thé ?

— Non, inutile.

— N'oubliez pas la réunion de dix heures trente.

Alors qu'il allait s'asseoir, il regarda Grace et ébaucha un sourire.

— Sauf exception, je n'oublie pas mes rendez-vous.

— Mais vous devez penser à beaucoup de choses à la fois et je suis là pour vous soulager.

Après sa conversation avec Graham, il n'était plus aussi convaincu que lorsqu'il l'avait engagée. Se *renseignait*-elle vraiment sur lui, sa famille, ses bilans ?

— Merci, Grace, ce sera tout.

Avec une petite moue déçue, elle recula et ferma la porte. Sur le bureau de Scott, bien en ordre, quelques courriers attendaient d'être signés. Il les parcourut, repéra plusieurs fautes de frappe. Grace passait sans doute trop de temps à bavarder dans les couloirs, et pas assez derrière son clavier. Sans doute ferait-il mieux d'écouter Graham et de ne pas la garder. Mais il avait toujours été très respectueux de ses employés – une règle morale qu'il tenait d'Angus –, ce qui rendait son revirement difficile à expliquer. La trouver trop belle ou trop curieuse était insuffisant. De plus, elle venait d'emménager à Glasgow, elle comptait sur ce travail.

— Un souci de plus…, ronchonna-t-il.

Après un coup léger frappé à sa porte, Grace introduisit son visiteur.

*

Amélie avait lu, sans vraiment comprendre, tout le rapport que l'avocat venait de leur envoyer. Il contenait beaucoup de phrases tortueuses, de chiffres obscurs, de demandes qui semblaient exorbitantes. En reposant les feuillets sur sa coiffeuse, elle était restée songeuse un long moment. Fallait-il vraiment se lancer dans une guerre sans merci ? Déjà, lorsque l'inventaire avait été établi, Amélie s'était sentie gênée. Tous les meubles, tableaux et objets qui composaient le décor de Gillespie lui étaient familiers depuis douze ans qu'elle vivait là, mais ils ne lui appartenaient pas, ils faisaient partie d'un passé familial qui n'était pas le sien. Elle en avait l'habitude, trouvait que chacun était à sa place – d'autant plus qu'elle avait chamboulé pas mal de choses en arrivant –, et elle n'avait aucune envie de les voir disparaître. Aujourd'hui, c'était *son* cadre de vie. Elle n'imaginait pas son existence ailleurs, sachant que Kate et Scott lui-même considéraient qu'elle était chez elle.

Mais John n'était pas de cet avis. Il la harcelait pour qu'elle se révolte et « mette un coup de pied dans la fourmilière », selon son expression. Ah, John… Le savoir malade et en danger la torturait. Il demeurait son fils aîné, son premier enfant, celui qui l'avait rendue si fière d'être devenue mère. Elle se souvenait encore de l'air extasié de Michael devant le berceau. À l'époque, Amélie se croyait mariée pour la vie et définitivement heureuse. Mais tandis que les deux autres garçons arrivaient, puis Kate, son couple était en train de mourir sans qu'elle en ait conscience. Quand Michael l'avait abandonnée avec les enfants, elle s'était raccrochée à l'aîné. John avait été son « petit homme ». Elle essayait de lui donner des responsabilités, prenait son avis, pourtant elle s'était abstenue de le consulter au sujet d'Angus. La rencontre avait été si inattendue, et la demande en mariage si rapide, si opportune ! La photo de Gillespie qu'Angus lui avait montrée l'avait séduite. Elle s'était imaginée là-bas entourée de ses quatre adolescents, ses problèmes étant réglés d'un coup de baguette magique… Bien sûr, Angus n'était pas un don Juan avec ses traits taillés à coups de serpe et sa bedaine naissante, mais il était gentil, amoureux, solide.

Et riche. Oui, elle l'avait cru. Ou plutôt supposé car, après tout, il n'en avait jamais parlé explicitement. Cependant le manoir, les distilleries et la filature laissaient augurer une certaine fortune. Y avait-il eu tromperie ? En tout cas, Angus s'était chargé de l'éducation de quatre enfants qui n'étaient pas les siens, sans rechigner à la dépense. Et il s'était montré vraiment heureux quand son fils unique avait épousé Kate. À la naissance des jumeaux, il avait eu les larmes aux yeux en déclarant que, dorénavant, le sang d'Amélie et le sien couleraient dans les mêmes veines. Avait-il alors songé que ce qu'il ne pouvait pas laisser à son épouse appartiendrait un jour à ses petits-enfants ? Une façon de boucler la boucle qui avait dû le satisfaire et le rassurer, lui qui était si désireux de transmettre le patrimoine de ses ancêtres.

Amélie comprenait cela. Depuis la mort d'Angus, elle pensait à lui avec tendresse. Elle aurait presque pu endosser son statut de veuve de manière sereine. À Gillespie, elle se sentait bien, et surtout elle raffolait de Luke et Hannah. Mais il y avait John, John porteur d'une terrible maladie, John aux abois. *Son* John. Certes, il s'était montré un peu décevant en menant une vie chaotique et en la laissant si longtemps sans nouvelles, cependant elle était incapable de lui en vouloir.

— Alors ? s'écria-t-il en entrant sans avoir frappé. Tu as lu ? Avoue qu'il est doué, ce Bruce Forbes ! Bout à bout, ça va finir par te faire un joli paquet d'argent.

Il se mit à lever un doigt après l'autre pour énumérer :

— Tes parts de la distillerie, que tu vas vendre, la moitié de la valeur des bijoux du coffre, la moitié de tout ce qui meuble ou orne cette foutue baraque, sans oublier quelques terres agricoles et un peu de cash sur les comptes… Mais Forbes ne s'arrête pas là, il envisage de demander une sorte de pension pour toi, puisque tu n'as aucune ressource. Il n'est pas certain d'y arriver, ce qui ne l'empêche pas d'essayer. Après tout, si Scott décidait de te jeter dehors, tu n'aurais même pas un toit sur la tête. Bref, ce sera à l'appréciation du juge.

— Quel juge ?

— Maman ! On finira au tribunal, c'est une évidence. Scott va faire une tête de six pieds de long en apprenant ça, et il contestera, l'imbécile !

L'air réjoui de John révélait sa satisfaction.

— En attendant, le commissaire-priseur m'a dit que, souvent, les ventes dépassent les estimations et qu'on pourrait avoir une bonne surprise.

— Mais enfin, mon chéri, on ne va pas tout vendre.

— Pourquoi ?

— Parce que… Parce qu'il faut bien s'asseoir *sur* quelque chose, et manger *dans* quelque chose.

— Eh bien, ce que les autres voudront garder, ils n'auront qu'à te le racheter !

— Ne dis pas n'importe quoi.

L'expression de John changea soudain du tout au tout.

— Ah, tu ne vas pas recommencer, hein ? Je me bats pour toi, maman, et je suis bien le seul à le faire. D'ailleurs, maintenant que tout est chiffré, n'oublie pas que Me Forbes prend un pourcentage et que tu devras le lui payer. Il ne travaille pas à l'œil !

— Faut-il tout le temps parler d'argent ? dit-elle en se mettant les mains sur les oreilles.

Le geste exaspéra John, qui explosa aussitôt.

— À croire que tu es stupide ! En réalité, tu as peur de te fâcher avec Kate la sainte-nitouche. Je t'ai connue plus courageuse, moins avachie dans ton petit confort précaire. Ouvre les yeux, maman, tu es à la merci de ta fille et soumise au bon vouloir de ton gendre. D'ici quelque temps, ils te considéreront comme la cinquième roue du carrosse ! Même la grosse Moïra ou ce simple d'esprit de David te feront sentir qu'ils sont bien aimables de te tolérer.

— Tu crois qu'ils me traiteront mieux si tu leur fais tout vendre et qu'ils se retrouvent dans une maison vide ? se rebiffa-t-elle.

— Tu aurais de quoi te tirer d'ici.

— Mais… Je ne le souhaite pas.

— Très bien, incruste-toi, tout le monde t'adore et ça se voit. Surtout Scott !

— Nous avons enterré la hache de guerre.

— Parce qu'il a fait des marmots, hein ? Tu t'imagines en parfaite mamie, c'est pathétique. Des enfants, tu en as eu, et regarde, tu t'occupes mal de moi ! Je raque dans ce foutu hôpital d'Édimbourg, les soins ne sont pas gratuits. Tu le sais, mais tu t'en fous. Je n'ai pas un sou vaillant, maman. Betty cherche désespérément un travail pour que je ne sois pas obligé de toujours mendier auprès de toi !

— Tu n'as pas à mendier, mon chéri. Dis-moi ce qu'il te faut.

Il avança un chiffre qui la fit grimacer mais qu'elle ne chercha pas à discuter.

— J'en parlerai à Kate, nous allons nous arranger.

— Tu vois ! Kate ! Scott ! Tu ne te libéreras donc jamais d'eux ?

Écumant de rage, il balaya d'un revers de main une plante verte posée sur la commode. Le pot se fendit sur le parquet et de la terre se répandit sans qu'il fasse le moindre geste pour la ramasser.

— Je te donne le moyen d'être indépendante, alors que tu es sous la coupe de ces foutus Gillespie depuis des lustres, et tu hésites, tu tergiverses ? Je suis obligé de te sauver malgré toi, ça m'épuise alors que je n'ai pas assez de forces pour moi-même. Tu crois que je me plais, ici ? Betty et moi, nous serions mieux n'importe où ailleurs, mais je ne veux pas te laisser dans les ennuis.

— John… C'est toi qui crées les ennuis.

Elle regardait la terre qu'il venait d'étaler jusque sur le tapis en marchant dedans. Pour lui tenir tête, elle gardait les yeux baissés, persuadée que l'orage passerait et qu'il allait se calmer. Bien au contraire, il vint se planter devant elle, la dominant de toute sa hauteur.

— Si tu préfères, je peux t'abandonner à ta bande d'Écossais ! Tu m'as tout l'air d'avoir choisi ton camp, et ce n'est pas le mien. Tu me lâches parce que je suis malade ? Je te fais horreur ? Le sida, pour toi, c'est la peste ?

— Arrête. Je donnerais ma vie pour qu'il existe un vaccin.

Elle essayait de rester ferme, mais sa voix s'était mise à trembler.

— Tu es tranquille, il n'y en a pas.

La porte s'ouvrit brusquement sur Kate, qui resta sur le seuil, indécise.

— Est-ce que tout va bien ? On vous entend crier de l'autre bout de la galerie.

— Dis plutôt que tu prêtes l'oreille, riposta John. Parce que ici les murs sont épais !

— Pourquoi vous disputez-vous ?

— Ça te regarde ? Si tu veux tout savoir, j'essaie d'aider maman malgré elle, mais on dirait qu'elle a peur de toi et de ton mec.

— Scott est mon mari, dit-elle en se raidissant. Et ni lui ni moi ne faisons peur à personne.

— Ne joue pas sur les mots, sœurette. Je tiens seulement à ce que maman récupère son dû. Tu as quelque chose contre ça ?

— Bien sûr que non.

Kate se pencha pour ramasser la plante. Elle contempla les racines dénudées, la terre répandue.

— Qu'est-ce qui lui est arrivé ?

— On s'en fout ! hurla John.

Le calme de Kate ravivait paradoxalement sa colère.

— Colle cette horreur à la poubelle et ne me regarde pas comme si j'avais mis le feu à la baraque. Avant ton irruption, nous parlions de choses sérieuses. Pourquoi n'as-tu pas un peu plus de respect pour maman ? Pourquoi n'expliques-tu pas à Scott qu'elle a droit à quelque chose ? Angus lui a menti, l'a bernée, roulée dans la farine !

— Tout ce qu'Angus a fait pour Scott, c'était avant de rencontrer maman. D'autre part, elle ne sera pas sans rien et tu le sais. Mais tu veux davantage, à titre personnel. Ce sont tes propres intérêts que tu défends.

— Et toi, tu défends qui ? Tu piétinerais maman sans remords pour continuer à idolâtrer ton chéri.

— John… Je ne veux plus discuter avec toi.

— Bien sûr, c'est plus facile.

Kate planta son regard dans celui de son frère et articula :

— Non, au contraire. J'aimerais pouvoir te parler sans te rendre fou de rage. Tu saisis tous les prétextes pour dire des choses abominables. Tu te réfugies derrière ta maladie et personne n'ose te le faire remarquer. Pourtant, tu sais que tu peux compter sur nous tous pour t'aider. Ici, tu aurais la possibilité de t'apaiser dans ta famille, mais tu ne cherches qu'à nous dresser les uns contre les autres. C'est dur à supporter.

— Pauvre chérie, va ! Il faudrait que je compatisse à ton sort ?

— Mes enfants, voyons…, soupira Amélie.

Kate se tourna vers elle et la toisa sans indulgence.

— Tu vas encore lui donner raison, je suppose ? Depuis qu'il est né, il a raison ! Tu lui as toujours tout donné, tout pardonné. Tu crois vraiment qu'il t'aide en ce moment ?

— Il essaie…

— Non, maman. Mais continue à t'aveugler si tu y tiens. Votre avocat va vous faire faire des choses que tu regretteras.

— Voilà, on y est ! s'exclama John. Vous l'avez en travers de la gorge, cet avocat, hein ? Il aurait fallu laisser faire, dire amen et vous regarder empocher le magot sans moufter.

— Le *magot*…, répéta Kate en levant les yeux au ciel.

— Parfaitement. Tu es riche, petite sœur, et c'est pour ça que tu prends de grands airs. Je reconnais que tu as été maligne, tu t'es tapé Scott en sachant qu'il avait déjà tout. Comment l'as-tu appris, mystère, mais tu as été bien inspirée. Seulement tout le monde n'a pas ta chance, ou plutôt ton joli petit cul.

Les derniers mots étaient de trop. Kate éprouva une bouffée de rage comme seul John arrivait à en provoquer chez elle lorsqu'elle était gamine, avec toutes les blagues de mauvais goût qu'elle avait dû subir, parfois sordides, le plus souvent méchantes.

— Change de ton, je te prie, et révise ton vocabulaire, je ne suis plus ton souffre-douleur ! s'écria-t-elle en marchant sur lui.

Il dut se croire menacé ou défié car il la saisit par les poignets et l'envoya valser sur le lit. Mais elle se reçut mal et poussa un cri de douleur en retombant sur le parquet. Amélie étouffa une exclamation tandis que John se sentait soudain ceinturé, soulevé de terre, immobilisé avec un bras tordu dans le dos.

— Jamais tu ne la touches ou je te démolis, gronda Scott.

Il était arrivé au mauvais moment. Kate ayant laissé la porte ouverte lorsqu'elle était entrée quelques minutes plus tôt, il avait tout vu. John perçut sa fureur au ton de sa voix, au souffle rauque sur sa nuque. Pris de panique, il hurla :

— Lâche-moi tout de suite !

— Excuse-toi, répliqua Scott.

— Je suis malade, lâche-moi.

La pression sur son bras s'accentuant, John se mit à gémir.

— Tu me fais mal, arrête…

— Excuse-toi.

Kate s'était relevée et elle murmura :

— Laisse-le, Scott.

Sa demande n'eut aucun effet car John continua à geindre.

— Tu vas me déboîter l'épaule ! Ah, tu te venges, hein, c'est ça ? Tu te venges sur moi parce que tu ne peux pas t'en prendre à maman ?

— Tu viens de lever la main sur ta sœur, excuse-toi.

— Arrête, bordel ! D'accord, d'accord… Je suis désolé, je ne voulais pas la faire tomber…

Scott le libéra et John se massa le bras en grimaçant. Il lança un regard de reproche à Amélie qui n'avait pas cherché à intervenir, ce qu'il ne comprenait pas. Quelques années plus tôt, elle n'hésitait pas à se dresser contre Scott pour défendre son fils aîné. Qu'est-ce qui avait donc changé ?

— Viens, Kate…

Prenant sa femme par la main, Scott l'entraîna hors de la chambre. Il attendit d'être au bout de la galerie pour chuchoter :

— Il me rendra fou. Ou violent. Quand je t'ai vue traverser la pièce en vol plané et retomber par terre, j'ai eu envie de me jeter sur lui pour lui donner la correction qu'il mérite et qu'il n'a jamais eue. Je me suis retenu à cause de toi, et aussi d'Amélie, qui avait l'air horrifiée.

— Il ne se maîtrise pas, Scott.

— Je m'en fiche ! Tu crois qu'on peut te malmener devant moi ?

— Entre frères et sœurs, parfois…

— Non, chérie. Vous avez passé l'âge. Et je n'admettrai rien de ce genre de la part de John. Surtout pas lui !

— Il faut tout de même le ménager, il est malade.

— Oh, nul ne peut l'ignorer ! Pourtant, il ne va pas mourir s'il se soigne convenablement. J'ai discuté avec Betty, et les médecins d'Édimbourg, comme ceux de Paris d'ailleurs, disent qu'on peut aller jusqu'au bout de son existence avec sa séropositivité. Le virus sera tenu en respect par la multithérapie. Betty était très contente parce que ce n'est pas un espoir, c'est une affirmation. À John de se prendre en charge maintenant, je ne supporterai plus son chantage permanent, ni ses gestes d'humeur.

Kate ne pouvait pas protester, et elle n'en avait pas envie. John constituait un véritable problème, impossible de l'ignorer. Moïra et David le fuyaient, les jumeaux eux-mêmes l'évitaient d'instinct, Scott était à bout de patience, et la pauvre Betty, effarée par les incessantes provocations de son mari, avait toujours l'air de vouloir rentrer dans un trou de souris. Quant à Amélie, prise entre le marteau et l'enclume, elle n'osait plus parler.

— Je vais faire dîner les enfants, soupira Kate. Tu viens avec moi ?

— J'ai rapporté un peu de travail, mais je n'en aurai pas pour longtemps.

Elle constata qu'au lieu de monter vers le second Scott descendait avec elle, ce qui signifiait qu'il avait enfin décidé d'occuper le bureau d'Angus.

— Tu t'es installé en bas ? demanda-t-elle gaiement.

— Oui, je crois qu'il était temps de le faire. Je ne pense plus à cette horrible soirée de Noël, juste à tous les moments partagés avec papa dans cette pièce. Il aimait que je vienne lui parler des distilleries, que je le tienne au courant. Et il se réfugiait là pour fumer ses cigares sans qu'on lui fasse de réflexions. Tu vois, j'avais déjà pris sa place dans le bureau de Greenock, et maintenant ici... Je ne veux pas cultiver son souvenir, mais j'apprécie l'ambiance, alors je ne pense pas changer grand-chose au décor.

Kate vit qu'il avait les yeux brillants et qu'il contenait son émotion. Même s'il avait accepté la mort de son père, le chagrin était toujours vif.

— Je t'aime, dit-elle en le prenant par le cou.

En équilibre sur l'avant-dernière marche, ils échangèrent un baiser très doux.

*

À la fin de la semaine, George passa plusieurs heures à éplucher et vérifier les comptes. Il se sentait dans l'état d'allégresse d'un étudiant ayant réussi ses examens. De quelque manière qu'il présente son bilan, la filature était bénéficiaire pour ce premier trimestre. Il s'était donné beaucoup de mal, avait souvent fait le trajet jusqu'à Glasgow ou Édimbourg pour chercher de nouveaux débouchés, et il les avait trouvés. Sa collection de lainages, plutôt haut de gamme, avait été bien accueillie sur un marché envahi par les produits de médiocre qualité en provenance de l'Asie. Pouvoir garantir un *made in Scotland* semblait plaire de plus en plus, et les prévisions étaient au beau fixe.

Ayant prévenu qu'il dînerait à Gillespie ce soir-là avec Susan, il regagna son appartement assez tôt, incapable de tenir en place. Devant des chiffres pareils, Scott ne manquerait pas d'être étonné puis de le féliciter. En quelques mois, George était arrivé à diriger la filature, quelle bonne surprise ! De plus, il s'y plaisait vraiment et commençait à fourmiller d'idées.

Lorsqu'il mit sa clef dans la serrure, il fut étonné de constater que la porte n'était pas verrouillée. En général, Susan rentrait tard et arrivait après lui, pourtant elle était déjà là, allongée sur le canapé avec les mains croisées derrière la tête.

— Surprise ! s'exclama-t-elle. J'ai enfin bouclé mon chantier, et ainsi j'ai rattrapé tout mon retard. À partir de maintenant, j'aurai des horaires décents.

— Eh bien, je ne serai pas mécontent de te retrouver le soir au lieu de t'attendre en mourant de faim.

— Tu n'aimes pas être seul, je sais. Mais ne compte pas sur moi pour te concocter de bons petits plats.

Piètre cuisinière, elle possédait d'autres qualités. En particulier, elle avait fait de l'appartement un véritable cocon où George se plaisait. Il avait du mal à se souvenir de son malaise, la première fois qu'il y était monté. La chance d'un logement sur place ne pouvait pas se refuser, même si l'endroit était sale et triste, et si jamais il n'aurait pu imaginer une telle transformation en si peu de temps.

— Tu n'oublies pas qu'on dîne à Gillespie, ce soir ?

— Je vais aller me changer. J'espère que l'ambiance sera moins tendue, parce que avec John on a toujours l'impression qu'une dispute va éclater.

— Résister à ses provocations demande une certaine force de caractère, admit George en riant.

Susan quitta le canapé, s'étira, puis elle regarda George avec curiosité.

— Tu as l'air bien gai !

— J'ai là-dedans d'excellentes nouvelles, dit-il en désignant le dossier qu'il tenait toujours sous son bras. La filature est vraiment en bonne voie, je crois que Scott sera content de moi.

— Comme ça, il aura au moins une raison de se réjouir, plaisanta-t-elle.

Ils évoquaient souvent la querelle qui secouait la famille autour de la succession d'Angus. Susan avait été la première à constater qu'au fond il n'y avait pas de quoi se battre puisque tout ou presque avait été réglé d'avance, et elle avait ajouté qu'à cause de John le combat cesserait seulement lorsque la dernière petite cuillère aurait été sciée en deux.

— J'aime bien Scott, dit-elle spontanément.

— Toutes les femmes le trouvent formidable, railla George.

— Oui, mais je le soupçonne d'avoir un sacré caractère.

— Kate s'en accommode.

— Il l'adore, il est en extase devant elle, et pour elle il rentre ses griffes. Sans elle, je pense qu'il aurait jeté John par une fenêtre.

— Du haut du belvédère, c'est sûr.

— En attendant, John l'empêche d'investir son rôle de chef de famille, un costume taillé pour lui mais qu'il ne peut pas endosser tant qu'il aura des bâtons dans les roues.

— Dommage quand on pense que même maman n'était plus son ennemie.

Susan enleva son gros pull et son jean puis traversa le séjour en sous-vêtements.

— Ne te promène pas aussi dénudée, l'avertit George, ou je vais te sauter dessus.

— Et alors ? On a un peu de temps, non ?

Séduit par son sourire, George la rejoignit, tirant les rideaux au passage.

*

En tant que professeurs de littérature, Kate et Craig faisaient partie des quatre enseignants chargés de monter la pièce de fin d'année. Pour choisir le texte, tous avaient décidé de se réunir dans un pub de Glasgow, loin de l'école afin d'éviter toute interférence de leurs collègues, chacun ayant toujours une opinion bien arrêtée sur le sujet. Installés au premier étage du Waxy O'Connors, ils étaient allés chercher des bières au comptoir puis s'étaient isolés dans l'un des nombreux recoins. Au bout de quelques minutes, ils tombèrent d'accord sur Shakespeare et, après une plus longue discussion, optèrent pour une intéressante œuvre de jeunesse : *La Comédie des erreurs*. Cette pièce avait le mérite d'être courte, assez amusante en raison de tous ses jeux de mots et quiproquos, et surtout elle respectait la règle des trois unités, de temps, de lieu et d'action, ne nécessitant qu'un seul décor.

Kate se sentait tout à fait à l'aise, bien intégrée à ce petit groupe qui écoutait son avis avec attention. D'un point de vue professionnel, elle était comblée, et à titre personnel son amour pour Scott et pour ses enfants l'épanouissait chaque jour davantage. À vingt-cinq ans, elle resplendissait, sans avoir conscience du magnétisme qu'elle exerçait sur les hommes. Craig n'était pas le seul à la trouver jolie, mais lui était carrément sous le charme, et au fil des mois il était tombé complètement amoureux. Les jours où elle n'avait pas cours lui semblaient plus longs, et il saisissait toutes les occasions de lui parler ou de boire un café avec elle. Cependant il avait remarqué son recul, aussi évitait-il les gestes trop familiers, les compliments trop appuyés. Il comptait sur toutes les répétitions de la pièce de théâtre pour recréer entre eux de la complicité, voire une sorte d'intimité.

— Quand nous aurons arrêté la distribution, restera à établir un emploi du temps précis.

— Les élèves appartiendront forcément à des classes différentes, donc les réunions ne pourront avoir lieu qu'en fin de journée, en dehors des heures de cours.

— Mais, avant la première lecture, nous devons adresser un courrier aux parents pour les avertir et obtenir leur accord, rappela Craig. En ce qui nous concerne tous les quatre, il faudra faire un roulement quand l'un de nous ne sera pas disponible. Décidons dès maintenant que nous serons toujours au moins deux, parce que le théâtre amateur rend tout le monde très dissipé.

— L'école a déjà tenté l'expérience ? demanda Kate.

— Une fois, il y a quatre ans. Tu étais encore à la fac ! Mais je me souviens que nous avions failli jeter l'éponge tellement les gamins étaient survoltés.

— Et ça ne crée pas de jalousies entre eux ? insista-t-elle.

— Dans cette pièce, il y a au moins quinze rôles, sans compter quelques figurants, ce qui devrait satisfaire les volontaires.

— Je suppose que chacun de nous va défendre ses propres élèves pour leur obtenir les meilleurs rôles ?

— Non ! s'esclaffa Craig. On prend seulement ceux qui sont assez doués pour ne pas rendre le spectacle ridicule.

Kate se sentait très excitée par leur aventure théâtrale, mais elle se demanda comment Scott allait réagir en la voyant rentrer tard certains soirs et en la sachant impliquée dans ce travail avec Craig. Cependant elle n'allait pas se désister de ce projet à cause de lui, d'autant plus qu'il avait promis de ne plus être obnubilé par Craig. Mais y parviendrait-il ?

Il était déjà tard lorsqu'elle arriva à Gillespie. Les voitures de George et de Malcolm étaient garées devant la façade illuminée. Kate appréciait les soirs de fête qui les éloignaient chaque fois plus de l'atroce nuit de Noël. Lorsqu'elle arriva dans le salon, essoufflée, le premier à venir vers elle fut Scott.

— Tu avais oublié nos invités ? demanda-t-il en souriant.

— Non, j'ai été retenue par une réunion spéciale. Nous allons monter avec nos élèves une pièce de théâtre à la fin de l'année, et il faut tout organiser. J'espère que vous viendrez, nous voulons jouer devant une salle comble !

Elle alla embrasser chacun, ravie de retrouver ses frères.

— Pour une fois, lui dit Scott, c'est moi qui ai couché les enfants et lu une histoire.

Amélie lui jeta un regard amusé. Depuis longtemps elle ne cherchait plus à s'imposer auprès des jumeaux, personne ne lui contestant sa place de grand-mère.

— Tu as fini mon dessin de la vue du belvédère ? demanda Kate à Malcolm.

— Désolé, je n'ai pas eu le temps, j'avais une commande ferme à livrer.

Avec un air mystérieux, il désigna un paquet enveloppé d'une toile, posé contre un mur.

— Puisque nous sommes tous là, tu peux le dévoiler, suggéra Scott.

Se tournant vers Kate, il précisa :

— C'est moi, l'acheteur.

Éberluée, elle regarda Malcolm qui découvrait son tableau. Il ne s'agissait pas d'un paysage mais d'une sombre peinture représentant un cheval sortant de la mer.

— Influence Delacroix, précisa Malcolm. J'ai adoré l'étudier, son parcours est tellement riche et ses œuvres ont une telle force ! Ses chevaux ne sont pas anatomiquement parfaits, il privilégie le mouvement, alors j'ai choisi cet angle.

— C'est magnifique, murmura Kate. Il se dégage quelque chose de… spécial.

— Alors, tu aimes ? s'enthousiasma Philip.

— Oh oui !

— Scott est passé nous voir un matin et j'ai obligé Malcolm à lui montrer ses études d'animaux, où il se lâche beaucoup plus que dans d'autres sujets plus légers. Scott a eu un vrai coup de cœur. Enfin, j'espère que ce n'était pas juste par sympathie…

— Tu plaisantes ? s'insurgea Scott. Ce cheval est magnifique. Il a l'air terrifié mais il a réussi à échapper aux vagues, il gagne sur les éléments avec la puissance de ses muscles. Le dessin que j'avais vu m'avait emballé, et la peinture est encore plus réussie. J'adore !

Kate dévisagea Scott. Comment avait-il trouvé le temps de passer chez Malcolm et Philip ? Entre ses obligations professionnelles et ses soucis familiaux, il avait pris la peine de s'intéresser au travail de Malcolm, dont Philip parlait avec tant de chaleur. Elle chercha John du regard, espérant qu'il n'allait pas faire un commentaire désagréable, mais il se taisait, avachi dans son fauteuil, un verre de whisky à la main.

— Je suis en admiration, déclara Amélie, qui s'était approchée. Où comptes-tu l'accrocher, Scott ?

— Ici.

— Ne le mélange pas avec tous ceux qui ont été évalués, marmonna David.

Scott se tourna vers lui pour préciser :

— J'ai la facture datée.

Ils échangèrent un clin d'œil complice. Scott savait que David et Moïra ne décoléraient pas depuis l'inventaire. Lui-même avait été ulcéré, furieux, mais il se maîtrisait. Il songeait à son père, se demandant ce qu'aurait fait Angus dans une situation pareille, et chaque fois il en concluait que devenir le chef du clan n'était pas une sinécure. Dans cette position, on se devait d'arbitrer les conflits, pas de les alimenter.

— C'est la soirée des bonnes nouvelles, annonça George sur un ton triomphal. Malcolm va devenir un grand peintre et…

— Et on pourra dire que Scott a acquis cette toile à bas prix, l'interrompit John.

Il s'était levé pour aller se resservir, mais Betty l'en empêcha.

— Quant à moi, poursuivit George, j'obtiens d'excellents résultats à la filature. J'ai misé sur le tartan à fond puisqu'il est de nouveau à la mode, et ça a marché. J'ai trouvé les dépositaires, le stock s'écoule vite.

Il tendit à Scott son précieux dossier dont il était si fier.

— Je crois que tu seras content…

— S'il est content, portons un toast ! ricana John, qui avait réussi à se servir malgré Betty.

— La ferme ! le rabroua George.

Tandis que Scott jetait un coup d'œil intéressé aux bilans, Moïra arriva avec un plateau de beignets de crevettes. Elle s'arrêta une seconde devant le tableau, qu'elle examina en fronçant les sourcils.

— Quelle beauté…, finit-elle par dire à mi-voix.

Scott donna une joyeuse bourrade dans l'épaule de George en le félicitant.

— Continue et tu pourras t'augmenter !

— Tu te passionnes vraiment pour la laine des moutons ? lâcha John avec dédain.

— Absolument, répondit George. Je me suis pris au jeu. Tu aurais pu en faire autant.

John parut choqué de cette mise en accusation par son frère. Mais il n'avait jamais voulu s'intéresser à aucune des affaires des Gillespie, et aujourd'hui George lui prouvait qu'il avait eu tort. Le passage de John à la distillerie de Greenock, puis à celle d'Inverkip, avait été catastrophique, et il s'en vantait au lieu d'admettre qu'il avait raté quelque chose.

— Quel est le menu, ce soir ? voulut savoir Malcolm, qui guettait avec gourmandise toutes les recettes de Moïra.

— Du chevreuil. Il me reste au congélateur quelques belles pièces rapportées de la chasse par Angus.

— Désormais, tu devras les acheter chez le boucher, je ne suis pas chasseur, rappela Scott. À moins que David…

— Non, je n'ai plus le courage de tirer sur les bêtes. Avec l'âge, je deviens trop sensible.

— Pourtant, je te vois partir avec ton fusil ! railla John.

— En souvenir d'Angus. Je me balade avec l'un des deux Verney Carron qu'il avait achetés en France. Ce sont de belles armes, bien équilibrées, un douze et un seize que j'aime sentir tour à tour dans mon bras. Mais tuer… non.

Ce voyage d'Angus en France, à Saint-Étienne puis à Paris, lui avait permis de faire la connaissance d'Amélie et de la demander en mariage. Sans ces fusils, il n'y aurait pas eu de rencontre, et toute l'existence de la famille aurait été différente. Scott se dit qu'il n'aurait pas épousé Kate, n'aurait même pas su qu'elle existait quelque part. Alors, quelles qu'en soient les innombrables conséquences, il était heureux que son père ait eu envie d'acheter des fusils.

Tout en se dirigeant vers la salle à manger, il demanda à Kate si elle serait très prise par les répétitions de la pièce de théâtre.

— Oui, il y aura pas mal de travail. Mais nous sommes quatre à nous en occuper. Elizabeth et Craig, que tu connais, et Peter, qui part à la retraite l'année prochaine et veut finir sur un coup d'éclat.

Scott s'abstint de réagir, mais entendre le nom de Craig le hérissait. Les professeurs avaient-ils été choisis par le directeur de l'école ou s'étaient-ils portés volontaires ? Savoir que ce Craig allait passer encore plus de temps avec Kate risquait de l'obséder, mais il avait fait une promesse à sa femme, il devait s'y tenir.

— Tu ne t'inquiéteras pas ? chuchota-t-elle à son oreille.

Sa perspicacité lui arracha un sourire.

— Si, mais je ne te le dirai pas.

Amélie s'assit la première, à sa place en bout de table, avec Scott à l'autre bout.

— C'est agréable que nous soyons tous réunis ! lança-t-elle à la cantonade.

Un petit silence suivit sa déclaration ambiguë. Ils étaient tous conscients de l'atmosphère lourde qui planait la plupart du temps sur les repas, et depuis la mort d'Angus Amélie préférait se taire.

— J'ai mes quatre enfants, tous bien accompagnés, renchérit-elle.

Indiscutablement, la déclaration englobait Malcolm et, plus étonnant encore, Scott lui-même. Kate lança alors un regard inquiet vers John, mais pour une fois il jugea bon de ne rien ajouter.

9

Moïra avait fini de planter ses fleurs au pied du caveau et David la rejoignit avec un arrosoir plein. Il la regarda verser lentement l'eau sur la terre, puis leva les yeux vers l'inscription en lettres dorées.

— Je ne peux toujours pas croire qu'il soit là-dessous, marmonna-t-il.

Angus leur manquait à tous les deux, et bien davantage qu'ils n'auraient pu le craindre.

— C'était trop tôt, soupira Moïra. Et comme il n'était pas malade, nous n'étions pas préparés.

— En fait, d'après le Dr Grant que j'ai vu la semaine dernière, il donnait des signes de fatigue mais n'en tenait pas compte.

— Se sentir diminué l'aurait rendu enragé.

— Et puis, vis-à-vis d'Amélie, il ne voulait pas accuser son âge.

— Mais il n'était pas vieux !

— Non…

Moïra fit un signe de croix et ils récitèrent ensemble une prière à voix basse.

— Tu crois qu'il est au paradis ? demanda-t-elle en se détournant.

— Il y croyait, alors peut-être. En tout cas, il n'a pas fait de mal ici-bas. Moi, je n'ai pas vraiment la foi, il y a trop de trucs moches pour qu'un Dieu puisse vouloir ça. Je crois tout de même qu'on va quelque part, sinon rien ne sert à rien et autant mourir tout de suite.

— Angus a eu une belle mort. Pas pour nous, mais pour lui. Il est parti en deux minutes sans souffrir.

David referma avec soin la grille du cimetière et ils gagnèrent la voiture. Avant de démarrer, il demanda d'une voix lasse :

— Comment crois-tu que ça va tourner, cette affaire de succession ?

— Mal. Avec John, c'est obligé. Amélie toute seule n'aurait pas fait tant d'histoires.

— Mais qu'est-ce qu'il fout chez nous, tu peux me le dire ? Jusqu'à quand va-t-il s'incruster ? Et c'est Scott qui le nourrit !

— Il n'a pas le choix. Il refuse d'envenimer les choses, et puis il y a Kate, Amélie... De toute façon, Scott ne mettrait pas dehors quelqu'un de malade.

— Quelle idiotie ! John n'aurait jamais cet altruisme, lui. C'est un fout-la-merde et il l'a toujours été. Souviens-toi quel adolescent imbuvable il était ! Le coup de l'inventaire, ça me dégoûte. Qu'est-ce que Scott va pouvoir faire ?

— Je l'ignore, mais il ne laissera pas vider la maison, sois tranquille.

— Et s'il n'y arrive pas ?

Moïra lui lança un rapide regard, puis elle lui tapota le genou.

— Nous trouverons une solution. L'union fait la force.

Son visage, d'ordinaire si affable, s'était durci. Elle pinça les lèvres et fit signe à David de démarrer.

*

— Bien sûr, mon bureau est moins accueillant que le tien, admit Graham. Mais je vends des produits financiers, des conseils patrimoniaux, il faut que le cadre soit neutre. On est loin de tes boiseries, gravures et autres lampes bouillottes !

Avec ses meubles design et ses murs blancs, la pièce était impersonnelle et manquait de chaleur.

— Je n'ai même pas d'alcool à t'offrir, ici c'est prohibé. En revanche, j'ai le plaisir de t'annoncer que ton appartement est vendu. On signera la semaine prochaine chez ton notaire. Ça te soulage ?

— Disons que ce sera seulement un ballon d'oxygène parce que là-dessus j'ai mon crédit à rembourser. Mais j'ai besoin d'argent, alors je suis content. Tu as été rapide.

— Il le fallait, non ?

— En effet, les choses se compliquent. L'avocat d'Amélie a demandé qu'on lui transfère les parts de la société auxquelles elle a droit. Cette partie de la succession n'étant pas en litige, je ne m'y oppose pas. Mais avant qu'elle ne les bazarde, il faut que j'arrive à la convaincre de me les vendre, à moi. Au prix qu'elle en tirerait ailleurs, s'entend.

— John n'acceptera jamais, il te déteste trop.

— Je sais. Je dois absolument le prendre de vitesse parce que Amélie ne lui mentira pas. Or, dès qu'il sera au courant…

— Comment fais-tu pour garder ton calme ?

— Je n'ai pas les moyens de le perdre, ce serait pire.

— Et tu ne veux vraiment pas prendre un avocat ?

— Pas pour l'instant.

Graham secoua la tête pour marquer sa désapprobation. La plupart du temps, Scott écoutait son avis et s'en trouvait bien. Mais jusqu'ici, ses affaires n'avaient pas posé de problème. Grâce à un travail acharné, à des prises de risques intelligentes et à des choix judicieux, les distilleries généraient des bénéfices. Scott était brillant dans son métier et Graham n'avait pas eu de mal à le conseiller.

Aujourd'hui, la situation était plus périlleuse, et Scott se montrait moins souple parce qu'il se sentait menacé.

— Pour la filature, qu'est-ce que tu décides ?

Scott avait toujours dit qu'en cas de difficulté majeure il se séparerait de la filature en premier, bien que le souvenir de sa mère y soit attaché.

— Je ne peux pas la vendre parce que George s'en sort très bien. Il ne comprendrait pas. Il s'y voit un bel avenir et il y met toute son énergie. En plus, j'ai l'impression qu'il n'est pas très loin de demander Susan en mariage. Comment le priver de son travail maintenant ? De son logement ? J'ai les mains liées de ce côté-là.

— Et si tu étais un peu moins grand seigneur, hein ? articula Graham en se penchant au-dessus de son bureau. Faire plaisir à tout le monde est impossible, Scott !

— Pourtant, j'aimerais…

— Avec des beaux-frères qui te pourrissent la vie ?

— Non, plus maintenant. John mis à part, les autres font vraiment partie de ma famille. George a tellement changé ! Et Philip, tiens, je ne le croyais pas capable de gagner sa vie avec des bandes dessinées, or il y arrive et ça le passionne. Mieux encore, sa grande ambition est de faire reconnaître non pas son talent mais celui de Malcolm. À propos, je lui ai acheté un tableau que j'adore.

— Ben voyons…

— Considère ça comme un investissement.

— Je te le rappellerai quand tu seras en prison pour dettes, railla Graham.

Il se mit à pianoter sur son bureau, de plus en plus contrarié par ce qu'il entendait.

— Pour changer de sujet, t'es-tu au moins débarrassé de ton encombrante secrétaire ?

— Elle a dû trouver ma lettre ce matin sur son bureau. J'aurai une conversation avec elle tout à l'heure.

— Ne me dis surtout pas que tu veux la sauver aussi et assurer son avenir, parce que tu vas mettre le tien en péril à force de te comporter en bon Samaritain.

— Elle n'a pas sa place à Greenock, j'en conviens.

— Sans oublier qu'elle exaspère Kate.

— C'est ma principale motivation pour ne pas la garder.

Le visage de Graham s'adoucit, il finit même par sourire.

— Je t'amuse ? lui lança Scott. Je suis toujours fou amoureux de ma femme, les années n'y changent rien.

— Tant mieux pour vous. Mais reste vigilant.

— Oh, je le suis ! Il y a toujours ce Craig qui me fait grincer les dents…

— Il est encore dans le paysage ?

— Plus que jamais. Ils montent une pièce de fin d'année et passent beaucoup de temps ensemble.

— N'y pense pas.

— J'essaie. Et pour vous deux, Pat et toi, tout va bien ?

— Pas mal du tout. Quand un problème se présente dans notre couple, on le résout à deux sans entrer en conflit.

— À propos, je vous dois des vacances, je ne l'oublie pas.

— Nous non plus, rassure-toi. Mais j'aimerais que l'ambiance de Gillespie se détende un peu avant de vous imposer trois enfants turbulents. Cet été, peut-être ?

— Souhaitons-le !

Graham raccompagna Scott et le regarda partir en se demandant s'il l'avait un peu aidé. N'ayant pas les mêmes scrupules, il estimait que la présence de John était pareille à une étincelle au-dessus d'un baril de poudre. Avec l'aide de ce vieux renard de Bruce Forbes, la famille Gillespie risquait de se déchirer pour de bon dans un très proche avenir. Jusque-là, Scott gardait son sang-froid, mais jusqu'à quand ? Il n'avait aucune marge de manœuvre, coincé par son amour pour Kate qui lui interdisait de se débarrasser de John. Cependant, la cohabitation allait devenir malsaine si des parts de la distillerie Greenock se retrouvaient aux mains d'étrangers. Là, Scott deviendrait enragé et plus rien ne l'arrêterait. À l'époque où ils étaient étudiants, Graham avait parfois été témoin des colères froides de Scott, qui lui laissaient un souvenir impressionnant.

Songeur, il suivit des yeux la silhouette de son ami jusqu'à ce qu'il disparaisse au bout de la rue.

*

Grace avait relu la lettre deux fois, d'abord incrédule, puis atterrée. Au bout de sa période d'essai, la distillerie Greenock ne souhaitait pas lui offrir le poste ! Pourquoi ? Elle avait pourtant fait ce qu'il fallait pour l'obtenir. Ses projets secrets, les perspectives réjouissantes qu'elle entrevoyait : tout cela tombait à l'eau ? Qu'est-ce qui avait bien pu motiver la décision de Scott ? Elle ne l'avait jamais contrarié, s'était montrée ponctuelle, affable avec chacun, toujours élégante…

Après avoir tourné en rond dans son bureau, elle recouvra son sang-froid. Kate avait-elle influencé son mari ? Devinait-elle, d'instinct, qu'elle avait affaire à une rivale potentielle ? Mais elle n'était pas de taille, cette charmante petite femme, avec son air naïf et son allure de gamine ! Scott méritait bien mieux qu'elle. Une personne d'envergure qui ne serait pas qu'une gentille mère de famille et un obscur prof de français !

Filant aux toilettes, Grace s'observa dans le miroir. Trop de maquillage, peut-être ? Elle effaça son rouge à lèvres avec un mouchoir en papier, le remplaça par un brillant incolore. Le teint et les cils étaient parfaits, toutefois elle estompa un peu l'ombre à paupières. Elle mit un soupçon de désordre dans sa chevelure, puis essaya plusieurs mimiques en se regardant. Elle allait devoir se livrer à un véritable numéro de charme, ce qu'elle savait faire. Jusque-là, elle avait choisi d'être réservée, mais maintenant le temps pressait. Si elle voulait Scott – et Dieu sait qu'elle le voulait ! –, la partie serait difficile à gagner. Il était intelligent, inutile de lui servir des platitudes ; en revanche, son talon d'Achille était sans doute sa grande indulgence envers les femmes. On voyait qu'il les aimait, qu'il répugnait à leur faire de la peine. Sa façon de traiter ses employées, avec courtoisie et empathie, les rendait toutes folles de lui, et il ne semblait même pas s'en apercevoir ! Une pose de sa part ? En tout cas, Grace se sentait plus maligne que les autres, et surtout mieux armée. Peu d'hommes lui avaient résisté jusqu'ici parce qu'elle savait adapter sa tactique à chacun. Depuis longtemps, elle cherchait quelqu'un de la trempe de Scott, se désespérant de jamais trouver l'oiseau rare. Or il était là, à portée de main, exactement comme elle en avait rêvé. Séduisant avec son irrésistible regard et son sourire craquant, possédant une bonne éducation… et des affaires prospères. Quand elle le voyait descendre de son Range Rover et traverser la cour d'un pas décidé, elle sentait son cœur battre plus vite, ce qui lui arrivait rarement.

Grace venait d'un très bon milieu, malheureusement sa famille avait subi de lourds revers en Bourse. Dès son adolescence, elle avait compris que l'argent manquait et qu'elle ne pourrait prétendre à de longues études conduisant à un métier lucratif. Dotée d'un physique splendide, elle aurait pu faire un mariage d'intérêt et retrouver ainsi le confort matériel qui lui manquait. Mais elle voulait aussi l'amour, estimant qu'elle avait le droit d'être heureuse. Elle s'était donc contentée d'apprendre un peu d'informatique et d'acquérir une bonne vitesse de frappe sur un clavier avant de se lancer dans la vie active, seul moyen de faire des rencontres. Jusqu'à son entretien avec Scott, elle avait été plutôt déçue. Et même en arrivant à Greenock, une distillerie de moyenne importance, elle ne pensait pas avoir une si heureuse surprise. Dès l'instant où elle était entrée dans son bureau et où il s'était levé pour l'accueillir, elle avait su que la chance lui souriait enfin. Un patron d'à peine trente-cinq ans avec un charme si ravageur, c'était un cadeau du ciel ! Alors, bien sûr, il était marié, mais c'était un obstacle mineur si l'on songeait aux milliers de divorces prononcés chaque année en Écosse. Lors de son premier dîner à Gillespie, Grace avait jaugé Kate sans trop d'inquiétude, et surtout elle avait été éblouie par la maison. Vivre là, avec un homme tel que Scott ? Mais ce serait la réussite d'une vie !

Elle regagna son bureau, jeta un regard circulaire. Elle ne s'était pas demandé si elle s'y plaisait ou non, trop occupée à croiser Scott le plus souvent possible. Aurait-elle dû se l'approprier davantage, déposer quelques photos ou objets censés dévoiler sa personnalité ?

— Bonjour, Grace.

Il se tenait sur le seuil sans qu'elle l'ait entendu arriver, affichant une mine désolée de circonstance.

— Bonjour ! Je ne savais pas que vous étiez déjà là, et je suis un peu… assommée par la mauvaise nouvelle.

Elle lui adressa un sourire qu'elle espérait attendrissant.

— Ai-je mal fait mon travail ? Quelque chose vous a déplu ?

— Venez avec moi, demanda-t-il.

Il la précéda jusqu'à son propre bureau dont il ferma la porte.

— Asseyez-vous, nous allons parler de tout ça.

Prenant place devant elle, il commença par sortir des feuilles d'un tiroir.

— J'ignore s'il s'agit de fautes d'inattention, de frappe ou d'orthographe, mais vos courriers laissent vraiment à désirer.

— Ah bon ?

Intérieurement, elle pesta contre les ordinateurs qui, malgré leurs correcteurs intégrés, n'étaient pas fichus de rendre les textes impeccables. Elle s'efforça d'afficher un air contrit et crut bon de se justifier.

— J'aurais dû me relire, désolée.

— À mon avis, Grace, vous seriez plus à l'aise à l'accueil, dans une plus grande entreprise que la mienne. Ou peut-être aux relations publiques ?

— Je peux le faire ici !

— Non, je n'ai pas de poste désigné pour cette fonction. Je vous le répète, chez moi vous n'êtes pas vraiment à votre place. Je n'ai besoin que d'une secrétaire, de préférence efficace dans son domaine, et je pense qu'au fond vous souhaitez autre chose.

Un peu inquiète, elle se demanda ce qu'il devinait de ses ambitions.

— Dans mon emploi précédent, c'était une trop grande société, ici c'est trop petit... Je suis perdue.

Il eut un sourire sceptique, comme s'il n'en croyait rien.

— Vous trouverez facilement un autre travail. Je suis navré de vous avoir laissée croire que ça pourrait aller.

— Mais...

— Mais ça ne va pas.

— Très bien. Je suppose qu'il ne sert à rien de plaider ma cause ?

— Ne nous rendons pas les choses plus difficiles.

Elle avait déjà noté qu'il faisait preuve de détermination dans ses affaires, mais elle n'avait pas imaginé qu'il pourrait adopter la même fermeté avec elle. Les hommes la ménageaient toujours, peut-être dans l'espoir d'un rendez-vous, et elle tenta le tout pour le tout.

— Puis-je vous demander une faveur ?

— Bien sûr.

— Emmenez-moi déjeuner quelque part, ce sera une façon de nous dire au revoir, et vous pourrez m'indiquer quelques pistes pour décrocher un nouveau job. Ne me répondez pas que vous êtes déjà pris, je connais votre agenda puisque j'étais votre secrétaire jusqu'à aujourd'hui.

Il parut s'amuser de sa proposition, ou au moins de son aplomb.

— Ça doit pouvoir s'arranger, admit-il. J'ai un rendez-vous à Glasgow à quatorze heures, vous le savez, alors on peut se retrouver au Wee Lochan vers midi et demi. C'est près du parc Victoria. Vous connaissez ?

— Je trouverai.

— Profitez donc de la fin de la matinée pour ranger vos affaires et passer à la comptabilité.

Ayant obtenu ce qu'elle voulait, elle se dépêcha de filer. Après avoir récupéré son chèque, elle s'abstint de prendre congé des autres employés, qui ne la regretteraient sans doute pas, surtout les femmes ! Elle eut le temps de rentrer chez elle pour se changer, choisissant une tenue assez sobre qui comportait néanmoins un joli décolleté. Ce déjeuner représentait son ultime chance de séduire Scott. Et, tout bien réfléchi, ne plus travailler pour lui n'avait pas que des inconvénients. Loin de la distillerie, il se montrerait peut-être moins inaccessible. En toute discrétion, il pourrait même accepter d'autres rendez-vous et nouer avec elle une relation qui n'aurait plus rien de professionnel. Il suffisait de lui en donner envie.

Elle arriva au restaurant avec dix minutes de retard, sachant qu'il était toujours à l'heure et qu'elle aurait ainsi le loisir de traverser la salle en faisant tourner les têtes sur son passage. Comme prévu, elle réussit son entrée et vint prendre place à sa table, un petit sourire d'excuse au coin des lèvres.

— Désolée de vous avoir fait attendre, mais j'étais déjà plongée dans les petites annonces.

— Vous ne perdez pas de temps ! s'étonna-t-il.

— Je ne veux pas rester inactive, je déteste ça. Et pour être sincère, je n'en ai pas les moyens.

— Vous savez que vous trouverez, Grace.

— Pourquoi ? Parce que je suis jolie ?

Il parut surpris, mais acquiesça.

— Je suppose que ça compte, en tout cas pour certains.

— Pas pour vous, Scott ?

— Eh bien… Je n'ai jamais engagé personne pour son physique. J'élabore du whisky, et pour le vendre il faut seulement qu'il soit bon.

— Mais sur un plan personnel ?

Elle s'était un peu penchée en avant et le regardait droit dans les yeux. Son attitude était claire, à lui de saisir l'allusion.

— Je suis marié à une femme que j'aime par-dessus tout, finit-il par répondre. Et je la trouve plus belle qu'aucune autre.

Dépitée, elle comprit qu'elle ne devait pas insister. Mais alors ce déjeuner ne servait plus à rien, aussi ajouta-t-elle malgré tout :

— Vous seriez le seul mari fidèle de toute l'Écosse ? Nous n'avons plus l'âge d'être naïfs, Scott, et j'avoue que vous me plaisez. Vous l'avez sûrement deviné…

Elle prit le risque de poser sa main sur la sienne, mais il la retira aussitôt.

— Ne perdez pas votre temps avec moi, Grace. Oui, je suis fidèle, c'est ma conception du mariage, et en l'occurrence je n'ai aucun effort à faire pour le demeurer.

Cette fois, elle se sentit rougir d'humiliation et de rage. Aucun homme ne l'avait jamais repoussée. D'ailleurs, elle n'avait pas besoin de séduire, ils venaient à elle avec les yeux brillants de convoitise. Ceux de Scott restaient désespérément froids, malgré leur sublime couleur bleu sombre.

— Je me ridiculise, je suis navrée, marmonna-t-elle.

N'ayant pas d'autre choix, elle se leva, posa sa serviette sur la table et tourna les talons. Elle vivait cette scène tel un échec cuisant, ce qui l'empêcha de remarquer un groupe de quatre hommes installés près de la porte et qui l'observaient avec une évidente curiosité. Dès qu'elle fut sortie, ils se mirent à parler à voix basse.

*

— Non, Matthew, tu ne peux pas jouer ça comme Hamlet ou Macbeth ! C'est une comédie, et pour du Shakespeare, c'est d'une fantaisie débridée. Il faut absolument que vous vous amusiez, et le public suivra.

La première lecture de la pièce touchait à sa fin et tout le monde était fatigué. Kate sourit à son élève avant d'ajouter gentiment :

— Mais tu y arriveras, tu verras.

— La prochaine répétition a lieu après-demain à dix-sept heures, rappela Craig. Pour ce soir, je crois qu'on va s'arrêter là.

Sans trop se presser, la vingtaine d'adolescents quitta la salle par petits groupes en se lançant des plaisanteries.

— Il y avait une bonne ambiance, apprécia Elizabeth.

— Et on a pu distribuer les rôles sans créer de drames, c'est un grand pas en avant ! renchérit Peter.

Les quatre professeurs, soulagés par le bon déroulement de ces deux heures de discussion avec leurs élèves, enfilèrent leurs imperméables et éteignirent les lumières.

— J'ai deux mères d'élèves qui se proposent pour coudre les costumes, signala Elizabeth.

— Et moi un papa prêt à aider pour le décor, ajouta Kate.

Le projet était en train de prendre forme et elle se sentait galvanisée. Arrivés dans la cour ils se saluèrent, contents les uns et les autres. Kate se dirigea vers sa voiture, mais Craig la rejoignit alors qu'elle ouvrait la portière.

— Tu as une minute ?

Elle s'était arrangée pour limiter les apartés avec lui et fut un peu contrariée par son insistance. Néanmoins, elle acquiesça tout en jouant nerveusement avec ses clefs.

— J'ai quelque chose à te raconter qui ne va pas te faire plaisir, annonça-t-il.

— Un problème à propos de la pièce ?

— Non, non, de ce côté-là tu assumes parfaitement !

Son sourire était amical et il ne cherchait pas à s'approcher davantage.

— J'ai hésité tout l'après-midi pour décider si je devais t'en parler ou pas. Mais tu es mon amie, du moins je l'espère, et ce serait malhonnête de ma part de ne rien dire, même pour te ménager.

— Arrête tes mystères, Craig ! Où veux-tu en venir ?

— Voilà. Je... J'ai déjeuné au Wee Lochan à midi avec des amis. Peter était d'ailleurs avec nous.

Il s'interrompit, comme s'il répugnait à poursuivre.

— Bon, et alors ? s'impatienta-t-elle.

— Je ne l'ai pas vu tout de suite, parce que je lui tournais le dos, mais ton mari était là. Pas seul. En compagnie d'une incroyable blonde vraiment canon.

— Sa secrétaire, sans doute. Elle s'appelle Grace et, en effet, elle est très belle, très voyante.

— Oui, eh bien, il ne s'agissait pas d'un repas de travail !

— Pourquoi ?

— Ils se sont disputés. Elle lui faisait un vrai numéro de charme au début, en lui prenant la main et en souriant jusqu'aux oreilles, mais ça s'est gâté et elle l'a planté là. Elle est partie, furieuse, alors que le serveur apportait leurs plats. Pas vraiment l'attitude d'une secrétaire, n'est-ce pas ?

Kate eut besoin d'un temps pour assimiler ce qu'elle venait d'apprendre.

— Mais... Peut-être un désaccord à propos du boulot, ou... Qu'a fait Scott après ça ?

— Il a payé et il est parti. Je ne porte aucun jugement, d'ailleurs je n'ai pas entendu ce qu'ils se disaient. En revanche, pour parler crûment, cela ressemblait vraiment à une dispute de couple. Cette femme avait un décolleté à damner un saint, pas une tenue pour aller au bureau. Et je ne pense pas qu'une collaboratrice puisse se lever et s'en aller en plein milieu d'un déjeuner. Voilà, je n'ai rien à ajouter.

— Mais tu as estimé nécessaire de venir me le raconter ?

— Eh bien, si ça m'arrivait, j'aimerais qu'on en fasse autant pour moi. Personne n'a envie d'être le dernier informé dans ce genre de situation. Pourquoi n'aurais-tu pas une explication avec Scott pour en avoir le cœur net ? En ce qui me concerne, je ne veux pas qu'on te mente, qu'on te fasse de la peine ou qu'on te ridiculise. J'ai trop de... d'affection pour toi.

Il ébaucha un geste vers elle qu'il n'acheva pas. Il semblait réellement bouleversé et il se détourna pour se diriger vers sa propre voiture. Kate monta dans la sienne, démarra aussitôt. Des pensées contradictoires se heurtaient dans sa tête. Scott était-il capable de la tromper ? Mais quel homme résisterait aux avances d'une femme aussi séduisante que Grace ? Quant à Craig, il avait fait preuve d'une certaine retenue et elle ne lui en voulait pas. Après tout, elle préférait savoir la vérité, même si elle avait l'impression d'avoir reçu un seau d'eau froide en plein visage. Son amour pour Scott reposait sur une confiance absolue – absolue ou aveugle ? –, et jamais elle n'aurait cru pouvoir douter de lui.

En arrivant à Gillespie, elle vit que le Range Rover était garé près du perron. Scott était rentré, parfait, ils allaient donc s'expliquer sans attendre. Elle fila droit à son bureau, où elle le trouva devant l'écran de son ordinateur.

— Ah, ma chérie, te voilà ! La répétition s'est bien passée ?

— Très bien, merci.

Sa voix vibrait de colère et Scott la dévisagea sans comprendre.

— Et toi, ta journée ? ajouta-t-elle sur le même ton.

— Euh… Normale. Sans histoire.

— Vraiment ?

De plus en plus surpris, il n'eut pas le temps de se demander où elle voulait en venir.

— Même pas l'histoire de ton déjeuner avec Grace qui s'est si mal terminé ?

— Oh, ça…

Embarrassé alors qu'il ne s'était rien passé, il eut le tort d'hésiter.

— Quelle jolie tête de coupable tu as, Scott ! Tu aurais été mieux inspiré d'en parler le premier.

— Coupable de quoi ?

— Que faisais-tu dans ce restaurant avec elle ? Et pourquoi aviez-vous l'air de deux amoureux en train de se disputer ?

— Écoute, c'est ridicule…

— Je veux une réponse, Scott !

— Ce matin, j'ai signifié à Grace que je ne la gardais pas à la distillerie.

— Alors, tu lui devais une consolation ? Un tête-à-tête ? Et qu'est-ce qui l'a mise en colère puisque tu lui avais déjà annoncé qu'elle ne faisait plus partie de tes employées ?

Scott se leva, contourna son bureau et tendit la main vers Kate, qui fit un bond en arrière. Devait-il lui dire que Grace lui avait fait des avances ? Ce serait sans doute mettre de l'huile sur le feu, or Kate semblait très remontée contre lui.

— Tu aurais préféré que je n'en sache rien, n'est-ce pas ? ajouta-t-elle, amère. Si Craig ne vous avait pas surpris, tu aurais passé ton déjeuner sous silence, tu…

— Ah, c'est ce foutu Craig, bien sûr !

— Tu le détestes parce que c'est mon ami, comme si je n'avais pas le droit d'en avoir, mais heureusement qu'il était là.

— Un ami ou un admirateur ?

— Et après ? Tu ne veux pas qu'on me regarde ?

— Très bien, admettons, un ami. Du genre un-ami-qui-vous-veut-du-bien ! Je suppose que ça l'arrange de semer la discorde entre nous, et ensuite il te consolera.

— Tu te permets des crises de jalousie ineptes, mais quand je te demande une explication sur tes rendez-vous secrets avec la bombasse, là, tu deviens muet. Car tu es très fort pour retourner la situation, tu vas faire passer Grace à la trappe pour me soûler avec Craig. Eh bien, ça ne marche pas !

— Mais je me fous de Grace ! explosa-t-il.

— Ne crie pas après moi, Scott. T'énerver ne change rien au fait que tu ne veuilles pas me répondre. Tu fuis parce que tu n'as aucune explication valable. Parce que tu as été incapable de me dire simplement : « Tiens, j'ai déjeuné avec Grace qui n'était pas contente de ne pas être embauchée. » Je te croyais plus franc, et découvrir tes petits arrangements avec la vérité me déçoit beaucoup.

— Arrête ce psychodrame, Kate. Il n'y a rien eu, rien du tout, et si le très charitable Craig prétend autre chose, c'est lui, le menteur.

— Il a menti ?

— Non, mais il invente, il interprète à sa sauce ce qu'il a vu. Un véritable ami ne ferait jamais une chose pareille. Pose-toi des questions à son sujet !

— Pour l'instant, c'est à toi que j'en pose.

— D'accord. J'ai effectivement déjeuné avec Grace. Elle voulait des tuyaux pour retrouver un travail, du moins a-t-elle pris ce prétexte. En fait, elle m'a dragué et je l'ai envoyée sur les roses, ce qu'elle n'a pas supporté. Nous n'avons pas d'autre rendez-vous, et nous n'en avions pas eu avant. Elle ne m'intéresse pas, aucune femme ne m'intéresse à part toi.

— Et je dois te croire sur parole ?

— Kate...

— Je suis très peinée et très désemparée. J'aurai du mal à oublier ça, Scott.

Elle fit volte-face et sortit en claquant la porte. L'avait-il déjà vue claquer une porte ? Bon sang, comment lui faire admettre que tout cela n'était qu'un malentendu ? Perdre sa confiance serait si douloureux que Scott ne voulait même pas l'envisager. Pourquoi donc avait-il engagé, même à l'essai, cette Grace ? Plus insidieux encore, pourquoi avait-il accepté de l'emmener déjeuner ? Oui, il la trouvait belle, prétendre le contraire serait faux, mais il n'avait pas été tenté. Kate parviendrait-elle à le croire ? Quant à ce Craig de malheur, qui devait se frotter les mains après sa petite saloperie, Scott mourait d'envie d'aller l'attendre à la sortie de l'école pour lui casser la figure une bonne fois.

Sauf que le remède serait pire que le mal et achèverait de braquer Kate. Pour elle, Craig n'avait fait que raconter ce qu'il avait vu, mais pour lui, quelle aubaine ! Il s'octroyait ainsi le rôle du type intègre préservant son *amie*.

Exaspéré, Scott chassa Craig de ses pensées. Kate lui donnait l'exemple de ce qu'une jalousie mal placée pouvait faire comme ravage, et apaiser celle de Kate supposait qu'il mette la sienne de côté. Rester fâché avec sa femme une heure de plus lui parut soudain intolérable. Il sortit de son bureau pour se mettre à sa recherche, bien décidé à se faire pardonner cette malheureuse omission. Tout en grimpant quatre à quatre l'escalier, il se souvint de ce que lui avait prédit Mary : « Un jour, tu aimeras une femme pour de bon et tu te feras tout petit devant elle. Mais ce n'est pas moi. » Il avait trouvé cette femme, l'avait épousée en jurant de la rendre heureuse et, oui, il était prêt à tout pour elle, y compris à marcher sur son orgueil. Serait-ce suffisant ?

Sur le palier du premier étage, il croisa Betty, qui l'arrêta d'un geste énergique.

— Scott, attendez…

Elle l'entraîna vers le renfoncement d'une fenêtre, puis regarda à droite et à gauche pour s'assurer que personne ne se trouvait à proximité.

— Ce que je vais faire n'est pas bien du tout, chuchota-t-elle. Mais je suis obligée de trahir quelqu'un, et j'aime autant que ce ne soit pas vous.

Éberlué par ce propos sibyllin, il lui fit signe de poursuivre.

— Je n'ai pas perdu la mémoire, enchaîna-t-elle en baissant encore la voix, et je connais vos concurrents directs, ainsi que ceux qui louchent depuis longtemps sur la société Gillespie. Le plus redoutable est Mac Dell, un caractère de cochon, une ambition démesurée, et une qualité de produits parfois discutable.

Brusquement ramené dans l'univers du whisky, Scott se contenta de hocher la tête.

— C'est à lui que John compte vendre les parts d'Amélie. Il l'a contacté hier, et ils doivent se rencontrer la semaine prochaine.

— Quoi ? s'écria-t-il.

Elle lui fit signe de se taire, lança un nouveau regard anxieux vers l'escalier et la galerie.

— L'idée que Mac Dell mette un pied chez vous me rend malade, Scott. Je l'ai dit à John, je n'aurais pas dû, je suis désolée. Il vous déteste de manière insensée, et si c'est le pire pour vous, il s'en réjouit d'avance. Ça s'appelle scier la branche sur laquelle on est assis ! Je suis fautive, sans mon intervention il ne pouvait pas savoir parce qu'il ne connaît rien à ce monde-là. Je regrette tellement… Alors j'ai décidé de vous prévenir, même si je ne vois pas ce que vous pouvez faire.

Scott resta figé. Combien d'autres ennuis allaient s'abattre sur lui ?

— Merci, Betty, bredouilla-t-il.

Être au courant lui donnait-il un avantage ? Il n'avait aucun moyen de contraindre Amélie à le préférer, elle écouterait John quoi qu'il arrive. D'ailleurs, il n'avait pas les liquidités nécessaires pour la payer dans l'immédiat. Mais la perspective de voir entrer ce vieux requin de Mac Dell dans la distillerie de Greenock était inconcevable. Du haut du ciel, s'il y était, Angus allait maudire son fils.

— Voilà Kate qui s'en va, fit remarquer Betty en désignant la fenêtre.

À travers la vitre, Scott vit sa femme monter en voiture et démarrer en trombe, soulevant des gerbes de graviers.

— Qui s'en va où ? demanda-t-il, stupéfait.

— Chez vos amis Graham et Pat, d'après ce qu'elle m'a dit en passant. Je crois qu'elle dormira là-bas pour une obscure histoire d'enfants à garder. Vous ne le...

Elle s'interrompit, sans doute consciente de commettre une gaffe supplémentaire. Il y eut un silence, puis elle demanda, d'une toute petite voix :

— Est-ce que je peux vous aider d'une façon ou d'une autre ?

— Non. Ou plutôt, si. Voulez-vous prêter main-forte à ma belle-mère pour les jumeaux ? Je m'absente un moment.

Sans lui laisser le loisir de répondre, il s'élança vers l'escalier, qu'il dévala tout en vérifiant qu'il avait bien ses clefs de voiture dans sa poche.

*

Pat avait fait asseoir Kate sur le canapé du séjour, laissant Graham s'occuper de leurs trois enfants qui dînaient dans la cuisine. D'abord, Kate avait fondu en larmes, puis elle s'était confiée à Pat sans omettre le moindre détail. Elle semblait si malheureuse et si perdue que Pat lui avait servi un grand verre de chardonnay bien frais avant de pousser une boîte de kleenex vers elle.

— Je n'ai jamais douté de Scott, jamais ! expliqua Kate, qui se calmait peu à peu. Tout ce qu'il me dit, chacun de ses mots est pour moi la réalité, rien d'autre. Et je découvre qu'il me cache des choses, qu'il est capable de me mentir. Je lui ai pourtant laissé une chance, je lui ai demandé comment s'était passée sa journée, et il a affirmé tranquillement : « Normale. Sans histoire. »

— Parce que, pour lui, cet épisode n'avait aucune importance. Tu devrais le croire quand il te jure que cette femme ne l'intéresse pas.

— Tu trouves ça crédible ? Tu l'as vue ? Elle est canon ! Et il avoue qu'elle l'a dragué… Pourquoi ne pas avouer le reste ?

— Il n'y en a sans doute pas.

— Tu crois vraiment ? On m'a si souvent reproché ma naïveté que je ne veux pas me faire avoir.

Pat tourna la tête pour écouter son mari qui tentait de coucher les enfants.

— Vas-y, suggéra Kate.

— Ne t'inquiète pas, il se débrouille très bien sans moi. Écoute, j'aimerais que tu essaies de voir les choses froidement. Il nous arrive à tous de mentir par omission pour ne pas créer de problèmes où il n'y en a pas. Scott est trop droit, et surtout il t'aime trop pour te tromper avec la première blonde venue, si belle soit-elle.

— J'en étais persuadée jusqu'à aujourd'hui.

— Eh bien, continue ! A-t-il changé d'attitude avec toi ? Est-il plus distrait, distant ?

— Non, pas du tout, mais ça ne signifie rien.

— Bien sûr que si. Tu es la première à dire que Scott a des ennuis par-dessus la tête, pourtant il ne te néglige pas.

Quand Graham a des soucis professionnels, j'ai l'impression de devenir transparente !

— Ce n'est qu'une impression, rassure-toi, bougonna Graham en les rejoignant. Tu tiens trop de place pour que je ne te voie pas.

Pat lui adressa un sourire complice et s'enquit des enfants.

— Ils exigent que ce soit toi qui lises une histoire, ma chérie.

— Vas-y, approuva Kate.

Graham prit la place de Pat sur le canapé et tapota l'épaule de Kate.

— Tu te sens mieux ?

— Je ne sais pas. Je suis triste, et je n'aurais pas dû déserter la maison.

— Mais si ! On doit toujours pouvoir se réfugier chez des amis. Si tu veux, tu as même le droit de continuer à boire et tu dormiras ici. Demain matin, en te réveillant, tu verras Scott tel qu'il est.

— À savoir ?

— Le plus aimant des maris. Il est fou de toi, Kate. Vraiment dingue, et je le connais bien. Maintenant, il n'aurait pas dû embaucher cette nana dont on comprend tout de suite qu'elle va créer toutes sortes d'ennuis.

— Scott lui trouvait des excuses. Même s'il ne lui a pas cédé, c'était sans doute agréable pour lui de plaire.

— Il n'a pas besoin d'elle, il a toujours plu aux femmes. Et ça l'a longtemps flatté, nous sommes d'accord, mais c'était avant toi. Tu l'as transformé, Kate ! Vous êtes un couple épatant, ne cherche pas la petite bête. Parce que, si on va par là, aujourd'hui tu es jalouse, mais depuis des mois c'est lui qui se fait des idées et qui en bave à cause de ton copain Craig. De mon point de vue, vous ne devriez pas jouer à ça. La jalousie conjugale est un poison.

À peine avait-il fini sa tirade que plusieurs coups de sonnette impatients retentirent.

— Quand on parle du loup…

Il jeta un regard inquisiteur à Kate pour s'assurer qu'elle était prête, puis il se leva et alla ouvrir. Scott se tenait sur le seuil, l'air épuisé, une main appuyée au chambranle et deux bouquets de roses dans l'autre. Il en tendit un à Graham en marmonnant :

— Pour Pat.

— Je vais leur trouver un vase. Ta femme est dans le séjour. Tu as pris le temps d'acheter des fleurs, bravo !

Il lui adressa un clin d'œil complice et disparut vers la cuisine. Scott alla rejoindre Kate, s'arrêtant près du canapé sans trop savoir quoi dire.

— Je te dois des excuses, finit-il par déclarer. Je n'aurais pas dû passer sous silence ce déjeuner à la con.

— C'est sûr.

— Te faire de la peine m'est insupportable. Et savoir que je te déçois me fend le cœur.

Elle leva la tête vers lui, montrant ses yeux gonflés et son air perdu.

— Oh, Kate… Je suis tellement désolé !

Il posa le bouquet sur la table basse, le poussa vers elle.

— S'il te plaît, ma chérie, dis-moi comment te rendre le sourire.

À cet instant précis, il avait totalement oublié la révélation de Betty et la menace qui pesait sur la distillerie de Greenock, seule sa femme comptait. Il s'agenouilla devant elle, lui prit les mains.

— Regarde-moi, j'en ai besoin. Je ne te trahirai jamais. Je ne l'ai pas fait et je ne le ferai pas. Tu es la meilleure chose qui me soit arrivée, je me fous de tout le reste. La vie sans toi n'aurait plus aucun intérêt pour moi, je te le jure.

Il rendait les armes sans état d'âme, terrifié par l'idée qu'elle puisse se détacher de lui.

— Nous ne sommes plus d'accord, Scott ! Nous devenons jaloux, toi pour Craig, moi pour Grace... On se fait du mal.

— Oublie Grace, elle m'est indifférente. Au cours de ce maudit déjeuner, je lui ai expliqué que je t'aimais, toi, et nulle autre. Quant à Craig, j'aurais sans doute agi de même à sa place. Ton amitié pour lui me torture parce que tu partages des choses avec lui, des choses que je ne peux pas te donner. Je suis envieux de vos conversations, de vos répétitions, et de la complicité qui en découle forcément. C'est un sentiment mesquin qui me fait honte. Tu es quelqu'un de droit et d'entier, je ne te soupçonne de rien, tu le sais. Et plus tu auras d'amis, mieux ce sera.

Kate ne répondit pas tout de suite, pourtant son visage s'était peu à peu adouci. Elle parut hésiter encore, puis se pencha vers lui, posa une main sur son épaule.

— Tu me promets que tout ira bien ?

— Mais, ma chérie, tout *va* bien !

Ils s'étreignirent avec une certaine maladresse, elle toujours assise et lui à genoux.

— On peut entrer ou on vous abandonne l'appart ? lança Graham d'une voix joyeuse.

— Vous feriez très Roméo et Juliette, si vous aviez encore l'âge des rôles, ajouta Pat.

Kate et Scott se levèrent ensemble, sans se lâcher.

— Merci pour l'hospitalité, dit Kate avec son premier sourire de la soirée. Maintenant, on va filer.

— Pensez-vous ! Le temps que vous arriviez, le dîner sera terminé depuis longtemps à Gillespie, autant partager le nôtre, que vous avez d'ailleurs copieusement retardé avec vos simagrées.

Par-dessus la tête de sa femme, Scott adressa à Graham un regard plein de reconnaissance. Kate se proposa aussitôt pour aider Pat à préparer quelque chose et les deux hommes restèrent face à face.

— Tu avais raison, dit Scott en levant une main pour prévenir toute réflexion. J'aurais dû me séparer de cette allumeuse quand tu me l'as dit.

— Tu devrais m'écouter plus souvent.

— Ne me donne pas de leçons, contente-toi d'avoir vu juste.

— Tu as eu chaud avec Kate, hein ?

— C'est un euphémisme. Je ne cours plus jamais le risque.

— Alors, tout est pour le mieux ?

Scott se mit à sourire, mais brusquement il se figea.

— Pas tout à fait, avoua-t-il. J'ai une sacrée mauvaise nouvelle : John va vendre les parts d'Amélie à Mac Dell.

Atterré, Graham le scruta.

— Tu es sérieux ? À ce filou ?

— À lui et à personne d'autre.

— Tu ne peux pas accepter ça, Scott !

— J'ai peur de ne pas pouvoir l'empêcher.

— Oh, mon Dieu, c'est le pire…

— Avec John, c'est *toujours* le pire.

— Et tu as une solution de rechange ?

— Je vais la trouver. S'il le faut je l'inventerai.

Il n'était pas vraiment persuadé d'y arriver, cependant toute sa combativité lui revenait. Une heure plus tôt, son plus grave problème était Kate, mais à présent il se sentait capable de mobiliser son énergie dans la bataille qui l'opposait à John depuis trop longtemps.

— Je ne le laisserai pas gagner contre moi, déclara-t-il sur un ton froid.

Graham comprit que, malgré son calme apparent, Scott venait de déclarer la guerre. Jusque-là, il avait ménagé une partie de sa famille, et maintenant il allait lâcher les chiens.

10

Amélie s'attardait dans la cuisine tout en guettant Moïra du coin de l'œil. Depuis l'inventaire, les rapports des deux femmes s'étaient tendus. Régulièrement, désignant tel ou tel objet sur lequel le commissaire-priseur avait apposé une petite pastille numérotée, Moïra déclarait de façon péremptoire : « Ça, pas question de le voir partir ! » Amélie ne savait que répondre. John l'avait placée dans une position difficilement défendable, et elle se sentait mal. Au fil du temps, la famille Gillespie était devenue la sienne. Elle n'éprouvait plus le besoin de défendre ses enfants telle une lionne ses lionceaux. Ils avaient fait leur chemin, Kate la première. George réussissait, et Philip aussi, même si elle ne comprenait pas ses choix. Restait John, son fils chéri, qu'elle avait aimé plus que les autres mais qui ne l'avait pas payée de retour. Sans oser se l'avouer, elle était lasse des complications qu'il avait semées dans sa vie. D'autant plus qu'elle ne pouvait plus compter sur le soutien d'Angus, et que se retrouver isolée face à tous les autres n'avait rien de réjouissant.

— Ce thé est vraiment excellent, déclara-t-elle. Puis-je en avoir une autre tasse ?

— Servez-vous, répliqua Moïra d'une voix rogue.

Amélie s'exécuta, songeuse. Comment faire pour amadouer sa belle-sœur ? Impossible de la réconforter en affirmant qu'aucune vente n'aurait lieu car John insistait pour récupérer ce qu'il estimait être la part de sa mère sur l'ensemble du mobilier. Amélie avait longuement réfléchi. Sa propre situation financière n'était pas brillante, elle ne possédait rien, n'avait rien prévu tant elle se croyait à l'abri, et seul l'avocat lui obtiendrait des liquidités. Dont John réclamerait sans doute l'essentiel, elle ne se faisait pas d'illusions. Puis il quitterait Gillespie après avoir brouillé sa mère avec tout le monde. Quelle sombre perspective !

Le thé était froid et Amélie se leva, alla rincer sa tasse, puis quitta la cuisine. Moïra attendit encore un peu avant de se retourner pour s'assurer qu'elle était seule. Elle laissa échapper un long soupir de soulagement et se remit à éplucher les légumes. Amélie n'était peut-être pas une mauvaise femme, mais elle subissait toujours l'influence de John et se soumettait à ses exigences. Le lien de parent à enfant ne justifiait pas tout. Si Angus, lui, avait adoré Scott, il ne s'était pas montré faible avec lui. Les femmes étaient-elles plus sensibles, trop compatissantes ?

Deux mains se posèrent sur sa taille et Moïra poussa un cri de surprise, laissant tomber sa pomme de terre.

— Scott ! Tu me feras mourir de peur…

Mais elle lui adressa un sourire affectueux tandis qu'il embrassait sa joue.

— Tu rentres bien tôt aujourd'hui, mon grand.

— Je voulais te parler, et pouvoir le faire quand tu es tranquille.

— Tu veux dire, quand je suis seule dans la cuisine ?

— C'est ça.

Il s'assit, ou plutôt se laissa tomber sur le banc. Ses traits tirés et ses cernes trahissaient sa fatigue.

— Tu as très mauvaise mine, constata-t-elle.

— Les soucis, je suppose. Je sors de chez mon banquier, ce n'est pas brillant.

S'essuyant les mains sur son tablier, elle vint prendre place face à lui.

— Raconte, dit-elle seulement.

— Je vais te faire la version courte, parce que c'est assez compliqué. Les distilleries marchent bien, mais je réinvestis systématiquement les bénéfices. J'ai modernisé certaines installations, misé sur un marketing plus agressif ; bref, je réinjecte l'argent au fur et à mesure. Comme tu le sais, Amélie hérite d'un certain nombre de parts à Greenock. Elle va les vendre et j'aimerais les lui racheter, toutefois je ne dispose pas du capital suffisant pour lui faire une offre. Quoi qu'il en soit, John choisira un autre acheteur que moi.

— Pourquoi ? S'il obtient son argent, peu importe d'où il vient !

— Nous n'en sommes plus là. Il en fait une affaire personnelle, il pense qu'il tient sa vengeance en faisant entrer un étranger dans mes affaires.

— Se venger de quoi ? De la correction qu'il mérite et que tu ne lui as pas donnée ?

— Il n'a pas oublié ce qu'il appelle des « humiliations ». Et nous sommes à couteaux tirés parce que je ne supporte pas sa manière de jouer sur tous les tableaux : sa femme, sa mère, sa maladie… Pour ces parts de société, je ne peux pas faire grand-chose, et ça va me pourrir la vie à Greenock pendant les dix prochaines années !

Scott eut un geste rageur, mais il se domina par égard pour Moïra.

— En revanche, poursuivit-il, je viens de vendre mon appartement et je peux me servir de ce que je possède pour dédommager Amélie de la moitié de ce foutu inventaire, et ainsi rien ne sera vendu ici. Pas une seule de tes cuillères.

Il laissa son regard errer sur les cuivres anciens pendus au mur, l'horloge, la longue table de chêne.

— Rien, répéta-t-il avec un petit sourire.

Moïra hocha la tête, l'air grave, puis elle se leva pour aller fermer la porte, ce qu'elle ne faisait jamais.

— Moi aussi, j'ai quelque chose à te dire. J'ai toujours pensé que tu ne laisserais pas vendre le mobilier constitué par plusieurs générations de Gillespie. La maison est grande, elle contient beaucoup de choses, certaines ont une valeur marchande et d'autres une valeur sentimentale. Tu prends une bonne décision en gardant l'intégralité de ce qui constitue le passé de la famille, son histoire. Maintenant, en ce qui concerne Greenock... Si je comprends bien, ton problème est double. Trouver des fonds, puis convaincre Amélie de t'accorder la préférence si tu t'alignes sur l'offre.

— Je n'en ai pas les moyens. La banque me propose d'hypothéquer Gillespie, ce que je ne ferais pour rien au monde.

— Attends une seconde, veux-tu ? Nous allons nous répartir la tâche. Tu es meilleur orateur que moi, tu sauras plaider ta cause qui est aussi, à terme, celle de tes enfants. Amélie les adore ; au moins, elle t'écoutera avant de prendre une décision. Mais en ce qui concerne les fonds qui te manquent, je peux t'aider.

— Toi ?

Le sourire de Scott s'élargit, devint carrément tendre.

— Tu es adorable, Moïra. Malheureusement, je crois que tu ne te rends pas tout à fait compte de...

— Pourquoi m'interrompre ? Tu vas dire des âneries. Bon, je ne parle jamais d'argent, à mon époque c'était se montrer mal élevée pour une jeune fille que d'évoquer ces questions vulgaires. Mais tout ça, c'est le passé, et donc, je poursuis. Au décès de nos parents, Angus a eu les distilleries et le manoir, il a été très avantagé par le testament puisqu'il était le fils aîné. En compensation, j'ai reçu un petit capital qui devait constituer ma dot... et auquel je n'ai jamais touché. Il a prospéré – depuis quarante ans, tu magines –, et il est à toi aujourd'hui. Ce ne sera peut-être pas suffisant, mais enfin, c'est… disons, confortable.

Ouvrant de grands yeux, Scott la considérait avec stupeur. Il avait toujours cru que Moïra vivait à Gillespie parce qu'elle n'avait pas d'autre endroit où aller, faute de moyens.

— Je ne veux pas de ton argent, mais je suis heureux d'apprendre que tu en as.

— Je n'y pense pas souvent, avoua-t-elle. Angus n'a jamais voulu que je débourse un penny ici. Je tenais sa maison, il estimait que c'était un bon arrangement. En fait, il se sentait honteux d'avoir été si privilégié. Et puis, à force de repousser mes prétendants sous prétexte qu'il ne les trouvait pas assez bien pour moi, plus personne ne s'est présenté, et finalement je suis restée vieille fille par sa faute. Gillespie n'est pas à proprement parler un lieu de passage, on ne voyait pas grand monde…

Elle parut s'égarer un moment dans des pensées mélancoliques, mais secoua la tête pour les chasser et réitéra sa proposition.

— Utilise cet argent, Scott ! Sans ton père, j'aurais tout dépensé depuis belle lurette, mariée ou pas. À quoi veux-tu que ça me serve ? Je n'ai besoin de rien. Je croyais devoir aider David un jour, mais tu t'en es chargé à juste titre et ce n'est plus un souci pour moi. Prends ce que je te donne sans faire de manières.

— Non, Moïra.

— Oh que si ! s'exclama-t-elle en tapant sur la table. Nous sommes un clan, Scott. On se tient les coudes et on serre les rangs. Peut-être me rembourseras-tu un jour ? Tu fais prospérer les distilleries, tu pourras me dédommager tout ou partie si tu y tiens. Tu es mon neveu, mon plus proche parent, je t'ai élevé à la mort de ta mère, et tu voudrais que je te laisse te débattre dans les ennuis ? Si ça ne suffit pas, eh bien, nous n'en parlerons plus, mais au moins tu auras eu une arme pour te battre ! Quant à hypothéquer la maison, heureusement que tu t'y refuses, sinon je monterais me pendre dans le belvédère.

Elle s'était exprimée avec une fermeté dont elle usait rarement et qui rappela à Scott quelques souvenirs d'enfance. Gamin très turbulent, il l'avait parfois fait sortir de ses gonds.

— Alors, c'est entendu ? insista-t-elle. Pense à ton père et à ce qu'il aurait voulu.

Il avait trop envie d'accepter pour s'obstiner à refuser. Les arguments de sa tante l'avaient convaincu, et pour lutter contre John il avait besoin d'argent. Il acquiesça en hochant la tête, ce qui rendit le sourire à Moïra.

*

Pat avait accompagné Betty à son entretien d'embauche. Le poste de comptable dans l'un des meilleurs théâtres de Glasgow était vacant et de nombreux candidats postulaient, mais Graham avait fait jouer ses relations pour que le dossier de Betty se retrouve sur la pile. La jeune femme s'était présentée sous son meilleur jour, faisant valoir son expérience de plusieurs années chez les Gillespie, ainsi que son travail à Paris qui lui avait permis de devenir parfaitement bilingue. Déterminée à ne pas laisser passer une telle occasion, Betty avait su se montrer convaincante, enjouée et responsable.

— Je crois avoir toutes mes chances, affirma-t-elle à Pat en sortant du Citizens Theatre. Ce serait merveilleux pour moi de pouvoir reprendre une activité !

Elle débordait de reconnaissance envers Graham, Pat, et aussi Scott, car il s'était donné la peine de la recommander à ses amis. Et il l'avait fait avant d'apprendre ce qui se tramait contre lui, donc il ne s'agissait pas d'un renvoi d'ascenseur. Elle se félicitait vraiment de l'avoir mis au courant des projets de John. Scott était le pilier de la famille, le seul sur qui on pouvait compter, et Betty avait compris depuis longtemps que, quoi qu'il puisse advenir de John et d'elle-même, Scott ne se déroberait pas s'ils avaient besoin de son soutien.

— Ne rien faire de ses journées est déprimant. À Gillespie, Moïra ne veut pas qu'on l'aide en cuisine, elle considère que c'est son domaine exclusif ! Et Amélie tient à s'occuper des jumeaux en l'absence de Kate. Je donne un petit coup de main à David pour le jardin parce qu'il y a beaucoup à faire au printemps, mais je sais qu'il se passera très bien de mes services si je décroche un job. Oh, Pat, j'y crois vraiment ! Nous n'aurons la réponse que la semaine prochaine et ce sera difficile de ne pas me bercer d'illusions en attendant. J'ai vraiment eu un bon contact avec le directeur, j'espère qu'il n'a pas la même attitude avec tous les candidats !

Elle débordait d'enthousiasme, contenant à grand-peine son impatience. Elle venait de le confier à Pat : errer du matin au soir la rendait malheureuse. John avait rarement un mot aimable, il était presque toujours de mauvaise humeur et refusait qu'on s'occupe de lui. Elle en venait à se demander si, sans sa maladie, elle n'aurait pas envisagé une séparation. Leur mariage n'avait apporté à Betty que des désillusions. Par amour pour lui, elle avait accepté l'idée de ne pas avoir d'enfants, de vivre avec un séropositif qui pouvait développer la maladie et succomber au virus. Tout l'avenir était soumis à ce risque, même si les médecins prétendaient qu'avec un traitement sérieux John pouvait mener une existence quasiment normale. Mais était-il capable d'être *sérieux* pour le restant de ses jours ? Il utilisait le peu d'énergie dont il disposait à se battre contre Scott, espérant à la fois se venger de son ennemi et récupérer de l'argent. Betty n'approuvait pas, ne se sentait pas solidaire de ce combat-là, ce qui l'éloignait de plus en plus de son mari. Elle se sentait liée par une obligation morale, mais son amour faiblissait, elle en était douloureusement consciente. Retrouverait-elle jamais le John qui l'avait séduite ?

— J'espère que nous boirons le champagne la semaine prochaine, déclara gaiement Pat, mais en attendant, je t'offre une bière.

Il faisait beau, avec un délicieux petit vent tiède, et les rues de Glasgow étaient très animées. Elles croisèrent un joueur de cornemuse qui déambulait pour amuser les touristes en jouant les airs écossais les plus connus.

— Je ne regrette pas Paris, avoua Betty. Nous ne nous sommes pas fait d'amis là-bas, et j'étais déracinée. Même le père de John ne nous a pas beaucoup aidés. Pour lui, nous étions des étrangers. Il est venu à notre mariage en traînant les pieds ! Au bout du compte, je suis heureuse d'être rentrée en Écosse. D'autant plus que John est bien soigné ici aussi.

— Comment va-t-il ?

— Physiquement, il est assez en forme, malgré la fatigue due au traitement. Les effets secondaires sont plus limités qu'avant, mais il faut être très rigoureux.

— Et moralement ?

— Il est un peu moins anxieux. Il se donne l'air de ne pas écouter les médecins et en réalité il boit leurs paroles ! Si seulement il n'était pas obsédé par cette maudite succession et par Scott…

— Je vais te poser une question un peu brutale, Betty. Ton mari est-il quelqu'un de méchant ou seulement de borné ? Désolée si je te choque, il faut quand même reconnaître que son comportement provoque une situation intenable. Mettre Scott en difficulté revient à se saborder lui-même ! Que ferez-vous quand des problèmes financiers surgiront et que la vie en famille à Gillespie deviendra impossible ?

— Je sais tout ça ! protesta Betty. Je n'arrive pas à le raisonner. Prononcer le prénom de Scott revient à agiter un chiffon rouge devant un taureau. Le contentieux remonte à plus de douze ans, quand Amélie est arrivée en Écosse avec ses enfants. Scott incarnait déjà à l'époque tout ce que John déteste. Peut-être parce que au fond il aurait voulu lui ressembler, ou prendre sa place ! Scott réussissait tout ce qu'il entreprenait, alors que John était en échec partout. Scott était un fils aimé, tandis que John s'était vu abandonner par son père. Les Gillespie avaient une maison de rêve et des affaires prospères, et Amélie était sans le sou et ses enfants le savaient. John s'est senti à peine toléré et il s'est buté. À chacun de ses affrontements avec Scott, il a perdu la partie. Et, quand Amélie s'est mis en tête de l'imposer à la distillerie, persuadée qu'Angus l'inclurait dans ses affaires, il s'est retrouvé un balai à la main sous les ordres de Scott. Tu imagines ?

— Il était bien obligé de commencer en bas de l'échelle.

— Oui, surtout qu'il refusait de faire des études. Cela dit, pour un tout jeune homme, à l'échec s'ajoutait l'humiliation, et Scott est devenu sa bête noire, son ennemi juré. Je travaillais là-bas, je le voyais errer telle une âme en peine et j'éprouvais de la compassion. Et puis je le trouvais attirant. Il était jeune, sombre, il se disait maudit… J'en suis tombée amoureuse ! Ce que je peux te dire aujourd'hui est qu'il n'est pas méchant. En revanche, il est inconséquent, immature, égoïste, désordonné dans sa tête, et l'argent a pris une importance énorme pour lui. Apprendre sa séropositivité n'a rien arrangé. Il se croit puni et il crie à l'injustice. Vivre à ses côtés devient compliqué pour moi, mais je ne l'abandonnerai pas.

Elles étaient entrées dans un pub et avaient commandé deux pintes ; Betty avait à peine touché à la sienne. Se confier lui procurait un soulagement inattendu qui la poussa à ajouter :

— Merci de m'écouter.

— Tu devrais parler plus souvent.

— Je n'aime pas me plaindre.

— Tu ne l'as pas fait, tu m'as seulement donné des clefs pour mieux comprendre. Raconte tout ça à Scott, son opinion sur John changera peut-être.

— Mais pas celle de John, hélas ! Si j'obtiens ce travail, le mieux serait de louer un petit appartement à Glasgow, que John se sente enfin chez lui sans croiser Scott tous les matins et tous les soirs, ni aller se plaindre auprès de sa mère à longueur de journée. Contrairement à ce qu'il prétend, par provocation, il ne déteste pas l'Écosse. J'avais ici des amis avec lesquels je peux renouer des liens, nous nous ferons une petite vie à nous et les choses s'apaiseront.

— J'en suis certaine, approuva Pat. Tu es très courageuse, Betty.

— Oh non, je...

— Si, tu as une sacrée force de caractère !

Pat semblait vraiment admirative et Betty se sentit assez réconfortée pour boire enfin quelques gorgées de sa bière. Elle était ravie de cette fin d'après-midi si prometteuse pour elle, alors quand son téléphone sonna et qu'elle vit le prénom de John s'afficher, elle répondit d'une voix joyeuse.

— Chéri ? Mon entretien s'est superbien passé !

— Tant mieux pour toi, mais Philip a eu un accident à Glasgow et il est à l'hôpital. Vu que tu es sur place, va prendre de ses nouvelles. Malcolm était sous le choc au téléphone et on n'a rien compris.

— C'est grave ?

— On n'en sait rien ! Dépêche-toi, bon sang, et rappelle-moi dès que tu apprendras quelque chose, maman est folle d'inquiétude.

Malgré son apparent cynisme, John aimait bien ses frères, en tout cas davantage que Kate, qu'il avait toujours un peu méprisée. Betty devina son anxiété et promit de faire vite. Elle quitta Pat en catastrophe pour foncer à l'hôpital, où elle trouva Malcolm dans la salle d'attente des urgences, en compagnie de Scott qui venait d'arriver.

— Philip est parti en salle d'opération, expliqua Scott à Betty. Nous devons patienter pour avoir des nouvelles.

Bouleversé, hagard, Malcolm semblait dans un état second. Betty le prit par le bras pour l'entraîner vers une rangée de chaises tandis que Scott allait chercher du café au distributeur. Des médecins et des infirmiers en blouse blanche traversaient la salle d'un pas pressé sans s'intéresser à eux, ignorant le regard implorant de Malcolm.

— Bois ça, tu en as besoin, dit Scott en revenant. J'ai mis plein de sucre et de lait, comme tu aimes.

Malcolm leva les yeux vers lui, tenta de sourire sans succès, puis il prit le gobelet à deux mains avant d'expliquer, d'une voix hachée :

— Nous faisions la tournée des pubs pour fêter le contrat que je viens de passer avec un galeriste… On a bu quelques verres au Moda, et puis Philip a voulu aller au Polo Lounge qui est juste à côté… Du côté de Wilson Street, c'est le coin gay de Glasgow et on s'est attardés sur le trottoir pour fumer une cigarette. Nous étions tout un groupe, on plaisantait, on ne faisait pas attention à ce qui se passait dans la rue. Et soudain, une moto a surgi de nulle part et a foncé droit sur nous ! Le type a visé les gens délibérément, c'était sûrement un cinglé homophobe… On a voulu s'écarter de sa trajectoire, j'ai tiré Philip par le bras, mais pas assez vite, et la moto l'a percuté. Il a été projeté en l'air, c'était atroce…

Il tremblait et du café se répandit sur son jean sans qu'il s'en aperçoive.

— Le chauffard a filé sans s'arrêter, mais je crois qu'un de nos copains l'a pris en chasse sur sa propre moto. Je ne sais plus… Je ne voyais que Philip étendu au milieu de la rue, avec du sang partout, et j'avais beau lui parler il restait inconscient… Quelqu'un a dû appeler les secours, parce qu'ils sont arrivés presque tout de suite.

Il s'interrompit, avala sa salive puis se racla la gorge et réussit à ajouter, dans un souffle :

— J'ai tellement peur pour lui !

Scott lui mit une main sur l'épaule, de façon fraternelle, et s'assit à côté de lui.

— Nous aurons bientôt des nouvelles, sois patient.

— Je n'en peux plus d'attendre.

— J'espère qu'ils mettront la main sur le chauffard, murmura Betty. Comment peut-on faire une chose pareille ?

— Par méchanceté, par connerie, ou les deux à la fois ! gronda Scott.

Ils se turent, installés de part et d'autre de Malcolm pour l'entourer.

— J'appellerai Amélie lorsque nous aurons parlé à un médecin, décida Scott.

Prenant le gobelet vide des mains de Malcolm, il se leva pour aller s'en débarrasser dans une poubelle. Combien de fois avait-il vu sa belle-mère frappée par un coup du sort ? La fausse couche qu'elle avait faite au pied de l'escalier à Gillespie, plusieurs années auparavant, n'ayant que la main de Scott à laquelle se raccrocher. Puis le brusque départ de John pour la France, qu'il avait dû lui révéler. Quelques mois plus tôt, le décès si brutal d'Angus, qui l'avait laissée désemparée au point de s'en remettre à son gendre. Enfin la séropositivité de John, qui la maintenait dans l'angoisse. À présent, Philip se trouvait entre la vie et la mort, et dans le pire des cas il incomberait à Scott de le lui dire. Un brusque élan de compassion lui fit considérer Amélie de façon différente.

« Pourvu que je n'aie pas une mauvaise nouvelle à lui apprendre… S'il vous plaît, mon Dieu ! » Cette pensée lui arracha une grimace. Angus répétait avec ironie que, quand on n'a pas la foi, il ne sert à rien de demander des faveurs au ciel.

— Vous êtes de la famille ? demanda un médecin en s'arrêtant devant Betty.

Elle secoua la tête tandis que Malcolm cherchait une réponse appropriée.

— C'est mon beau-frère, déclara Scott.

— Nous avons réussi à maîtriser l'hémorragie interne qui nous inquiétait beaucoup. Il a aussi une fracture de la hanche et plusieurs côtes cassées, mais le pronostic vital n'est plus engagé.

Malcolm enfouit son visage dans ses mains, sans doute pour contenir des larmes de soulagement. Le médecin le considéra avec une certaine curiosité, ce qui poussa Scott à préciser :

— Son compagnon.

— Ah… Je vois.

Que voyait-il d'autre que l'immense soulagement du jeune homme ?

— Nous allons garder votre beau-frère sous surveillance en réa jusqu'à demain, et s'il est stabilisé nous le transférerons dans un autre service. Il n'est pas encore réveillé, et ensuite il sera sous calmants. Revenez dans vingt-quatre heures, pas avant.

Malcolm releva brusquement la tête, prêt à protester, mais le médecin lui adressa un petit sourire.

— Tout ira bien, le pire est passé. Il a eu de la chance !

Il s'éloigna aussitôt, pressé d'aller s'occuper d'un autre cas.

— Je vais faire dire une messe de gloire, décida très sérieusement Malcolm. Et je suis navré d'avoir failli craquer…

— On te ramène à Gillespie ? suggéra Scott. Ne reste pas seul ce soir, il faut fêter ça.

— Je n'ai pas le cœur à faire la fête.

— Bien sûr que si. Philip est en vie, il n'aura pas de séquelles, et dès demain tu pourras lui tenir la main. La vie est belle, non ?

Le prenant par le coude, il l'obligea à se lever.

— Demain, répéta-t-il. En attendant, on s'en va.

Il l'entraîna jusqu'à la sortie de l'hôpital et le confia à Betty avant de prendre son portable pour appeler Amélie.

*

Kate avait réussi à ne jamais rester en tête à tête avec Craig depuis quelques jours. Pendant les répétitions de la pièce, elle sentait son regard sur elle mais refusait d'entrer dans son jeu. Elle s'était abstenue de lui donner une quelconque explication après sa « révélation » au sujet du déjeuner de Scott et Grace. Avait-il espéré qu'elle lui raconterait une scène de ménage et pleurerait ensuite sur son épaule ? L'avoir parfois pris pour confident était une erreur qu'elle ne commettrait plus.

Ce soir-là, elle se hâtait vers le parking lorsqu'elle eut la mauvaise surprise de découvrir que Craig l'attendait près de sa voiture. Ne pouvant l'éviter, elle lui adressa un sourire artificiel puis jeta un coup d'œil par-dessus son épaule : hélas, aucun collègue n'était en vue.

— Salut, Kate… On ne s'est pas vus de la journée !

— J'avais des copies à corriger.

— Mais tu n'es pas venue en salle des profs. J'ai l'impression que tu me fuis et je préfère en avoir le cœur net.

Dans la lumière du soleil couchant, sa silhouette se détachait à contre-jour. Indéniablement, il était séduisant, et une fois de plus Kate s'étonna qu'il soit célibataire.

— Oui, admit-elle, je t'ai un peu évité ces temps-ci.

— Pourquoi ?

— Tu le sais, Craig.

— Je ne t'importune pourtant pas avec des déclarations intempestives !

— C'est vrai.

— Tu es une femme mariée, bien décidée à rester amoureuse de ton mari quoi qu'il fasse ?

— Ces derniers mots sont de trop.

— Peut-être, mais tu t'aveugles. Évidemment, c'est ton droit...

— Merci de me l'accorder ! Écoute, Craig, ne parle pas de Scott si tu veux que nous restions bons amis.

— Amis ? Je dois t'avouer que j'aurais voulu être davantage qu'un simple ami.

— Impossible.

Elle s'était raidie et s'efforçait de parler d'une voix calme et froide. Craig lui avait-il plu, avant qu'elle ne réalise le danger d'une complicité qui se transformait peu à peu en attirance ? Elle avait sa part de responsabilité dans leur malentendu.

— Il n'y a donc pas de femme dans ta vie ? demanda-t-elle avec une authentique curiosité.

— Il y en a eu.

— Alors, j'espère que tu trouveras la bonne.

Il soupira, enfouit ses mains dans ses poches, puis il planta son regard dans celui de Kate.

— Tu ne me laisses aucune chance ?

— Sincèrement, non.

Elle pensa à Scott, au bouquet de roses qu'il avait posé devant elle avant de s'agenouiller. Ses traits creusés, ses yeux, son air perdu. Aucun homme ne pouvait espérer rivaliser avec lui dans le cœur de Kate.

— Je suis contente d'avoir pu en parler, conclut-elle. Il vaut mieux mettre les choses au clair une bonne fois et repartir sur des bases saines, ce sera plus agréable pour nous deux puisque nous travaillons ensemble. Nous pourrons continuer à discuter de littérature et à nous moquer en douce du proviseur !

Sa gaieté parut déstabiliser Craig. Il était obligé d'accepter et elle souhaita qu'il soit bon perdant car tous leurs rapports de travail en dépendraient.

— J'aurai essayé..., soupira-t-il. Mais ne t'inquiète pas, je ne t'ennuierai plus avec ça. Tu restes une excellente collègue, et la plus jolie femme de l'école !

Il s'éloigna, la tête baissée, ayant apparemment accepté sa défaite. Kate le suivit des yeux jusqu'à ce qu'il disparaisse au coin d'un bâtiment, rassurée de constater que, malgré son indéniable charme, il n'avait pas réussi à la faire douter de Scott, ni d'elle-même.

*

Philip somnolait, une pompe à morphine dans sa main droite, et la gauche immobilisée par une perfusion. Assise à côté du lit, Amélie avait pris la place de Malcolm, à qui elle avait suggéré d'aller manger quelque chose. Elle préférait être seule, toujours mal à l'aise en présence du jeune homme qui partageait la vie de son fils. N'arrivant pas à les considérer comme un vrai couple, elle ne savait jamais quelle attitude adopter avec eux. En revanche, elle avait longuement observé le tableau acheté par Scott, et même si elle ne connaissait pas grand-chose à la peinture elle avait compris que Malcolm possédait un réel talent. Scott l'avait deviné, mais pas elle. Scott avait voulu les épauler, mais pas elle. C'était toujours John qu'elle voulait aider, depuis qu'il était né !

— Maman ? J'ai soif...

Elle s'empressa de prendre le verre sur la table de chevet, souleva délicatement la tête de Philip et l'aida à boire.

— Est-ce que tu souffres ?

— Pas trop.

Mais il eut une grimace de douleur qui le démentit.

— N'hésite pas à te servir de ta pompe.

— Je sais... Où est Malcolm ?

— Parti manger.

La grimace de Philip se transforma en sourire.

— C'est toi qui l'as convaincu ? Moi, je n'y suis pas arrivé, il refusait de bouger d'ici. Mais je ne veux pas qu'il y passe tout son temps...

— J'ai vu un médecin qui m'a annoncé que tu pourrais sortir dans quelques jours. Viens donc te reposer à la maison.

— À Gillespie ? Tu l'appelles « la maison » ? Je croyais que tu souhaitais en partir après l'avoir vidée...

— Quelle drôle d'idée ! Ne dis pas des choses pareilles, je ne tiens pas à parler de ça avec toi.

— Pas maintenant, non, je suis trop fatigué.

— Ni maintenant ni jamais. Tu ne vas tout de même pas te liguer avec les autres ?

— Pas contre toi, maman.

— Contre John ?

— Il te pousse à faire n'importe quoi...

Philip ferma les yeux et parut s'endormir instantanément. Amélie continua à le regarder, surveillant sa respiration irrégulière. Il avait échappé à un chauffard qui aurait pu le tuer au nom de sa stupide haine des gays. Que savait-elle de sa vie à Édimbourg ? De ses bandes dessinées dont il avait fait son métier ? De ses amis, ses ambitions ou ses rêves ? Elle aurait pu être en train de le veiller à la morgue et s'apercevoir qu'elle ne s'était pas assez intéressée à lui. S'agitant sur sa chaise, elle sortit un bocal de *shortbreads*, des petits sablés spécialement cuits le matin même par Moïra. Celle-ci avait précisé qu'ils étaient aux pépites de chocolat, les préférés de Philip. Amélie n'en savait rien, et elle avait honte de son ignorance. Elle s'était détournée de Philip à cause de ses mœurs, elle qui se croyait large d'esprit...

— Je vous dérange ? chuchota Scott en entrant.

— Non, mais il s'est endormi.

— Dites-lui que je suis passé. Comment va-t-il ?

— Pas trop mal, d'après les médecins.

— Je suis très content pour lui !

— Oui, et aussi pour le pauvre Malcolm qui ne s'en serait pas remis, ajouta Amélie.

Scott la dévisagea, apparemment surpris qu'elle puisse s'en soucier.

— Je ne peux pas rester, vous lui donnerez ça de ma part.

Il posa un paquet portant le logo d'une librairie.

— Tu es gentil, constata-t-elle.

Cette fois, elle vit une lueur d'amusement dans les yeux de Scott. Il se détourna pour partir, mais elle le retint.

— Comment fais-tu pour être partout à la fois ?

— Question d'organisation.

— Il va bientôt falloir qu'on discute sérieusement, toi et moi.

— J'avais l'intention de vous le demander. Mais rien que vous et moi.

— Très bien. On trouvera un moment dans quelques jours, le temps que Philip aille mieux.

Elle le laissa sortir et reporta son attention sur son fils. Pourquoi préférait-il les hommes aux femmes ? Était-ce déterminé avant même de venir au monde ou était-ce affaire de circonstances ? Bien entendu, ils n'en avaient jamais parlé ensemble. L'aurait-elle écouté, compris ? Des années durant, elle n'avait rien deviné à propos de son grand copain Malcolm, chez qui il passait tous ses week-ends, supposant une amitié virile entre eux et les imaginant occupés à courir après les filles.

« Je me suis tellement trompée… Sur lui, sur John, et même sur Kate, que je croyais sans grande personnalité ! Pourtant, elle a fait exactement ce qu'elle a voulu, traçant sa route à son idée, et, au fond, tomber dans les bras de Scott se révèle un excellent choix. Ils sont heureux, ça se voit, et ça donne à Gillespie une véritable atmosphère familiale. N'était-ce pas ce que je voulais créer en arrivant chez Angus avec mes quatre enfants ? C'est Kate qui l'aura réussi, une génération plus tard… À condition de ne pas tout gâcher maintenant. »

Elle se leva sans que Philip ouvre les yeux. Il devait être assommé par ses médicaments, autant le laisser se reposer. Dans le couloir, elle trouva Malcolm qui attendait en faisant les cent pas et elle le rejoignit.

— Il fallait entrer ! Philip dort, alors je me sauve. Scott a déposé des livres pour lui. Je ne sais pas ce que vous souhaiterez faire, mais j'ai proposé à Philip de passer sa convalescence à la maison. Vous êtes les bienvenus.

Malcolm n'eut pas le temps de la remercier car elle se précipita vers un ascenseur dont les portes s'ouvraient, assez contente d'elle.

*

— En la voyant, tu ne pourras pas m'adresser le moindre reproche ! affirma Scott.

— Elle est laide ?

— Non, je ne dirais pas ça. Mais elle a une cinquantaine d'années, elle porte des chaussures plates et ne se maquille pas. En revanche, ses références sont remarquables, je suis ravi qu'elle ait accepté le poste.

— Elle commence quand ? voulut savoir Kate.

— Elle a déjà commencé ! Pendant que je lui signais son contrat, elle a décidé que, tant qu'à être là, elle allait s'y mettre tout de suite.

— Je suis contente pour toi, tu ne pouvais pas rester plus longtemps sans secrétaire, tu es épuisé.

Kate ôta son peignoir et voulut se glisser à côté de Scott.

— Attends un peu ! Oh, j'adore cette nuisette...

— Je l'ai achetée ce matin.

— Tu aurais dû en prendre une douzaine. C'est totalement affriolant. Tu as pensé à moi ?

— À qui d'autre ? Je dors avec toi.

— Je ne compte pas dormir maintenant. Je veux d'abord ouvrir mon cadeau.

Repoussant la couette, il prit délicatement le bas de la nuisette et la fit passer au-dessus de la tête de Kate.

— Tu es... sublime, chérie. Épanouie, magnifique. La chance que j'ai !

Il la contemplait avec un air d'extase très réjouissant.

— C'est moi qui ai de la chance, mon amour.

Elle posa ses mains sur les épaules de Scott, puis se pencha pour l'embrasser. Ils restèrent enlacés, attentifs au désir que chacun provoquait chez l'autre.

— J'ai envie de toi, chuchota-t-elle.

Scott caressa son dos, le creux de ses reins, ses hanches. Il prenait toujours son temps pour lui faire l'amour, comme si c'était la première fois, et elle s'émerveillait de sa patience, de sa douceur. Même en se connaissant par cœur, ils se redécouvraient avec plaisir, sans lassitude. Était-il possible que le temps n'émousse jamais leur attirance ? Elle s'écarta de lui pour le contempler, le trouvant incroyablement séduisant. À trente-cinq ans, il conservait sa silhouette svelte de jeune homme, celui qui l'avait subjuguée adolescente. Et qui était devenu son amant, son mari, le père de ses enfants, réalisant ainsi tous ses rêves secrets.

— Il n'y aura jamais que toi, lui souffla-t-elle à l'oreille.

La tenant à bout de bras, il la scruta une seconde. Pensait-il à Craig ? Il ne dit rien, la faisant basculer sur lui.

*

— Quitter Gillespie ? répéta John, perplexe.

L'idée ne semblait pas l'enthousiasmer, ce qui étonna Betty.

— Glasgow est une ville tellement agréable !

— Comparée à Paris…

— Elle est en plein renouveau, branchée, trépidante, avec des multitudes de concerts, des bars, et tout ce qu'on peut imaginer pour se distraire. Tu t'y plairas, j'en suis certaine.

— Si on doit encore vivre dans un petit appartement moche…

— Pourquoi moche ? On trouvera quelque chose à notre goût, ne t'inquiète pas. Je suis si heureuse d'avoir obtenu ce travail que je me sens prête à soulever des montagnes. En plus, je vais avoir un bon salaire, nous n'aurons plus à tirer le diable par la queue. On ne pouvait tout de même pas continuer à se faire entretenir ici !

— *Entretenir ?* Je te rappelle que nous sommes chez ma mère, je ne vois pas où est le problème.

— Pas chez ta mère, non, chez Scott. C'est lui qui paie.

John lui lança un regard furieux, mais elle était persuadée que si elle touchait son orgueil il réagirait, prenant enfin conscience de la situation.

— De toute façon, nous ne partirons pas les mains vides, ricana-t-il.

— À savoir ?

— Maman a rendez-vous avec Mac Dell lundi prochain. Et là, on va bien rigoler quand Scott saura à qui elle a vendu ses parts ! Crois-moi, il arrêtera de la ramener et de jouer au chef avec un mec pareil dans les pattes. Sa chère distillerie ne lui appartiendra plus entièrement, et petit à petit Mac Dell le bouffera.

Il semblait ravi de jouer un bon tour, sans s'apercevoir qu'il conduisait la famille à la catastrophe.

— Tu ne devrais pas faire ça, John.

— Je vais me gêner ! Mac Dell est un acheteur sérieux et solvable, il offre le prix du marché, maman aura son fric sans attendre.

— Et toi le tien ?

— Mais c'est normal, Betty ! Maman veut m'aider, elle voit bien que j'en ai besoin. Il y a tous les frais médicaux, et puis maintenant tu me parles d'une installation... J'ai le droit d'avoir l'esprit tranquille, non ? Ce sera bien la première fois de ma vie ! Et maman aussi, parce que grâce à moi elle ne sera pas à la merci des autres. Si je n'étais pas venu m'en mêler, Scott l'aurait dépouillée sans scrupules. Au bout du compte, nous y gagnons, elle et moi, mais il aura fallu que je me donne du mal.

— Tu écris l'histoire à ta convenance. Hélas, ça ne va pas se passer ainsi. Est-ce que tu imagines une seule seconde dans quel genre d'ambiance ta mère va se retrouver ?

— Elle et Scott ont toujours été comme chien et chat, ça ne changera pas grand-chose.

— Là, c'est grave. Et Kate ne te le pardonnera pas.

— Oh, Kate...

Il eut un geste désinvolte prouvant le peu de cas qu'il faisait de sa sœur.

— Tu vas te retrouver fâché avec tout le monde, John. Ni George ni Philip ne te donneront raison.

— George ne prendra pas parti pour moi parce que ce n'est pas son intérêt, mais Philip s'en moque. Surtout en ce moment, où il est cloué à l'hôpital ! D'ailleurs, l'un et l'autre se foutent pas mal du sort de maman.

Sa mauvaise foi exaspérait Betty, toutefois elle n'avait pas envie d'une nouvelle dispute et se contenta d'ajouter :

— On ne pourra plus mettre les pieds ici.

— Tant pis !

Navrée, Betty préféra ne pas insister. À quoi bon ? John resterait buté et se mettrait à lui en vouloir. Elle se sentait lasse d'essayer de sauver son couple, d'ouvrir les yeux de John. Son dernier espoir résidait dans ce changement de vie qu'elle lui proposait. À Glasgow, il ne serait plus entièrement préoccupé de vengeance, ni obsédé par le manque d'argent, il aurait la possibilité de s'intéresser à autre chose, et peut-être mûrirait-il enfin. En tout cas il allait laisser des ruines derrière lui. Elle pensa à Scott et son cœur se serra. Au-delà de l'estime et de la sympathie qu'elle éprouvait depuis toujours à son égard, elle admirait le chef de famille qu'il était devenu. Elle s'était sentie bien à Gillespie dont les portes lui seraient désormais fermées, et elle regretterait les grandes tablées chaleureuses, la beauté du lieu, la gentillesse de Kate ou de Moïra. Que faire pour empêcher ce désastre ? Sa révélation à Scott des intentions de John avait-elle seulement servi à quelque chose ? Découragée, elle essaya de se concentrer sur l'emploi qu'elle avait décroché. Travailler dans un théâtre allait lui ouvrir des horizons et lui donner un nouvel élan.

— Ne prends pas cet air triste, dit John en s'approchant d'elle.

Il l'embrassa dans le cou, ce qu'il ne faisait jamais.

— Glasgow n'est pas une si mauvaise idée, après tout… On va essayer de redémarrer, d'accord ?

C'était un bel effort, venant de lui, et elle entrevit soudain une petite lueur d'espoir.

*

Scott était perdu dans la contemplation des gravures qui ornaient son bureau. Il les avait toujours connues, même lorsqu'il était enfant et venait rendre visite à son père. Intimidé, accroché à la main de sa mère, il devait avoir sept ou huit ans, et pour lui Angus régnait sur un monde étrange fait d'énormes alambics de cuivre, de rangées de tonneaux de chêne, de cargaisons d'orge séchant sur des planchers de maltage. Puis sa mère était morte et il était resté longtemps sans venir, jusqu'à ce qu'il soit adolescent et que son père l'emmène avec lui le samedi, quand il quittait sa pension. Angus lui avait expliqué patiemment le mystère de la transformation du grain en alcool. Comment l'orge des prés, une fois trempée, germait puis séchait sur un feu de tourbe pour devenir du malt. Et puis l'art de la distillation, avec l'eau qui bout, la vapeur qui se condense… Scott écoutait, déjà passionné, et les mots de son père se gravaient dans sa mémoire. En fin de journée, dans ce bureau, Angus lui laissait goûter une gorgée dont il devait décrire les parfums. Ces drôles de cours particuliers provoquaient la fureur de Moïra, pourtant Scott apprenait son futur métier. Bien sûr, comme n'importe quel jeune homme il avait connu une période de révolte, refusant qu'on lui impose un avenir tout tracé, et il avait décrété qu'il serait médecin. Mais l'idée n'avait pas fait son chemin, presque malgré lui il était revenu au whisky. Dès qu'Angus l'avait senti décidé, il avait commencé à lui donner des responsabilités, puis des parts de la distillerie, peut-être pour l'y attacher définitivement.

Son regard quitta les gravures pour se poser sur les appliques de cuivre, les boiseries de chêne blond, la vitrine où trônaient différents flacons du single malt Gillespie élaboré ici, à Greenock, ou bien à Inverkip. Des deux distilleries familiales, Greenock était la plus importante, la plus ancienne aussi. Celle que chaque génération avait maintenue dans la tradition. Angus n'avait pas cédé aux sirènes de la modernité ni aux offres d'achat, il était resté artisanal et son choix s'était révélé payant avec le récent engouement pour les petites maisons indépendantes au lieu des grands groupes. Hélas, un homme tel que Mac Dell ne verrait pas les choses sous cet angle. Il chercherait la rentabilité maximale au détriment de la qualité, une perspective que Scott ne pouvait pas envisager. Et le plus rageant pour lui était de savoir que John n'avait pas choisi cet acheteur-là au hasard. Évidemment, Mac Dell payait cash, il possédait les fonds nécessaires, Me Forbes n'avait pas eu d'état d'âme.

Il était tard, Scott devait penser à rentrer. Kate l'attendait, les enfants aussi, et Moïra pour lancer ses fourneaux. À lui de ne pas faire peser sur les autres les soucis qui le tenaillaient, la fatigue qu'il accumulait. Il se leva, desserra son nœud de cravate, certain que la plupart des employés étaient partis. Tandis qu'il cherchait ses clefs de voiture au fond de sa poche, son mobile annonça un appel de Graham.

— Salut, vieux ! lança la voix amicale. Un petit bonsoir pour savoir comment tu vas…

— Préoccupé.

— Je comprends ça. Bon, j'ai essayé de te trouver des bailleurs de fonds, mais ils exigent tous des garanties que tu ne voudras pas donner.

— Genre hypothèque ? J'ai déjà dit non à mon banquier.

— Je sais, et je n'insiste pas. Comment va ton beau-frère ?

— Il sort de l'hôpital demain.

— Formidable ! Tu vois, il n'y a pas que de mauvaises nouvelles.

— À propos, merci pour Betty, elle est folle de joie d'avoir eu le job.

— De rien. J'ai au moins réglé l'un de tes problèmes.

— S'il n'y avait que ça…

— Oh, j'ai toujours pensé que tu avais une vie trop facile ! Fils de famille, moi, j'aurais adoré.

Le rire sonore de Graham finit par arracher un sourire à Scott, qui marmonna :

— Tu me réconfortes.

— Peut-on s'inviter à dîner chez vous, un de ces soirs ?

— Vous avez vos ronds de serviette.

— J'adore ton enthousiasme. Samedi ?

— Entendu.

— J'apporterai un beau saumon qu'on m'a donné aujourd'hui.

— Tes clients sont des princes.

— Absolument. Sauf toi ! Mais soyons sérieux une minute, j'aimerais que tu me rassures. Vas-tu te battre jusqu'au bout, malgré les dommages collatéraux ?

— Oui, je n'ai pas le choix.

— Ne pense ni à Kate ni à Amélie, tu ne pourras pas ménager la chèvre et le chou.

— Je pense *toujours* à Kate. Et quand la querelle va s'envenimer jusqu'au point de non-retour, elle sera prise entre deux feux.

— Elle te donnera raison, c'est toi qu'elle aime. De toute façon, tu as effectivement raison. Greenock est à toi, promets-moi que ça ne deviendra pas Gillespie et Mac Dell.

— Je ne suis pas certain de gagner.

— Toi ? Tu veux rire ! Allez, promets…

De nouveau souriant, Scott coupa la communication. Graham avait atteint son but, il se sentait soudain beaucoup moins fatigué. Dans les prochains jours, des décisions lourdes de conséquences allaient être prises au cœur de la tempête familiale. Gagnant ou perdant, Scott avait des comptes à régler et il ne pouvait plus différer. En quittant Greenock, après avoir salué le vigile, il regarda longtemps les bâtiments dans son rétroviseur, avec les toits en pagode au-dessus des alambics, et le nom de Gillespie sur le fronton de la grille qui se refermait.

11

George et Susan se tenaient par la main et souriaient du même air béat.

— Mais c'est magnifique ! s'exclama Malcolm. Un mariage en perspective dans la famille, quelle bonne surprise...

Il guetta du regard l'approbation de Philip, qui semblait se réjouir lui aussi, du fond de son lit. Tout naturellement, Malcolm avait dit « la » famille, comme si la sienne et celle de Philip n'en formaient qu'une seule.

— Vous attendrez que je remarche normalement ?

— Nous comptons choisir une date vers la fin de l'été, répondit Susan. Si tu n'es pas tout à fait rétabli d'ici là, c'est que tu n'auras pas suivi tes séances de rééducation.

— Oh, il ne va pas les rater, son kiné est trop mignon ! s'exclama Malcolm. En tout cas, voilà une occasion de se choisir une tenue habillée, j'adore ça. Allez-vous déposer une liste de mariage quelque part ? Chez Fraser, dans Argyll Street, il y a tout ce qu'il vous faut !

— Malcolm adore le luxe, plaisanta Philip.

Il se remettait bien de son accident, et de nombreux amis étaient venus lui témoigner leur sympathie, au point que sa chambre d'hôpital était remplie de boîtes de chocolats. Le chauffard, rattrapé quelques rues plus loin, avait failli se faire lyncher avant l'arrivée de la police, et il était sous les verrous.

— Qu'en pensent tes parents ? demanda Malcolm à Susan.

— Ils sont ravis, surtout maman. Elle craignait que je ne trouve jamais de mari avec un métier si peu féminin ! Elle a d'ailleurs longtemps reproché à mon père de me l'avoir appris. Mais j'adore travailler de mes mains, et rien ne me réjouit plus que transformer un taudis en nid douillet. Quand les travaux sont trop importants pour moi, je fais appel à un entrepreneur, à savoir papa, s'il est libre. En retour, il m'embauche quand il manque de personnel.

Elle se mit à rire sous le regard amusé de George et poursuivit :

— Lui est tout ému de voir sa fille unique se marier, il dit qu'il perd son meilleur ouvrier ! Mais je ne compte pas m'arrêter car je commence à avoir un bon réseau de clientèle. Le bouche à oreille fonctionne, je reçois beaucoup d'appels.

— Tu fais aussi de la décoration ?

— Non, je laisse ça à d'autres. Quand je quitte les lieux, ils sont vierges et les gens peuvent y réaliser ce qu'ils veulent.

— Tu as rencontré les parents de Susan ? demanda Philip à son frère.

— Bien sûr ! répondit Susan à sa place. J'étais si fière de leur présenter « monsieur le directeur » !

Elle fit semblant d'enlever un chapeau imaginaire pour saluer George, qui leva les yeux au ciel.

— Il nous reste à prévenir maman, précisa-t-il sur un ton mitigé.

Philip le scruta, surpris par son manque d'enthousiasme.

— Eh bien, quoi ? À mon avis, elle sera aux anges.

— Pas sûr. Il va y avoir un petit problème avec John. Nous sommes passés à Gillespie avant de venir ici, et l'ambiance était électrique. John s'est accroché avec David et l'a injurié. Avant la fin de la journée, Scott lui aura cassé la figure, ou il l'aura flanqué dehors. S'il le fait, tu connais maman, ça va chauffer. Bref, ce n'était pas le moment de lancer une annonce officielle.

— Comment peut-on se disputer avec quelqu'un d'aussi gentil que David ? s'insurgea Malcolm.

— John se querelle avec n'importe qui, soupira Philip. Si ce n'était pas mon frère, je le prendrais en horreur.

— D'accord avec toi, renchérit George. Mais n'oublions pas qu'il est malade et que ça n'arrange pas son caractère.

Philip tourna la tête vers Malcolm et esquissa un sourire.

— Tu es fils unique, tu ne sais pas à quel point c'est compliqué, une fratrie… John était le meneur quand nous étions jeunes. Il avait tous les culots, ça nous épatait, George et moi. De temps en temps, on trouvait qu'il allait trop loin, mais on n'osait pas se désolidariser. Kate était sa tête de Turc et j'avais un peu honte de ne pas la défendre. Déjà, à cette époque-là, c'était Scott qui intervenait. Par la suite, John lui a reproché d'avoir « louché » sur une gamine de treize ans, alors qu'il n'y pensait évidemment pas. Il a ouvert les yeux sur elle quand elle a eu un fiancé. Je ne me souviens plus de son nom…

— Neil, rappela George.

— Ah oui, Neil ! Il avait déjà acheté la bague, vous vous rendez compte ? Et il a fait une demande en bonne et due forme à maman et Angus. C'était un jeune homme bien sous tous rapports, plutôt sympa, mais Kate n'en voulait pas et elle était horriblement mal à l'aise, alors Scott a volé à son secours. Jusque-là, il l'avait plutôt considérée comme sa petite sœur, et grâce à ce Neil il a reçu un véritable électrochoc.

— Quelle belle histoire ! s'exclama Susan avant d'éclater d'un rire joyeux.

— J'ai l'impression que pour Scott le courant n'a pas été coupé depuis, intervint Malcolm. Il est tellement fou de Kate qu'il parvient à supporter John sous son toit, un exploit, il me semble.

George se leva, tenant toujours la main de Susan.

— On va vous laisser et aller se promener un peu en ville. À force de ne pas quitter la filature, j'oublie la civilisation !

— Dis plutôt que vous allez vous choisir des alliances. Avez-vous déjà pensé aux témoins ?

George sourit à son frère en répliquant :

— Tu seras réquisitionné, c'est certain.

Il se pencha vers Philip pour ébouriffer ses cheveux.

— Profite de ta dernière journée de repos ici, et applique-toi avec ton mignon kiné.

Il entraîna Susan hors de la chambre, heureux d'avoir trouvé son frère en forme et pressé de flâner dans les rues de Glasgow. La décision de demander sa main à Susan lui était apparue telle une évidence, un matin au réveil. Il l'avait regardée dormir, ému qu'elle soit là, à côté de lui, la tête enfouie dans son oreiller, avec son pyjama de gamine moulant son corps de femme. Il ne pouvait plus imaginer la vie sans elle, c'était aussi simple que ça. Grâce à elle, il avait mûri, pris de l'assurance, et désormais il voyait son avenir clairement. La filature était en train de prendre un réel essor, il s'était découvert les capacités nécessaires pour la faire prospérer.

Tout en déambulant devant les vitrines d'Argyll Street, il fit part de sa seule inquiétude à Susan.

— Avec les conneries de John, j'ai bien cru que Scott n'aurait pas d'autre choix que bazarder la filature ! Il lui faut de l'argent pour satisfaire aux exigences de l'avocat et il se débat dans des difficultés financières. Je lui ai parlé franchement, je voulais savoir ce qu'il allait décider. C'était son droit de se séparer de la seule affaire qui ne l'intéresse pas vraiment. Entre le whisky et les tartans, il ne pouvait pas hésiter !

— Et alors ?

— Il prétend qu'en souvenir de sa mère… Mais je ne crois pas que ce soit la vraie raison.

— Quoi d'autre ?

— Scott est quelqu'un de bien. Il ne se sortira pas d'un problème en créant des dégâts ailleurs. Il a vu de quelle façon j'ai galéré, au début, et comment je me suis accroché, en mettant les bouchées doubles. Maintenant, ça me passionne et ça marche ! Il le voit, il le sait, il ne veut pas m'enlever le tabouret sur lequel j'ai réussi à m'asseoir.

— Tu crois ?

— Mon opinion sur lui a changé avec les années… Quand je pense que c'est mon frère, ma mère, bref ma propre famille qui lui pourrit l'existence, je me sens très mal à l'aise vis-à-vis de lui.

— Est-ce qu'au moins John s'en rend compte ?

— Il s'en fout ! Tout ce qui n'est pas lui ne l'intéresse pas.

Ils venaient de pénétrer sous l'arcade, une galerie marchande couverte, de style parisien, qui abritait une trentaine de bijoutiers et diamantaires. George vit le regard émerveillé de Susan lorsqu'elle s'arrêta devant la première vitrine. Il n'était plus temps de discuter des problèmes familiaux.

— Nous avons l'après-midi devant nous, lui dit-il à l'oreille.

Les alliances seraient sans doute vite trouvées, mais le choix d'une bague serait infiniment plus long.

*

Kate avait traduit et imprimé l'article d'un journal français sur l'avenir et la consommation des spiritueux dans le monde.

— *Le besoin de redécouvrir l'artisanat et de retrouver des valeurs physiques se traduit par l'ouverture de petites distilleries qui produisent localement leurs eaux-de-vie. Les gens veulent désormais savoir qui est derrière le produit, et la traçabilité est importante.* Eh bien, chéri, ça va exactement dans ton sens !

— Papa a toujours cru qu'il ne fallait pas trop s'agrandir, et surtout respecter les traditions sans tenir compte des modes. Je n'ai jamais mis en doute ce jugement.

Ils étaient installés sur les canapés du salon, un plateau de thé devant eux.

— Est-ce que ta mère va bientôt descendre ?

Scott la guettait depuis un moment et se sentait nerveux. Amélie faisait toujours une petite sieste en début d'après-midi, puis elle se joignait aux autres pour le thé.

— Je l'entends, annonça Kate.

Aussitôt, Scott se leva pour aller intercepter sa belle-mère dans le hall, au pied de l'escalier.

— Tu m'attendais ? s'étonna-t-elle.

— Oui. Nous devons avoir une conversation, autant que ce soit maintenant, si ça vous convient.

Elle lui lança un regard indéchiffrable avant d'acquiescer.

— On va dans ton bureau ?

— Euh… Je crois qu'on peut se promener un peu, il fait assez beau.

Ne souhaitant pas être interrompu, ou même entendu, par quiconque, il ouvrit la porte du perron. Ensemble, ils descendirent les marches, longèrent l'allée principale, puis Scott lui désigna le banc de pierre, en retrait derrière un massif, où elle avait aimé venir s'asseoir avec Angus. Le temps était délicieusement tiède, très printanier avec un ciel limpide, et des fleurs avaient éclos partout.

— Betty a bien aidé David, le parc est superbe, constata Amélie.

— À propos de David, j'ai détesté la manière dont John s'est adressé à lui ce matin. Je ne peux pas tolérer ça.

— Oh, « tolérer » ! Arrête de prendre les choses d'aussi haut. Si tu veux me parler de John, fais-le simplement.

— Je ne tiens pas à vous parler de lui, parce que ce serait désagréable pour vous. Mais au passage, je dois vous dire que sa présence ici n'est plus souhaitable. Betty cherche un appartement à Glasgow.

— Tu comptes le jeter dehors ? lança-t-elle de façon péremptoire.

— Quelque chose de ce genre, oui. Et je préfère vous l'annoncer maintenant, afin que les choses soient claires. Je ne veux ni vous amadouer ni vous prendre en traître.

— Eh bien, dis-moi, quelle entrée en matière…

Elle le contempla, puis détourna son regard pour observer une rangée de tulipes multicolores.

— Amélie, je sais que vous allez vendre vos parts de Greenock. Que vous choisissiez Mac Dell pour acheteur est une catastrophe pour moi. Je ne veux pas qu'un étranger entre dans la société Gillespie, alors je suis prêt à vous offrir pratiquement le même prix.

Après un court silence, elle alla s'asseoir sur le banc en marmonnant :

— C'est quoi, *pratiquement* ?

— Je suppose qu'il a mis la barre assez haut, et je ne dispose pas d'énormes capitaux. Toutefois je ne sollicite pas une faveur.

Elle releva les yeux pour le toiser des pieds à la tête.

— Tu ne peux pas t'empêcher d'être arrogant, même quand tu demandes quelque chose ! Commençons plutôt par le début. À propos de l'inventaire, je…

— Pour moi, c'est réglé. Je vous ai établi un chèque de la moitié de la valeur estimée.

Il sortit une enveloppe de la poche arrière de son jean et la lui tendit. Étonnée, elle considéra l'enveloppe avant de se décider à la prendre. Elle l'ouvrit, lut le chiffre, la referma.

— Je vais en informer mon notaire et votre avocat, précisa-t-il. Au moins, cette question-là ne nous opposera plus.

Silencieuse, Amélie se mit à jouer avec l'enveloppe.

— Et si tu changeais de ton ? dit-elle soudain. Je ne suis pas ton ennemie.

— Vous, non, sans doute pas.

— Mais John non plus ! Il veille sur moi, c'est tout.

— Ne me faites pas rire. D'ailleurs, vous n'y croyez pas vous-même.

Elle eut une moue désabusée en guise de réponse, puis peu après elle maugréa :

— Pourquoi en as-tu fait ta bête noire dès le début ?

— Vous inversez les rôles.

— Tu ne nous as pas accueillis les bras ouverts quand nous sommes arrivés ici, avoue-le.

— Trouver cinq étrangers à la maison ne m'a pas plu, je le reconnais. Mais c'est le passé, ne remontez pas si loin.

Il alla s'asseoir à l'autre bout du banc pour cesser de la regarder de haut.

— Mes affaires seront un jour celles de vos petits-enfants, rappela-t-il. Vous tenez à ce qu'elles soient inextricables ?

— Ah, nous y voilà ! John m'a prévenue, il était certain que tu me ferais ce genre de chantage.

— Je vous énonce une réalité. Ni vous ni John ne connaissez le monde des distillateurs. En mettant des parts de Greenock sur le marché, vous attirez des requins. Et tout ça pour quoi, puisque je vous offre le rachat ? Pour une pseudo-revanche de John ? Est-ce que vous mesurez un seul instant tout ce que va entraîner ce choix injuste ? Je suis persuadé que vous ne souhaitez pas la ruine d'une famille qui est la vôtre. De plus, je ne vois pas la différence que ça fera pour John, que l'argent vienne de moi ou de quelqu'un d'autre.

— Combien proposes-tu ? demanda-t-elle abruptement.

Il lâcha un chiffre et ajouta :

— Ne cherchez pas à faire monter les enchères. Je ne suis pas en train de jouer au marchand de tapis avec vous, je vous offre tout ce dont je peux disposer.

Elle se tourna vers lui et le scruta.

— Où as-tu trouvé cette somme ? John disait que tu ne pourrais jamais te procurer les liquidités nécessaires.

— Si, j'aurais pu, en hypothéquant Gillespie. Mais c'était impensable. J'ai… C'est un prêt amical qu'on me consent. L'argent est disponible immédiatement.

Il ne voulait pas mentionner Moïra. John ne l'aimait pas non plus et il y verrait une raison supplémentaire de refuser tout arrangement.

— Tu m'as entraînée ici pour que personne ne puisse se mêler à notre discussion, constata Amélie avec ironie. Tu crois que je ne peux pas te tenir tête toute seule ?

— Oh, si…, soupira-t-il.

— Pourquoi ne pas aller chercher John pour qu'il donne son point de vue ?

— Il n'en a pas. Pas concernant un sujet qui le dépasse, auquel il n'a jamais voulu s'intéresser. De toute façon, je refuse de discuter avec lui, il me fait sortir de mes gonds. Vous l'avez entendu avec David, ce matin ? David est quelqu'un de respectable. En plus, c'est mon cousin.

— Et le mien aussi, par alliance.

Interloqué, Scott s'assura qu'elle était sérieuse.

— Mais oui, ajouta-t-elle, je l'aime bien.

— Alors, pourquoi n'avez-vous pas pris sa défense ? Vous êtes incapable de vous opposer à John, même quand il a tort !

Sentant qu'il allait perdre son calme, Scott fit un effort pour se maîtriser.

— Eh bien, Amélie, que décidez-vous ?

— Je dois prendre conseil de mon avocat. Sinon, à quoi bon le payer ?

— Et surtout, pourquoi en avoir pris un... Nos affaires de famille pouvaient se régler entre nous. L'argument selon lequel vous auriez été lésée ne tient pas. Je comprends que vous ayez été choquée en apprenant que mon père avait disposé de ses biens depuis longtemps, et sans doute aurait-il dû vous en informer.

Il soupira, hésita à poursuivre, et Amélie en profita pour glisser :

— Ce chèque que tu viens de me donner, je ne l'aurais pas obtenu sans Me Forbes.

— Probablement pas. Néanmoins, je trouve un peu rude que vous prétendiez vous approprier des objets ayant appartenu à mon grand-père ou mon arrière-grand-père, sans parler des bijoux de ma mère. Et je suis certain que, ça, vous le comprenez très bien. Mais peu importe, puisque nous n'en parlerons plus. Me vendez-vous vos parts, oui ou non ?

— Non.

— Ah...

Il accusa le coup, devinant qu'il était en train de perdre la partie. Même s'il l'avait prévue, la défaite était dure à accepter.

— Je ne peux vraiment rien faire pour vous convaincre ?

— Si ! Tu pourrais t'adresser à moi gentiment, affectueusement. Tu exiges le respect envers David, pourtant tu n'hésites pas à me brusquer. Je suis très vulnérable depuis la mort d'Angus, tu n'imagines pas à quel point il me manque. Et puis Kate prend toujours ton parti, George et Philip s'en lavent les mains. Sans John...

— Tout irait bien ! explosa-t-il. Il n'est pas venu pour enterrer son beau-père ou vous soutenir, il est arrivé ici pareil à un rapace, assoiffé d'un argent qu'il n'a jamais voulu se donner la peine de gagner, bien avant d'être malade ! Il s'est fait entretenir successivement par mon père, par Betty, et maintenant il faut que ce soit vous ! Ouvrez les yeux et admettez qu'il n'est pas le meilleur conseil que vous puissiez trouver. Si je vous parlais « affectueusement », il dirait que j'ai cherché à vous embobiner. Vrai ou faux ? Alors, à défaut d'être gentil, je suis sincère. Avec votre refus, vous allez me précipiter dans des ennuis quotidiens qui n'arrangeront pas nos rapports. Et cela n'est pas une menace mais une évidence. John sera parti depuis longtemps et nous resterons ensemble avec nos contentieux, à nous regarder en chiens de faïence. Cependant, quoi que vous fassiez, vous êtes la mère de Kate, la grand-mère de mes enfants, et je ne vous chasserai pas. Kate est ce que j'ai de plus cher, elle me tient beaucoup plus à cœur que les distilleries, elle ne sera pas écartelée entre vous et moi.

Il se leva, résigné à ne rien tenter d'autre. Ce qu'il redoutait était arrivé, il faudrait bien qu'il s'en accommode et qu'il refoule sa colère. John avait gagné, dès demain Amélie signerait avec Mac Dell les yeux fermés, et ce serait le début d'une interminable série d'ennuis.

— Scott ? Une seconde…

Alors qu'il allait partir, il se retourna et vit qu'elle regardait au-dessus des arbres, contemplant les toits de Gillespie et le belvédère.

— Tu me demandes de trahir John, il ne va pas comprendre, dit-elle très bas. Tu sais quoi ? J'aime beaucoup cet endroit.

À son tour, elle quitta le banc, le rejoignit.

— J'aime aussi la vie de famille, ajouta-t-elle.

— Mais ?

— Il n'y a aucun « mais ». Je fais affaire avec toi.

Médusé, il la laissa s'éloigner et suivit des yeux sa silhouette jusqu'à ce qu'elle disparaisse au tournant de l'allée.

*

Moïra épluchait des carottes, le sourire aux lèvres, écoutant le bavardage de David.

— Je l'ai essayée moi-même, affirma-t-il. Elle est assez solide pour supporter mon poids, donc les petits pourront s'en donner à cœur joie.

— J'irai vérifier cette balançoire avant de les autoriser à s'en servir !

— Tu n'as pas confiance ? J'ai choisi les deux grands marronniers qui sont côte à côte, à gauche de la fontaine, parce qu'à leur pied il y a un beau tapis d'herbe tendre. J'ai utilisé un cordage de bateau inusable, et j'ai poncé la planche de bois de l'assise qui se trouve à moins de cinquante centimètres du sol !

— Ne t'énerve pas. Ton installation est sûrement irréprochable, mais je n'ai pas fait de balançoire depuis mes douze ans et j'ai bien envie de m'offrir ce petit plaisir. Dès que Luke et Hannah l'auront vue, plus personne n'aura le droit de s'asseoir dessus.

Ils échangèrent un coup d'œil complice. Ils aimaient autant l'un que l'autre faire plaisir aux jumeaux, Moïra en leur préparant des gâteaux, et David en leur trouvant des distractions dans le parc.

— Tiens, fit-il remarquer, voilà Scott qui rentre.

Il avait reconnu son pas sur le dallage du couloir, mais il ne s'attendait pas à une entrée si fracassante.

— Moïra ! s'écria Scott en se précipitant vers elle.

Sans s'expliquer davantage, il la saisit par la taille, la fit se lever et l'obligea à esquisser quelques pas de valse avec lui.

— On fête quelque chose ? s'enquit David.

— Oh oui ! Mais chut, on ne le crie pas sur les toits…

Scott embrassa Moïra sur la tempe, là où ses cheveux grisonnaient.

— Merci, lui dit-il tendrement. Grâce à toi, je vais retrouver le sommeil, je n'en dormais plus la nuit.

— C'est pour ça que tu as l'air si fatigué.

— Maintenant, je ne le suis plus !

David l'observa avec intérêt, puis il annonça :

— Bon, je dois y aller, j'ai des trucs à faire.

Avec sa discrétion habituelle, il quitta la cuisine pour les laisser seuls.

— Alors comme ça, elle a accepté ? s'émerveilla Moïra.

— Oui, mais je ne sais pas pourquoi. Elle avait commencé par refuser, ensuite elle a changé d'avis à contrecœur en disant qu'elle trahissait John.

— Au contraire, elle l'aide. Peut-être l'a-t-elle compris. Ou bien elle ne veut pas qu'on le déteste, et qu'on la déteste elle aussi.

— Mac Dell sera très déçu, tu n'imagines pas à quel point ça me réjouit !

Elle reprit une carotte qu'elle commença à éplucher tandis qu'il s'asseyait près d'elle. Pendant un moment, il n'y eut que le bruit de l'économe raclant les légumes, jusqu'à ce qu'elle tourne la tête pour le regarder, alarmée par son silence.

— Scott !

Il avait les yeux brillants et déglutissait pour surmonter son émotion. Toute la tension des dernières semaines avait disparu, le libérant brusquement.

— On est passés très près de la catastrophe, réussit-il à dire. Depuis la mort de papa, il n'a été question que d'argent, c'est consternant. Je ne voulais pas qu'on se déchire pour ça, mais j'étais coincé. Les distilleries, la maison… et jusqu'à tes cuillères, tout semblait menacé par la volonté de John. J'ai eu l'impression qu'il cherchait à détruire ce qui fait la fierté de notre famille et je le vivais très mal, tout en essayant de ne pas mêler Kate à nos querelles.

Elle a peur pour son frère, elle ne m'aurait pas pardonné de m'en prendre à lui.

— Et tu t'es senti seul, hein ?

— Heureusement, tu étais là. Tu as toujours été là pour moi. Sans ton aide, je ne m'en serais pas sorti. Ne t'inquiète pas, je te promets que tu n'y perdras pas.

— Ne t'occupe pas de ça…

— Bien sûr que si ! Tu plaisantes ? Je vais établir un plan de remboursement.

— Ah, tu recommences à parler d'argent !

— Eh bien, on ne peut pas faire comme si ça ne comptait pas.

De nouveau, il l'embrassa, sur la joue cette fois.

— David a fabriqué une balançoire pour les enfants, annonça-t-elle.

— C'est vrai ? Ils seront fous de joie ! Où est-elle ?

— Entre les deux marronniers de la fontaine.

— Je vais la tester de ce pas.

— Pas question. C'est moi la première, toi, tu me pousses !

Lâchant l'économe, elle fila vers la porte.

*

En rentrant de l'école ce soir-là, Kate trouva sa mère assise sur les marches du perron, un panier vide et un sécateur posés à côté d'elle.

— Tu voulais cueillir des fleurs, maman ?

— Oui, mais les tulipes fanent trop vite dans les vases et il n'y a pas assez de roses. Ta répétition s'est bien passée ?

— Nos élèves prennent la pièce très à cœur, ils savent déjà leurs répliques sur le bout des doigts, alors on a pu commencer la mise en scène. C'est très gratifiant ! Où sont les enfants ?

— Du côté de la fontaine. Ils font de la balançoire avec Scott. Cette fin d'après-midi est si douce…

Kate sourit à sa mère tout en la dévisageant. Elle lui trouvait une expression énigmatique et inhabituelle.

— Tu as quelque chose à me dire ? demanda-t-elle prudemment.

Amélie leva les yeux vers elle puis hocha la tête.

— Oui.

Elle ne semblait pas pressée de parler, Kate lui tendit la main.

— Viens, il y a quelques lis orange le long du mur que tu pourrais couper, personne ne les voit jamais.

Elle savait que sa mère n'aimait pas être brusquée et qu'elle choisirait son moment. En silence, elles prirent un sentier qui menait vers le fond du parc, du côté opposé à la fontaine. Arrivée près des lis éclos le matin même, Amélie s'arrêta et fit face à Kate.

— J'ai accepté l'offre de Scott, lâcha-t-elle.

Kate faillit hurler de joie mais elle se contint, attendant la suite.

— Je l'ai fait pour toi. Parce que tu as beaucoup insisté. Et j'espère ne pas le regretter.

— Tu as eu raison, maman !

— De toute façon, tu ne m'aurais pas laissée en paix.

— Non ! Pas pour quelque chose d'aussi grave. Il s'agit de notre avenir à tous.

— Ton mari l'a dit aussi. Il a bien plaidé sa cause, seulement…

Avec un haussement d'épaules, Amélie s'interrompit. Ses sentiments envers Scott demeuraient compliqués, faits d'anciennes rancunes et d'une certaine estime. Kate le savait. Elle savait aussi que, quels que soient ses arguments, Scott n'aurait pas réussi à la convaincre seul. Alors, quelques jours plus tôt, elle avait parlé longuement avec sa mère, bataillant pied à pied pour lui faire comprendre que John l'entraînait vers une situation sans issue.

— Enfin, c'est fait, soupira Amélie. J'ai annulé mon rendez-vous avec ce M. Mac Dell. Il me reste à avertir ton frère, qui sera furieux.

— Oh, lui ! Du moment que tu lui donnes ce qu'il veut... Mais ne te laisse pas trop démunir, maman, fais attention. John est plutôt en forme ces temps-ci, il a repris du poids et, d'après Betty, ses médecins sont contents.

— Ça ne m'empêchera pas d'avoir peur pour lui ! protesta Amélie.

— Tout le monde a peur, maman. Tout le monde le plaint. Et il compte là-dessus pour nous mener par le bout du nez.

Kate posa sur une souche le panier d'osier qu'elle avait porté jusque-là, et elle prit les mains de sa mère dans les siennes.

— Tout ira bien, lui dit-elle doucement.

Elles échangèrent un long regard, puis Amélie eut l'ombre d'un sourire.

— Va rejoindre les petits, va...

Kate acquiesça, pressée d'embrasser les jumeaux, et elle s'élança sur le sentier. Une fois seule, Amélie regarda les lis et décida de les épargner. Était-ce donc son jour de bonté ? Elle avait la certitude d'avoir bien agi, malgré la scène désagréable que John ne manquerait pas de lui faire. Mais, puisqu'elle allait lui donner les moyens de ne plus s'angoisser sur un plan financier, il devrait se satisfaire de cette victoire et renoncer à sa vengeance. Au-delà de tout son amour maternel, que les désillusions successives n'avaient pas entamé, elle était lasse de ses exigences et de sa sempiternelle mauvaise humeur. Certes, il traînait le spectre d'une maladie qui pouvait le terrasser, mais il avait une femme merveilleuse, et Betty ne le laisserait pas tomber. Elle le forcerait à suivre rigoureusement ses traitements, et aujourd'hui l'espoir d'une vie normale était devenu possible. À Glasgow, où il ne verrait plus Scott tous les jours, peut-être s'apaiserait-il, peut-être s'ouvrirait-il à un nouvel horizon ? Il avait fait de son beau-frère son grand ennemi afin de ne pas avoir à se poser de questions sur lui-même ; le temps était venu pour lui de s'interroger.

Désemparée par la mort d'Angus et bousculée par John depuis des mois, Amélie avait enfin ouvert les yeux. Sa longue conversation avec Kate se révélait salvatrice. En écoutant sa fille, Amélie avait senti qu'elle appartenait réellement à ce clan Gillespie dont elle était une pièce rapportée, mais une pièce maîtresse. Son antipathie pour Scott n'était plus aussi vive et perdait peu à peu toute raison d'être. Il se montrait un excellent mari et père, un bon gendre, un solide chef de famille, et il témoignait à Amélie un respect qui ne s'était jamais démenti. En y réfléchissant, elle admettait avoir davantage confiance en Scott qu'en John, et ce constat paradoxal était pour elle une révélation. Une autre avait été de découvrir que Kate, dont elle ne s'était pas beaucoup occupée enfant, ni même adolescente, était à présent son véritable soutien. Kate lui avait offert ce rôle de grand-mère dont elle se délectait, Kate se souciait d'elle et ne la laisserait pas tomber. La *petite* Kate, sur laquelle Amélie n'aurait pas parié un penny…

Elle s'éloigna du mur, balançant son panier vide à bout de bras. Bizarrement, elle trouvait la vie belle et, en entendant les cris de joie des enfants, au loin, elle laissa même échapper un petit rire.

*

Le samedi matin, Graham déposa Pat et leurs trois enfants à Gillespie, puis il fila à Greenock pour tenter de persuader Scott qu'un parcours de golf lui ferait le plus grand bien.

Il le trouva près des fours au-dessus desquels les graines de malt étaient en train de sécher. Le combustible utilisé contenait de la tourbe et une odeur caractéristique se répandait dans le bâtiment.

— Qu'est-ce que tu fais là ? s'exclama Graham.

— Nous avons arrêté le processus de germination.

— Je vois, mais tu n'es pas censé travailler sept jours sur sept.

— Je ne travaille pas, je surveille.

— Eh bien, tu ferais mieux de déléguer un peu ! J'étais venu te proposer un petit parcours avant le déjeuner, histoire de se mettre en appétit.

— Curieuse idée. Tu sais bien que je ne joue pratiquement jamais.

— Tu devrais t'y remettre. Tu as tout le matériel d'Angus, qui achetait des fers de qualité. Pour la chasse, d'accord, tu n'aimes pas ça, mais arpenter les links en respirant l'air marin…

Avec un sourire amusé, Scott secoua la tête.

— Je suis heureux ici, je n'ai pas besoin d'aller me défouler. Je resterais volontiers regarder sécher le malt ou le voir broyer dans les moulins. Tu me distrais, tu es mon mauvais ange.

Graham éclata de rire et prit Scott par l'épaule pour le pousser vers la sortie du bâtiment. Une fois dans la cour, il alluma une cigarette.

— Tu fumes ? s'étonna Scott.

— Seulement quand Pat ne peut pas me surprendre.

— Tu lui mens ?

— J'évite de l'inquiéter.

D'un regard circulaire, Graham s'assura qu'aucun des employés n'était assez proche pour les entendre.

— Nous sommes vraiment contents pour toi, Pat et moi. Je te trouvais mal parti dans cette affaire et j'admire la façon dont tu t'en es sorti.

— Sans Moïra, je serais en train de discuter pied à pied avec Mac Dell. C'est le genre de type qui envoie le maltage se faire dans une société spécialisée alors que je tiens à produire le mien. Il est capable d'affirmer que peu importe la provenance de l'orge. Il se serait mêlé du choix des levures, des procédés de distillation, et m'aurait fait chauffer la vapeur au pétrole plutôt qu'au charbon ! On aurait fini par se battre.

— En tout cas, il regrette et il le fait savoir. Il se voyait déjà furetant dans tes secrets de fabrication. Mais à Glasgow le plus bavard est Me Forbes. Il clame que pour la première fois de sa carrière il s'est fait avoir, qu'il n'y avait rien du tout dans la succession Gillespie et qu'il a perdu son temps.

— Tu es au courant du moindre commérage !

— Tout se sait dans les milieux financiers.

Il alla éteindre sa cigarette dans le bac à sable tenant lieu de cendrier.

— À défaut de golf, accorde une grande balade au citadin que je suis.

— Puisque tu insistes, on peut faire un tour dans les collines de Gillespie, il y a longtemps que je n'ai pas vu mes moutons.

Scott se souvint des longues marches qu'il entreprenait autrefois avec son père. Angus aimait parcourir ses terres, rencontrer ses bergers et contempler la mer au loin. À son époque, il avait vécu avec une certaine désinvolture, se partageant entre ses activités de propriétaire terrien et ses distilleries. Il considérait celles-ci comme le moyen d'existence familial, se contentant de maintenir une tradition à laquelle il demeurait très attaché. Pour lui, le whisky était un produit noble, mais il payait des gens pour s'en occuper à sa place et se bornait à superviser. Il n'envisageait aucun changement dans sa manière de fabriquer et de vendre, ignorant le monde moderne. Mais les temps avaient changé, tout s'était précipité. Aurait-il pu imaginer que même les Japonais se mettraient à distiller du whisky ? Scott dirigeait ses affaires différemment, s'impliquant corps et âme dans son travail et surveillant tout de près. S'il respectait les coutumes, gage pour lui de qualité, il ne s'interdisait pas d'innover. Il suivait avec attention le marché international, assistait aux réunions de distillateurs à Glasgow, Édimbourg ou Aberdeen. Son ambition était de hisser le Gillespie au sommet du tableau, et il avait toute la vie pour y arriver.

— On se retrouve sur le petit chemin de la côte, décida-t-il. Tu l'auras, ta balade, il reste au moins deux heures avant le déjeuner !

Avec un regard de regret en direction des bâtiments, il gagna sa voiture. L'indéfectible et précieuse amitié de Graham valait bien une balade dans les collines.

*

Installé dans un fauteuil confortable, ses béquilles posées près de lui, Philip semblait bien rétabli de son accident. Il prétendait avoir eu une certaine « chance » car ses mains et ses bras n'étant pas blessés il avait pu continuer à dessiner au fond de son lit d'hôpital, et il avait rendu ses planches à temps pour la parution de l'album.

— Il sort le mois prochain ! annonça-t-il triomphalement.

— Tu m'en donneras un exemplaire ? réclama Kate. Tes neveux seront tellement fiers que…

— Tu veux rire ? Ce sont des bandes dessinées pour adultes !

— Tant pis. Je la mettrai sur une étagère en hauteur, mais je leur dirai que leur oncle Philip écrit des histoires.

— Tu la liras avant de la ranger, j'espère ? plaisanta Malcolm.

— Elle est prof de *littérature*, intervint John avec un air narquois, elle ne s'intéresse pas à ces frivolités.

Kate haussa les épaules sans relever la provocation. John et Betty devaient emménager à Glasgow dans le courant de la semaine suivante, et d'ici là chacun évitait soigneusement de provoquer une dispute.

— As-tu mis le champagne au frais ? demanda George.

Arrivé un peu plus tôt en compagnie de Susan, il avait apporté deux bouteilles pour fêter l'annonce officielle de leur prochain mariage.

— Maman s'en est chargée. Elle est ravie. Elle n'en est pas à une gaffe près, et elle dit qu'elle va pleurer le jour où elle mariera son *dernier* fils.

George éclata de rire en se tournant vers Philip.

— Toi, tu ne comptes pas, puisqu'il faut attendre que la loi t'y autorise !

— Si ce jour arrive, elle ne viendra pas, prophétisa Philip.

— Mais si, affirma Kate avec conviction.

— J'adore les mariages, déclara Pat, qui revenait de la cuisine. On en profitera pour faire les boutiques, Kate et moi. Quant à toi, Susan, si tu as besoin de conseils pour ta robe, fais appel à nous !

— Tout se passe bien avec les enfants ? s'inquiéta Kate.

— Oh oui… Moïra les gave, et ta mère les chouchoute. Mais elle fait régner l'ordre, elle est très pédagogue.

— Eh bien, c'est nouveau ! s'esclaffa George. Quand nous étions petits, c'était le chahut assuré à table, elle ne s'en sortait pas.

— Vous étiez odieux, rappela Kate.

— Et toi tellement nunuche, ajouta John. Mademoiselle rêvait en silence à son prince charmant…

— J'avais raison puisque je l'ai trouvé ! riposta-t-elle.

Elle quitta aussitôt le salon afin de ne pas lui laisser la possibilité de répliquer. Leurs affrontements d'adultes étaient bien plus dévastateurs que leurs anciennes querelles d'adolescents, et Kate ne voulait pas que des mots regrettables soient prononcés. Elle n'avait plus que trois ou quatre jours à tenir, ensuite tout rentrerait dans l'ordre et Gillespie retrouverait la paix. À condition que John et Scott continuent de s'ignorer, ce qu'ils faisaient depuis la vente des parts d'Amélie. La présence de Graham et Pat, avec leurs trois enfants, permettrait au moins de faire diversion pour le week-end.

Dans la cuisine, les cinq petits s'amusaient comme des fous autour d'une table dévastée, sous l'œil bienveillant de Moïra.

— Ta mère est montée arranger leurs lits pour la sieste, annonça-t-elle. Ils ne veulent pas se séparer, alors on va faire un dortoir.

David entassait des verres sur un plateau, et Kate le lui prit des mains, sachant qu'il détestait manier des choses trop fragiles.

— J'ai prévu un déjeuner léger, ajouta Moïra. Mais enfin, nous avons des invités, il faut leur faire honneur…

Réprimant un sourire, Kate jeta un coup d'œil vers la cuisinière où fumaient les casseroles.

— Léger, hein ?

Elle repartit vers le salon avec le plateau de verres et croisa John dans l'entrée.

— Je monte chercher mes médicaments, crut-il bon d'expliquer, une main sur la rampe.

— Veux-tu que j'y aille ?

— Non, je ne suis pas encore invalide !

Elle hocha la tête puis s'éloigna, mais il la héla :

— Attends un peu, Kate.

Il revint vers elle, la débarrassa du plateau qu'il posa sur une console.

— Tu dois être soulagée que nous quittions enfin *ta* maison, non ?

Surprise autant par son attitude que par sa question, elle répondit posément :

— C'est une maison de famille, John, et tu y seras toujours le bienvenu.

— Pour avoir envie de revenir, il faudrait vraiment que je sois à la rue… Or grâce à maman, je ne le suis pas. Tant mieux, parce que ici j'étais vraiment le mouton noir !

— J'adore les *black face*, plaisanta-t-elle en faisant référence aux moutons à tête noire qui composaient une partie des troupeaux.

John continuait de l'observer sans sourire, d'un air interrogateur. Devinant qu'il attendait autre chose, elle enchaîna :

— Tu fais toujours tout pour qu'on te déteste, je n'ai jamais compris quel genre de plaisir tu en retirais. Enfin… tu es mon frère et je t'aime, même si tu ne le souhaites pas.

— Oui, tu aimes bien tes frangins, mais tu préfères ton mari.

— Je ne vois pas le rapport. Je peux aimer beaucoup de gens, Dieu merci, mes enfants, par exemple… Maintenant je vais être franche avec toi, John, tu ne nous as pas facilité la vie, ces derniers mois. Tout ça aurait pu finir en bataille rangée ! Néanmoins, on se fait tous du souci pour toi.

— Vraiment ?

— Tu le sais. Tu sais aussi que si tu as besoin d'aide, nous serons là.

— Toi, peut-être.

— Nous tous.

— J'ai un peu de mal à le croire !

— Tu as tort. J'ignore ce que tu peux éprouver parce que tu ne te confies jamais. Tu fonctionnes à coups de cynisme et de provocation, ça complique les rapports, et surtout ça n'aide pas à te comprendre. Mais que tu le veuilles ou non tu es mon grand frère. Quand je pense à toi, je ressens parfois un peu d'agacement, et aussi énormément de tendresse. Voilà, fais-en ce que tu veux, je te l'aurai dit.

Pour une fois, il ne la regardait pas de haut, au contraire il semblait radouci.

— Tu es marrante, tu sais… Sous tes airs de gamine, je pense que c'est toi, le vrai chef de famille, ici. Scott te mange dans la main et maman ne jure plus que par toi. Bravo ! En tout cas, merci pour ce moment de compassion.

— D'émotion, corrigea-t-elle. Je n'en ai pas honte.

Il leva une main, n'acheva pas son geste.

— Tu n'as plus de nattes, je ne peux pas tirer dessus. Sinon, j'oserais encore.

— Je n'en doute pas.

Avec un petit sourire en coin, il lui tapota l'épaule puis s'engagea dans l'escalier. Elle revint à pas lents vers la console, considéra le plateau, songeuse. Était-il possible que John change ? Venait-il de baisser la garde par lassitude ? Pourtant, c'était bien à elle qu'il avait confié en premier le secret de sa séropositivité. Il avait accepté qu'elle parle à Betty, qu'elle règle ce problème-là pour lui. Avec elle, même lorsqu'il était narquois, il n'était pas vraiment en guerre. Si c'était le seul moyen de l'aider, elle continuerait à lui parler franchement chaque fois qu'elle en aurait l'occasion, puisqu'il paraissait l'accepter.

— Trop lourd pour toi ? demanda David en passant avec les bouteilles dans un grand seau plein de glace.

Tirée de sa rêverie, elle saisit le plateau.

— J'arrive, et de toute façon il faudra attendre que tout le monde soit là pour ouvrir ce champagne.

Elle suivit David jusqu'au salon, où la conversation était très animée grâce à Pat, qui lui lança :

— Tu te rends compte que Malcolm va exposer ses toiles dans une galerie à Édimbourg !

— Les exposer, ça ne signifie pas les vendre, rappela-t-il.

— Envoie-nous des invitations pour le vernissage, on viendra te soutenir.

— Tu auras du succès, prédit Kate. Mais je t'avertis, nous ne te prêterons pas notre cheval sortant de l'eau. Il ne sort pas d'ici !

— Ne sois pas égoïste, tous les tableaux seront assurés.

— Pour combien ? ricana John qui revenait. Tu n'es pas encore coté, que je sache.

Il avait retrouvé son ton ironique, mais il n'ajouta aucune méchanceté et alla s'asseoir à côté de Betty.

— Graham a dû réussir à entraîner Scott sur un parcours, soupira Pat en regardant sa montre.

— Impossible, Scott n'aime pas le golf, répondit Kate. C'est moi qui accompagnais Angus de temps en temps. Et ça me manque…

— Graham sera ravi, si tu veux t'y remettre !

— Je le ferai peut-être.

Kate songea que Graham était le seul homme dont Scott ne serait pas jaloux. Toutefois, il se gardait de faire la moindre réflexion au sujet de Craig, et, si elle prononçait son nom lorsqu'elle évoquait les répétitions, il restait de marbre. Pour elle, il était prêt à tout, y compris à corriger ses défauts, et elle trouvait cet effort à la fois émouvant et rassurant.

— Viens, dit-elle à Pat, on va les guetter.

Elle la précéda vers le hall d'entrée, mais au lieu de sortir elle prit l'escalier.

— Je te préviens, c'est haut ! Tu n'es jamais montée jusqu'au belvédère ? On a une vue imprenable…

L'une derrière l'autre, elles gravirent les trois étages et émergèrent à l'air libre. Pat poussa un cri devant la beauté du paysage, tournant sur elle-même.

— J'adorais venir ici quand j'étais gamine, et c'était déjà Scott que je guettais.

— Si tu avais pu lire l'avenir…

— Je n'aurais jamais eu la patience de grandir ! Pour moi, il était un rêve, et je savais qu'il ne se réaliserait pas. Et puis c'est arrivé. Quelle folie !

— On devrait toujours croire à ses rêves.

Elles se turent, profitant du soleil et du vent tiède tout en gardant un œil sur l'allée qui descendait jusqu'à la route.

— Graham a sauté de joie quand il a su que ta mère avait accepté de traiter avec Scott. Je suppose qu'elle s'est empressée de donner l'argent à John ?

— Pas tout. Elle possède un certain bon sens. Elle l'a calmé avec une petite somme rien que pour lui, et elle a confié le reste à Betty.

— Non ? Alors, elle n'est pas tout à fait aveugle concernant son fils chéri ?

— Disons qu'elle ne l'est plus.

Au loin, la calandre du Range Rover apparut sur le chemin.

— Les voilà ! s'exclama Kate. Viens, on a juste le temps de descendre…

Telles des gamines, elles dévalèrent l'escalier l'une derrière l'autre en s'accrochant aux rampes et en riant aux éclats. Dans le hall, David les regarda passer, stupéfait, tandis qu'elles se ruaient dehors. Pat se dirigea vers la voiture de Graham, ralentissant l'allure, mais Kate se jeta sur la portière de Scott, qu'elle ouvrit sans attendre qu'il ait coupé le contact.

— Je peux faire ça maintenant ! s'écria-t-elle avant de l'embrasser sur la bouche.

Malgré sa surprise, il l'étreignit aussitôt avec la même fougue.

— Qu'est-ce qui me vaut un si bel accueil ? demanda-t-il enfin, reprenant son souffle.

— Des années de frustration !

Penchée au-dessus de lui, elle l'empêchait de sortir.

— Je te guettais du haut du belvédère, et ça m'a rappelé une foule de souvenirs.

Elle le contempla puis ajouta :

— Tu n'as pas changé, Scott.

— Toi, oui. Heureusement. Tu étais maigre comme un clou et tu portais des chaussettes.

— Te souviens-tu des premiers mots que tu m'as adressés ?

— Je t'ai demandé ce que tu lisais.

— *Les Misérables.* Et tu m'as trouvée trop sérieuse.

Elle lui mit les bras autour du cou, l'embrassa de nouveau.

— Si tu continues, Kate, je te fais l'amour dans la voiture.

— Devant la façade ? Avec toute la famille aux fenêtres ?

Elle s'écarta en riant et le laissa descendre. Pat et Graham étaient déjà rentrés, ils se trouvaient seuls devant la maison. Kate se tourna vers le parc, puis à nouveau vers le manoir.

— Il y aura toujours des Gillespie ici, n'est-ce pas ?

— Je le souhaite, mais par mesure de sécurité tu devrais m'en faire d'autres, ma puce.

— Oh, mon Dieu ! Il y a si longtemps que tu ne m'avais pas appelée ainsi… Depuis le jour où nous sommes devenus amants.

— C'est parce que tu as parlé du passé.

— Est-ce qu'Angus te manque encore ?

— Mon père a laissé un vide qui ne se comblera pas. Mais quand tu es là, rien ne me manque.

Il la prit par la taille pour monter avec elle les marches du perron.

— Ah, j'y pense… dit-elle en s'arrêtant. Concernant la demande que tu viens de faire à *la puce*, il se pourrait que les choses soient en cours. Et que la coupe de champagne que je vais boire à la santé de George et Susan soit une des dernières pour moi avant quelques mois.

Figé, il la scruta, vit qu'elle ne plaisantait pas.

— Kate ! C'est vrai ?

— À vérifier, mais d'après le test de ce matin, oui.

— C'est la meilleure des nouvelles de l'année ! La meilleure !

Elle comprit qu'à cet instant il pensait uniquement à elle, pas du tout à la distillerie de Greenock dont il restait seul maître à bord. À elle et à la famille qu'ils continuaient à construire ensemble.

— Viens, maintenant, dit-elle. Ils nous attendent.

Vous avez aimé ce livre ?

Partagez vos impressions sur la page Facebook
de Françoise Bourdin
www.facebook.com/Francoise.Bourdin.Officielle

Vous souhaitez recevoir la newsletter
de Françoise Bourdin ?

Rendez-vous sur son site
www.francoise-bourdin.com, rubrique « Le Club ».

Éditions Belfond :
12, avenue d'Italie
75013 Paris.

Canada :
Interforum Canada, Inc.,
1055, bd René-Lévesque-Est,
Bureau 1100,
Montréal, Québec, H2L 4S5.

ISBN : 978-2-7144-5407-2

Composé par Nord Compo Multimédia
7, rue de Fives, 59650 Villeneuve-d'Ascq

Cet ouvrage a été imprimé au Canada par

en mars 2014

Dépot légal : mars 2014